АЛЛА ПОЛЯНСКАЯ

КТО НА СВЕТЕ ВСЕХ ТЕМНЕЕ

МОСКВА
2018

УДК 821.161.1-312.4
ББК 84(2Рос=Рус)6-44
П54

Разработка серии *А. Саукова, Ф. Барбышева*

Иллюстрация на обложке *Ф. Барбышева*

Полянская, Алла.

П54 Кто на свете всех темнее : [роман] / Алла Полянская. — Москва : Издательство «Э», 2018. — 320 с. — (От ненависти до любви).

ISBN 978-5-04-093409-6

Светка резко выделяется среди работниц склада — слишком красивая, слишком скрытная, слишком сильно старается слиться с толпой. Конечно, рано или поздно кто-нибудь догадается, что документы у девушки подложные и даже имя чужое. Поэтому и нет у нее другого выхода, кроме как согласиться на странное предложение начальницы — в обмен на помощь с получением документов изгнать призраков из роскошного старинного особняка. Ее случайно принимают за медиума и даже не спрашивают, верит ли она в призраков. Но в странном доме девушку ждут не только призраки, реальные или мнимые, но и убийца, от которого она скрывается, и сводный брат, из-за которого она сбежала из дома, и ожившие воспоминания о давней семейной трагедии. И больше нет смысла прятаться под маской фасовщицы Светки...

УДК 821.161.1-312.4
ББК 84(2Рос=Рус)6-44

ISBN 978-5-04-093409-6

От ненависти До любви

Читайте романы Аллы Полянской в серии

От ненависти До любви

- ОДНА МИНУТА И ВСЯ ЖИЗНЬ
- СЛИШКОМ ЧУЖАЯ, СЛИШКОМ СВОЯ
- ПРОГУЛКИ ПО ЧУЖИМ НОЧАМ
- МОЯ НЕЗНАКОМАЯ ЖИЗНЬ
- ЖЕНЩИНА С ГЛАЗАМИ КОШКИ
- НАЙТИ СВОЙ ОСТРОВ
- ПРАВО БЕЗУМНОЙ НОЧИ
- НЕВИДИМЫЕ ТЕНИ
- ЧАСОВОЙ МЕХАНИЗМ ЛЮБВИ
- НЕВОЗМОЖНОСТЬ СТРАСТИ
- ВСТРЕЧА ОТ ЛУКАВОГО
- ВДВОЕМ ПРОТИВ ЦЕЛОГО МИРА
- ТАЙНЫ ВИРТУАЛЬНОЙ ЖИЗНИ
- ВИРУС ЛЖИ
- ЕСЛИ ЖЕЛАНИЯ НЕ СБУДУТСЯ
- ФАРФОРОВАЯ ЖИЗНЬ
- ПРОТИВ ВЕТРА, МИМО ОБЛАКОВ
- КТО НА СВЕТЕ ВСЕХ ТЕМНЕЕ

...и нет ничего нового под солнцем.
Бывает нечто, о чем говорят: «Смотри, вот это новое»;
Но это было уже в веках, бывших прежде нас.
Нет памяти о прежнем; да и о том, что будет,
не останется памяти у тех, которые будут после.

Книга Екклесиаста

1

Говорят, что у кальмаров до определенного возраста есть мозг, но потом он отмирает — за ненадобностью. Видимо, в какой-то момент кальмар обнаруживает, что море везде одинаковое, еда более-менее доступна, с сексом проблем тоже не возникает, а природное любопытство, которое в детстве заставляло совать щупальца всюду, куда их можно было засунуть, под грузом первичных инстинктов угасло. И маленький любопытный кальмарчик с осмысленными глазками превращается в толстого безмозглого урода, которого остается только съесть, потому что он в интеллектуальном смысле что-то типа овоща на грядке. Это если принять на веру теорию о мышлении кальмаров. Если условно предположить, что она верна, это забавно.

Хотя вряд ли это мышление сродни человеческому. Но кто знает?

И я вот задаюсь вопросом: осознают ли кальмары тот момент, когда их мыслительная функция начинает отмирать? Чувствуют ли они приближающееся безумие, пугает ли их мысль о том, что мир вокруг постепенно гаснет, теряет краски в той части, которая не касается жратвы? Или они продолжают думать, что мыслят — ведь они ищут еду, но уже не понимают, что это не мышление, это просто поиск еды.

А если предположить, что у некоторых кальмаров мышление каким-то образом все-таки сохраняется и они остаются в абсолютном одиночестве среди миллионов родственников-зомби? Они продолжают свое путешествие в океане, в поисках такого же разумного сородича — но находят ли? И только малыши-кальмарчики могут быть для них собеседниками, но они маленькие и не знают ничего такого, чего бы не знал этот чудом сохранивший мозг Другой Кальмар.

Вкушающий знание вступает на горький путь, да.

— Чего застыла?

Это Гоша, он же Козел Года, старший смены. Гоше под полтинник, и пик его карьеры — должность старшего кладовщика. Гоша страшно горд собой и считает себя альфа-самцом на вверенном ему складе. Его седые волосы завиваются мелким бесом, нос «уточкой» торчит среди глубоких носогубных складок, а вялый рот вечно перекошен в гримасе недовольства. Вся его щуплая фигура в серой спецовке унылая, как марсианский пейзаж. Но тем не менее Гоша считает своим долгом досаждать всем вокруг, причем это доставляет ему заметное удовольствие. Думаю, кто-то должен ему рассказать об онанизме, и когда он откроет для себя мир секса, то, возможно, перестанет быть таким козлом.

Впрочем, я в любом случае просвещать его не стану.

— Тут работы еще часа на два. — Гоша придирчиво смотрит на мешки с крупой, стоящие около моего стола. — А у нас большой заказ.

— И че?

— Работай давай, нечего зевать. Понабирают ротозеев...

Гоша презрительно морщится, и его вялый рот оказывается в вертикальном положении. Иногда я представляю себе, как закапываю Гошу в куче соли.

Я фасую крупы на складе, если вы еще не поняли. И вокруг меня работают такие же тетки в серых спецовках, и они тоже фасуют крупы, при этом умудряясь обсуждать сериалы, какие-то рецепты и отсутствующих теток, а также Гошу. Мыслительная функция этих дам угасла в раннем пубертате, и я ощущаю себя среди них как тот, Другой Кальмар.

Да, блин, я самая умная, что не так?

— Светк, чего он от тебя хотел-то?

Это Валька, толстая, рыхлая и добродушная. Не знаю, сколько ей лет, но она работает рядом и не доставляет мне особых хлопот, и если бы она не сделала себе привычку присматриваться ко мне, ее присутствие было бы даже сносным, но пока я стараюсь держаться от нее с подветренной стороны.

— Без понятия.

— Взъелся он на тебя, похоже. — Валька шумно вздохнула. — Слышь, теть Паша, чего это наш на Светку взъелся?

— А ему, козлу, как новая баба, так он тут же начинает перед ней начальника из себя строить. — Пожилая тетка, работающая наискосок от меня, не отрываясь, фасует рис. — Санька, тащи еще два мешка! А то ты не знаешь, как он любит из себя большую шишку показать, а чуть начальство увидит, то глядишь — а он уже, как пес, на брюхе ползает. Ты, Светка, не обращай внимания, он лает, да не кусается, у нас фасовщиц берегут — востребованная профессия, значит. На всех складах мы нужны, без нас конец отгрузкам, не нафасуем — грузить нечего будет, так что если он тебя станет зря донимать — пожалуйся Людмиле, она ему таких люлей выпишет, что он забудет сюда дорогу.

Людмила — толстая приземистая тетка... Впрочем, ее принадлежность к женскому полу я вычислила не сразу. Всегда одетая в серые штаны и куртку, очень коротко стриженная, с грубым квадратным лицом и низким голосом. Людмила заведует всеми складами и фасовочным цехом — это если я правильно поняла ее положение здесь.

И она очень не любит, когда ее персонал увольняется.

— Недавно грузчики уволились почти все, а у нас объемы большие, пять-шесть фур приходит на разгрузку каждый день, и на загрузку не счесть. Это до тебя еще было, Светка. — Тетя Паша проворно открыла новый рулон с пакетами. — И тут, представь, уволились почти в полном составе. Торговые агенты грузили машины для клиентов, вот до чего дошло! Людмила из трусов выпрыгивала, а что оказалось? У нас для грузчиков шестидневка, и график — двенадцать часов каждый день, на такой объем надо две смены грузчиков. А рядом открылись два склада, где им предложили нормальные условия на те же деньги! Вот они и разбежались, пришлось Пашковскому менять условия, никто не шел на нашу шестидневку с двенадцатичасовым рабочим днем и погрузками-разгрузками по шестьдесят тонн в день на человека, вот как! Сейчас даже я могу себе работу найти запросто, если что — с руками оторвут, и это в моем-то возрасте, Людмила насчет этого в курсе. Уйди любая из нас — объем производства сразу снижается, а у них заказы, им надо, чтоб объем сохранялся! Так что если Георгий будет тебя доставать — иди прямиком к Людмиле, она ему расскажет, почем в Одессе рубероид.

Меня сюда взяли сразу, как только я пришла, даже оригиналы документов не попросили, довольствовались копиями. Это оказалось очень удачно, потому что оригиналов у меня и нет, и копии-то оказались в наличии чисто случайно. Причем копии не моих документов, вот что смешно — нашла целую пачку недалеко от кредитной конторы, выбросили их, а я подобрала себе новую личность. Но в здешнем отделе кадров довольствовались обещанием принести оригиналы когда-нибудь в обозримом будущем, и теперь я понимаю, почему так вышло: спрос на кальмаров без мозга очень высок, но мало кто готов признать, что он безмозглый кальмар.

— Светк, ты после работы куда? — Валька выполняет работу автоматически, ее руки живут собственной жизнью.

— На реку пойду. А что?

Идти-то мне больше особо и некуда, а на реке я могу помыться. Мне это очень нужно.

— Да я хотела в магазин сходить, мне платье надо бы... Думала, может, ты со мной сходишь.

— Поглядим.

С чего Вальке вздумалось позвать меня, я не знаю, но она упорно клеится мне в подруги. Я понять ее интереса не могу, но и отталкивать тоже не стану. Мое выживание напрямую зависит от умения взаимодействовать с окружающими.

Сашка-грузчик подвез на электрокаре мешки, и я с тоской сморю на них — до конца рабочего дня еще три часа, но нипочем не успеть мне нафасовать столько гороха.

— Гоша сказал тебе привезти. — Сашка пожал плечами на мой немой вопрос. — Не успеешь...

— Совсем спятил, козлина! — Валька с сомнением смотрит на мешки. — Это до ночи фасовать.

— Говорит, заказ большой...

Я молча продолжаю работать. Горох стучит, ссыпаясь в пакет, нужно обязательно в точности отмерить вес, потом запаять пакет на специальном устройстве и сбросить в ящик. Нехитрая работа, и за четыре дня я ее вполне освоила, но не настолько, чтоб за три часа перефасовать пять мешков. Или успею? А ведь было бы смешно — успеть.

— Погоди, вот я закончу и помогу тебе. — Валька сокрушенно кивает. — Это ж немыслимое дело.

— Говорю — пожалуйся Людмиле. — Тетя Паша с сомнением смотрит на мешки. — Сомневаюсь я, что это заказ, просто куражится, гад.

Не хочу я жаловаться, не хочу привлекать к себе внимания, и вообще я только недавно сюда пришла, и мне во что бы то ни стало нужно затеряться среди стаи кальмаров, чтобы никто не заподозрил, что я — Другой Кальмар.

А потому мне надо отключить голову и сосредоточиться на процессе. Я умею выполнять монотонную работу, она меня не раздражает и не напрягает, если я знаю, зачем мне это нужно. А мне сейчас это очень нужно, выхода нет.

— Ого!

Я вынырнула из гороховой пыли, чтобы посмотреть, кто это решил посчитать производительность моего труда. Я не слышала, как подошла Людмила, а она стоит рядом и смотрит на ящики, полные пакетов гороха, с озадаченным интересом.

— Это же сколько ты сегодня... Две нормы сделала?

Я пожала плечами — тут все три, скорее, и я успела.

— Даже три, я думаю, — продолжает Людмила. — Это зачем же ты?..

— Да разве она сама?! — Валька тут же вмешалась. — Георгий тут который уж день бегал вокруг нее, ныл все: ротозеев понабирали! А потом часа три назад Санька привез еще пять мешков и говорит: велено нафасовать до конца дня. Ну, вот она и фасовала.

— Головы не подняла за день, в туалет — и то не сбегала и не обедала. — Тетя Паша тоже решила наябедничать. — Который день он девку пилит ни за что, а она, знай, работает молча, а ему это, может быть, обиднее всего — что молчит, значит.

— Георгий, значит? — Людмила прищурилась, потом снова обратила взор своих маленьких серых глаз на ящики, в которых громоздились бесчисленные пакеты с горохом. — Ну, за переработку тебе заплатят, конечно, тут разговору нет. Но больше такой стахановский подвиг повторять не надо, норму сделала — все, встала и ушла.

Она взяла из ящика пакет наугад и бросила на весы.

— Вес точный. Ладно же. — Людмила достала из кармана потрепанный блокнот, что-то написала в нем, оторвала страницу и вручила мне. — Ступай сейчас в кассу, деньги получишь по факту, чтоб потом бухгалтерия не путалась, мы-то официально твою переработку провести никак не сможем.

— А касса где?

— В центральном корпусе, на первом этаже. Ступай прямо сейчас, а я Васильевне позвоню, чтоб выдала без проволочек.

Я встаю, ощущая, как затекло все тело. Эта работа меня убивает, но она мне очень нужна.

Офис с большими стеклянными окнами, внутри светло и уютно, столики девчонок-менеджеров расставлены так, чтоб они не мешали друг другу и свет падал одинаково. На стойках цветы, ряд пальм и фикусов отделяет рабочую зону от небольшого пространства с круглыми обеденными столиками.

Да, обстановка знакомая.

Касса — стеклянная будка в углу. Я сую в окошко записку, которую мне выдала Людмила.

— Вот тут распишитесь.

Я молча расписываюсь, беру из кассы купюры и прячу в карман. Сумма оказалась неожиданно большой по сравнению с моими ожиданиями, и это настраивает меня на миролюбивый лад. Денег у меня нет вовсе никаких, аванс обещают только на следующей неделе, так что эта неожиданная прибыль очень кстати.

— Светк!

Блин, да что ж она вцепилась в меня!

— Я твой рюкзачок взяла, держи. — Валька смотрит на меня виновато. — Светк, ты робу-то сними, я подожду. Ну, вот позарез мне надо платье, а я сама не смыслю. А девки все замужние, по домам торопятся, только ты вроде бы одна.

— Валь, мне домой надо, помыться...

— А я тут рядом живу, через дорогу. — Валька умоляюще смотрит на меня. — Я тебе полотенце чистое выдам и прочее что полагается. А потом сбегаем в магазин, ладно?

Я вздыхаю — скорее с облегчением. Я не мылась в ванной уже больше недели, только в реке, а это, как вы понимаете, совсем не одно и то же.

— Ладно, идем. Только я спецовку хотела забрать, ее постирать нужно.

— Сейчас придем ко мне, в машинку забросим, пока вернемся — и высохнуть успеет. — Валька помогает мне снять серую рабочую куртку. — Пылища у нас, конечно...

Мы выходим за ворота и ныряем под железнодорожный мост.

— Вот тут я живу, на Рекордной, — только дорогу перейти, и уже на работе.

Дом стоит торцом к улице, и живут тут только неудачники — в тридцати метрах железнодорожное полотно, и громыхает оно круглосуточно. Чтоб обитать здесь, надо совсем уж не иметь возможности переехать. Но я бы жила, если бы...

— А я и привыкла уже и к шуму, и к тряске. — Валька тяжело поднимается по узкой лестнице. — Светк, ты извини, что я к тебе пристала, но у меня, понимаешь, проблема есть — не разбираюсь в шмотках совсем. Ну, и толстая же я, конечно. И надо мне, чтобы кто-то со стороны поглядел.

— Да ладно, ничего.

— Все, пришли. — Валька, отдуваясь, ищет ключи. — Третий этаж. Вроде бы и невысоко, а мне тяжко. Худеть надо, конечно...

Квартира оказалась двухкомнатной, и я точно знаю, что такая планировка называется «книжка». В меньшей комнате есть большая кладовка, в которой многие делают гардеробную. У Вальки там, скорее всего, хранится консервация.

— Держи, вот тебе полотенечко. — Валька протягивает мне розовое махровое полотенце. — Погоди, давай сначала стиралку загрузим. У тебя только роба или еще что-то есть? Ты бросай все, чего там стесняться.

— Ладно, я сама включу.

Конечно, у меня катастрофа с чистой одеждой. Я стираю вещи в реке, но это совсем не то, что машинка.

Разбираю рюкзак и нахожу последние чистые джинсы и еще ненадеванную майку, которые я берегла на случай совсем уж тупика, и этот тупик наступил сегодня, но боги послали мне Вальку. Искупавшись, надену это и последний чистый комплект белья, остальное сейчас пойдет в стирку, слава богам. И я хочу набрать ванну, полежать в пенке... Душ я не слишком жалую, ванна — совсем другое дело.

— Кушать иди. — Валька чем-то гремит на кухне, оттуда вкусно пахнет. — Я борщик разогрела, вчера готовила, поедим. Не бог весть что, но моя мама всегда говорила, что нужно есть первое блюдо обязательно, а на работе что — сухомятка сплошная, а ты и того не ешь!

Борщ горячий и очень вкусный, я ощущаю себя словно заново родившейся.

— Я тоже люблю в ванной полежать, но мне тесно там. — Валька собирает посуду и наливает в стаканы вишневый компот. — Вот, печенье бери, конфетки. Поедим и пойдем, а машинка пусть стирает, придем и развесим на балконе, сейчас тепло, быстро высохнет. Светк, а ты где живешь?

— На Глиссерной.

Не говорить же ей, где я на самом деле живу. А Глиссерная — это такой край географии, почти за городом, за речным портом, что смысла нет туда ехать, если вдруг кому-то пришло бы это в голову.

— О-о-о, это очень далеко. — Валька покачала головой. — Слушай... Вот пока мы в магазин, а потом пока шмотки высохнут — ну, что тебе ехать в такую даль вечером? Оставайся у меня, я тебе на диване постелю, а завтра прямо отсюда на работу побежим. Шутка ли — с Глиссерной тебе часа два добираться, не меньше! Оставайся, Светк, я на вечер киселя наварю, вкусный кисель у меня получается.

— Ладно, поглядим.

Конечно, я хочу остаться. Конечно, я хочу переночевать в квартире, на чистой постели, а перед сном снова полежать в ванне или принять душ, и утром тоже. И поесть горячего, и не бояться засыпать. И радоваться цветущим катальпам, а не дергаться от каждого шороха. Человек — существо домашнее, и если у него нет своей благоустроенной и относительно безопасной пещеры, он дичает очень быстро.

— Вот и магазин. — Валька смущенно смотрит на меня. — Ты не была здесь?

Зеленая вывеска с белыми буквами — «Бункер». Нет, конечно, я здесь никогда не была. Здесь, судя по всему, изначально размещалось бомбоубежище, а ушлые коммерсанты, устав ждать бомбежек, устроили магазин. Бетонная лестница ведет вниз и вниз, здесь прохладно, только гудят огромные ветродуйки — вентилируют воздух.

— Это «секонд». — Валька вздохнула. — На рынках и в магазинах — дорого и размеров нет. Вот приходишь в магазин, а там мало того, что любая тряпка дурных денег стоит, так еще стоят эти тощие мелкие кильки и презрительно так: женщина, у нас нет ваших размеров! А здесь можно найти, и все почти новое. Вот поглядишь, может, и себе что-то присмотришь.

Я оглядываю ряды висящих шмоток — ну, не знаю, подойдет ли мне здесь что-нибудь. Народу много, все деловито перебирают вешалки, кое-кто даже корзину взял — пластмассовую, как в супермаркете. Да, этот магазин здорово пригодился бы мне когда-то.

Но прошлого не вернуть, к счастью, а потом пришло время, когда я покупала шмотки только в лучших магазинах, и это меня слегка испортило.

— Ладно, ты тут погляди, а я как найду что-то себе, то тебя позову.

Я не должна выделяться, потому начинаю перебирать вешалки с вещами. Как ни странно, мне сразу попадается майка от известной фирмы, на ней болтается магазинная этикетка. Я оглядываюсь на кассу — там висит цена за килограмм. Что ж, майку я, пожалуй, возьму.

— Светк!

Валька уже набрала ворох каких-то вещей и стоит в очереди у примерочных.

— Я буду мерить, а ты смотри.

Уговор дороже денег, буду смотреть, что ж. Тем более что у меня никогда не было подобного опыта, я представить себе не могла, что подобный магазин пользуется такой популярностью. Но посетители выглядят очень прилично, и я вспомнила ряд неплохих машин, припаркованных недалеко от входа в магазин, и парковка тут устроена немаленькая.

— Вот, хотела только платье, но попались еще юбки и футболки тоже... В общем, надо мерить.

— Вот это и это сразу повесь назад, — советую я. Ну, нельзя это носить, вообще! — А в это ты точно не влезешь. А остальное оставь, надо мерить.

Валька покорно выполняет мои приказы.

— Вот как ты это видишь, я не знаю. — Она пыхтит и отдувается. — А платье хорошее, кабы влезть... Но оно ж на мне как на корове седло. — Расстроенно выдыхает.

— А если вот это сверху? — Я снимаю с вешалки шелковый летний жакет-накидку. — Скроет проблемные места и подойдет под остальную одежду. Давай примерь.

Валька скрывается в примерочной, и фанерные стенки начинают качаться — узкая примерочная, Вальке неудобна. Вообще у нас ужасная дискриминация толстяков, если вдуматься.

— Ну, вот...

Она отдернула шторку, и тетка, стоящая за нами, сказала:

— Здорово!

Я и сама вижу, что неплохо — прямое, по косой скроенное платье до колен не обтягивает, но и не висит бесформенным балахоном, а накидка скрыла Валькины объемистые бока. Она, конечно, не стала выглядеть моделью, но и жирной кляксой больше не смотрится.

— Класс! — Валька довольно сияет. — Погоди, еще другое платье надену.

Другое платье розовое, и для него нужна другая накидка, но если поискать, можно найти.

— Давай сейчас поищем? — с надеждой спрашивает Валька.

— Ну а когда? — Вот смешная, чего же ждать, раз мы уже здесь. — Сейчас и поищем.

Я очень люблю одежду. Из всего, с чем мне пришлось расстаться, я больше всего сожалею о своих коктейльных и вечерних платьях, и о своих шубках, и о полках с туфлями и сумочками.

— А ты?

— А я тоже что-нибудь пригляжу. — Если тут есть, конечно, что-то интересное. — Давай, присматривай.

В куче сумочек я вижу настоящую сумочку от «Шанель». Я отличу ее от подделки с расстояния километра, у меня была похожая сумочка, а эта практически новая, подкладка отливает свежим незатертым шелком, и я боюсь даже думать, что мы с этой сумочкой могли бы сегодня не найти друг друга.

И вот на плечиках серый шелковый жакет от той же фирмы, и если я сейчас найду маленькое черное платье... Но не все сразу, я понимаю.

— Смотри, вот! — Валька вываливает ворох каких-то вещей. — А это я для тебя нашла...

Она протягивает мне черную футболку с цветными стрекозами и стразами, и я понимаю, что не взять ее — это обидеть толстуху в лучших чувствах. Впрочем, в той социальной среде, что я оказалась, эта вещица будет в самый раз.

— Если тебе денег не хватит, я одолжу.

Мы идем на кассу, и я понимаю, что сейчас вырвать у меня из рук сумочку и жакет от «Шанель» можно только вместе с пальцами. Но сумма по итогу оказалась вполне приемлемая. Зная, сколько стоят эти вещи в фирменных бутиках, я тихо радуюсь приобретению.

— Сейчас все постираем, и будет совсем хорошо. — Валька довольно щурится. — По-любому тебе смысла нет на Глиссерную тащиться. У меня диван удобный, ты не думай.

— Ладно, ты права.

Если сегодня я переночую в нормальных условиях, это мне сильно поможет. Непонятно только, отчего Валька так радуется.

— Гляди, машина достирала уже. Сейчас покупки надо перестирать, и отлично.

Мой жакет нельзя стирать в машине, но я постираю его руками, в условиях ванной это несложно. А остальное, конечно, пусть в машине стирается.

— Я развешу сама, отдыхай, — говорю я Вальке.

Не хочу, чтоб она трогала мою стирку, да и просто видела, чтó я бросила в ее машину. А на балкон она не пойдет, потому что сушится стирка, что там делать. В Александровске вся стирка сушится только в закрытых балконах, снаружи ничего сушить нельзя — через час осядет на стираное белье пыль и смог, и придется перестирывать заново.

— А я киселя пока наварю. — Валька едва ли не вприпрыжку побежала на кухню. — Светк, спасибо тебе большущее!

Что-то странное в этом есть — не за что ей меня благодарить, и радоваться моему присутствию в квартире тоже незачем, мы едва знакомы. Но она отчего-то очень рада, и я думаю: с чего бы это?

— Я сейчас одна живу, и вечером бывает скучно. — Валька кричит из кухни, но квартира небольшая, все слышно. — Раньше мама со мной жила, но мама полгода назад умерла, а перед этим болела сильно. Я работу в банке бросила — бухгалтером работала, а пришлось бросить, как мама слегла. До самой смерти ухаживала за ней, а как она померла, то я сделала ремонт в квартире, потому что запах ничем не выводился. Ну, и мебель пришлось поменять, вот деньги-то все и поиздержала, а на работу захотела вернуться — не берут, шеф поменялся, и всех толстых и кто старше тридцатника просто уволил под разными предлогами. Ну, и пошла сюда, платят неплохо, и рядом с домом, главное. Оно, конечно, не то что бухгалтер в банке, но я считаю, что нет на свете зазорной работы, а подвернется что другое со временем — уйду. А ты как сюда? Ты не похожа на наших тамошних, у меня глаз наметанный.

Валька поняла, что я Другой Кальмар... Может, она тоже — Другой? Ответов от меня она не ждет, что уже само по себе неплохо.

— Светк, иди киселя похлебай.

Я иду на кухню. Кисель — это очень кстати, у меня за последнее время от сухомятки начал сильно болеть желудок. Раньше я занималась своим здоровьем, а теперь недосуг.

— Я сварила ягодный, чтоб на ночь не тяжело. У меня в морозилке ягод много наморожено, но уже, конечно, заканчиваются — но это не беда, скоро новые поспеют, снова наморожу. И вот сырничков еще пожарила, ты ешь на здоровье, Светка, не стесняйся.

Кисель вкусно пахнет ягодами, и мне хочется его, но он очень горячий.

— Ты вот в пиалку перелей, он так остынет скорее.

Знать бы, с чего это она меня так обхаживает? Что-то ей нужно, и покупка платья — только предлог.

— Спасибо, очень вкусно.

— Ага, я готовить умею. У тебя на Глиссерной квартира?

Ну, я не живу на Глиссерной, я просто так это ляпнула, и квартиры у меня нет, а то и на Глиссерной жила бы — все лучше, чем на улице.

— Снимаю комнату.

— Вот ведь... — Валька вздыхает. — А сама-то что, не местная?

— Местная, но так вышло.

Что я ей буду рассказывать, смешно даже. Я и сама пока не сильно поняла, как так вышло, что я оказалась на улице. Что тут можно рассказать?

За окном слышен звук приближающегося поезда, посуда на столе жалобно звенит, трясется мебель, качаются занавески.

— Товарный пошел. — Валька кивнула в сторону окна. — Я давно их различать научилась. Продать эту квартиру — а кто ее купит, если не за копейки? А продать за копейки — нет денег, чтоб добавить и купить другую. Но я уже привыкла. Давай спать, что ли? Можешь на диване, а хочешь — иди в спальню, а я на диване лягу.

— Спасибо, дивана мне достаточно. — Я допила кисель, думая о том, что устала я безбожно. — Я только в душ занырну еще.

— Погоди, я тебе халатик дам, чего снова в джинсы влезать-то перед сном?

Халат на меня, конечно же, большой — но это неважно, он чистый и после купания завернуться в него будет приятно. А потом улечься в чистую постель и уснуть. Нет, это хорошо, что я осталась здесь.

Когда я принимаю душ, то вставляю в уши специальные затычки — беруши, такая у меня привычка. И сейчас они отгородили меня от мира, есть только я, теплая вода и ароматная пенка. Наверное, я теперь никогда не накупаюсь. Пенка приятно пахнет, и мне даже вылезать из-под воды не хочется. Но придется, и я радуюсь, что ощущаю свое тело, чистое до скрипа, давно я не ощущала себя такой чистой.

Выключив воду, я вынула из ушей беруши и услышала, что в комнате кричит Валька. Я, наскоро вытершись, выбежала из ванны.

Толстуха вжалась в стенку и смотрит в угол — на что она смотрит, я понятия не имею, там ничего нет.

2

Иногда все рушится очень быстро, а иногда боги подают знаки, что скоро все рухнет и наступит тьма — но люди не понимают, что это именно знаки.

Я понимала, но сделать ничего не могла. Все шло както само собой, и я смотрела на себя словно со стороны, но изменить ничего не могла. В результате оказалась в чужой квартире, мерно трясущейся и звенящей чашками, и это сейчас вообще за счастье.

И ни хрена не помогло мне то, что я умная и все понимала с самого начала.

Когда все рухнуло в первый раз, мне было чуть больше восьми лет. Восемь с половиной, ага. И оно должно было рухнуть, уже тогда я это понимала и была даже как-то внутренне готова к такому повороту, но все равно вышло ужасно и кроваво. И все это сделал тогда мой отец, а мать никак ему не помешала.

Он не был хорошим отцом — не ходил со мной в парк или на рыбалку, не покупал мне игрушки и мороженое, не интересовался мной, но справедливости ради надо сказать, что он и вовсе ничем не интересовался, кроме выпивки. Он приходил домой по ночам — вваливался в квартиру мрачно пьяный, иногда не доползая до кровати, падал и спал мертвым сном, подплывая вонючей лужей, и это еще был неплохой вариант. Чаще он приходил достаточно резвый, чтобы куролесить, и тогда тупо избивал маму, меня, пугал младшую сестру, кота... В общем, в какой-то момент я последовала примеру кота — начала вечерами уходить из дома. Я пряталась в подвале, на чердаке, просто ходила по улицам, и это, как оказалось, по итогу спасло мне жизнь: в какой-то из вечеров папаша, пребывая сильно навеселе, в приступе пьяного буйства убил мою сестру, почти убил маму, а сам перерезал себе глотку. И это его последнее деяние было лучшим, что он сделал в своей никчемной жизни, не понимаю только, отчего он не сделал этого раньше, видимо, ему не хотелось отбыть в ад одиноким и непонятым. Все, что было в нем хорошего, — это впечатляющая внешность, которую не победили даже годы возлияний, но дело в том, что вестись на это могли только те, кто не видел его на полу нашей квартиры, обоссанного и подплывшего блевотиной.

Когда папаша сыграл свой дембельский аккорд, мы с котом уже часа два как сидели в подвале. Потом кот ушел по своим делам, а я еще немного подремала в уголке, но, проснувшись и ощутив голод, решила, что уже *достаточно* поздно и все неприятности, которые могли случиться, должны бы, по идее, завершиться — и так оно и было. Я вернулась домой, а там все это. Мы с котом выжили, потому что были умные, но кот после этого ушел совсем, а мне было некуда идти.

Мать по итогу тоже не выжила — она дышала и ходила, но уже никогда не была прежней. Она постоянно находилась в состоянии тревожного ожидания, которое так и не ушло, хотя исчез его источник. Возможно, не будь меня, она бы скорее оправилась от потрясения, но я выжила и осталась при ней — как живое напоминание о страхе, боли, унижении, я смотрела на нее папашиными глазами, и это оказалось выше ее сил, она в какой-то момент просто сломалась. Нет, она не начала пить или водить мужиков, но она замкнулась на работе, оставив меня расхлебывать кашу, заваренную ею, самостоятельно. Я папашу имею в виду — это была уж всяко не моя идея насчет их совместной жизни, и то, чем все закончилось, было закономерно, я как-то очень рано начала это понимать, потому и выжила, собственно.

А мать не выжила, потому что она не разбиралась в людях, а потому и вовсе перестала доверять всем. Она просто долбила цифры, сводя свои дебеты-кредиты, но вне этой матрицы она ни хрена не понимала за жизнь, да и не хотела понимать. Ей нужны были только цифры, потому что она могла их контролировать, и другие люди ее за это уважали, а меня она контролировать не могла, это ее бесило, я думаю.

Она знала, что я ее не уважаю. Потому что уважать ее было вообще не за что, она типичная жертва — с этой ее вечной замученной улыбкой и взглядом заблудившейся в казарме девственницы. Мы жили в квартире, где произошло убийство, и она не сделала ничего, чтобы ее поменять. Она уходила на работу, оставляя в холодильнике какую-то еду — это была именно что просто еда, без вкуса и запаха, и я редко ела ее, но мать не замечала, она никогда не замечала ничего, что было связано со мной. Сыта я или голодна, выросла я из платья и сандалий или нет — она этим никогда не заморачивалась, она вечером возвращалась домой с ворохом каких-то бумаг и до поздней ночи сидела над ними — я думаю, просто чтоб не видеть меня.

А у меня уже была своя жизнь, и главной моей задачей было — не попасть в приют, потому что после того, как папаша повеселился в последний раз, я прожила там целый месяц: мать лежала в больнице, родственников у нас не было, и соцслужбы загребли меня под опеку государства. Месяца мне хватило, чтобы понять: в приюте гораздо хуже, чем в нашей квартире, несмотря на убийство. Но вся проблема была в том, что мать перестала заниматься не только мной, но и квартирой, и я точно знала, что, случись социальным службам хоть раз прийти к нам, я отправлюсь в приют в тот же день. А значит, я должна всегда опрятно выглядеть, регулярно учить уроки и в квартире должен быть хотя бы относительный порядок.

И я просто писала матери записки: нужно то-то и то-то, оставь мне денег. Видимо, ее обрадовала перспектива не разговаривать со мной, да и я не слишком горела желанием общаться с вечно бледной отрешенной теткой, которая по какому-то дурацкому стечению обстоятельств оказалась моей матерью. Меня раздражала ее тощая задница в линялых джинсах, ее вечные свитера с высоким горлом — конечно, шрам ей папаша оставил безобразный, и тем не менее. Ее волосы, стянутые в унылый пучок, начали седеть, и она даже не думала их подкрасить, светлые глаза на бледном лице придавали ей вид анемичный и недокормленный, и все равно она была бы потрясающе красивой, если бы хоть немного ухаживала за собой, но она этого не делала. Ей было все равно, и меня это бесило.

Пока был жив папаша, она не раздражала меня — наоборот, я бежала к ней, пряталась у нее, но все дело в том, что она меня не защитила, и сестру не защитила. Она ничего, блин, не сделала, чтоб этой беды не случилось! Она просто плыла по течению и ждала, когда все само разрулится, и эта ее позиция стоила жизни моей сестре. Та была слишком маленькая, чтоб убегать вместе со мной. И мать ее не защитила, как и меня — но меня защитил кот, научив убегать, а сестра поплатилась жизнью за то, что мать сделала когда-то неправильный выбор и упорно продолжала этот культпоход по граблям, пока папашина белка не явилась с ножом.

Мне всегда было интересно, чего она ждала все эти годы. Ну, явно же не того, что папаша убьет всех, до кого дотянется.

А потому, когда мать вернулась из больницы и решила забрать меня домой, я ждала, что она как-то объяснит мне, что произошло. Я думала, что она утешит меня, скажет, что все как-то наладится — и я бы поверила ей, потому что очень хотела обрести почву под ногами. Но она не объяснила, мы просто шли по улице, и она молчала, как каменная, а в квартире все было отмыто, и кроватка сестры исчезла, как и папашины вещи. А я еще не понимала, что внутри этой бледной тетки больше нет моей мамы, там никого больше нет. Я все спрашивала и спрашивала, а она молчала.

И тогда я тоже замолчала.

Я очень скучала по сестре — Маринка была маленькая, но живая, забавная и всегда улыбалась. Возможно, когда я была такая маленькая, то улыбалась так же — маленький человек не понимает, куда попал, не видит опасности, не знает зла и быстро забывает боль. Маринка была милой и очень привязчивой, я все время таскала ее на руках, и она была мне совсем не в тягость. Она смотрела на меня такими же точно глазами, как у меня, — ярко-синими, только глаза ее были удивленные и доверчивые, у меня таких глаз уже давно не было. Иногда я думала, почему в тот вечер, когда я услышала папашин голос на лестнице и поняла, что сегодня будет особенно весело, мать запретила мне забрать Маринку? Я тогда уже вытащила ее из кроватки, но мать сказала — нет, положи обратно, она уже сонная, ей надо спать.

Как будто кто-то мог спать, когда папаша принимался за свое.

Милиция к нам давно уже не выезжала, не было смысла — даже если папашу забирали, мать наутро, замазав тональным кремом синяки, шла в райотдел, таща нас с Маринкой прицепом — вызволять «кормильца», писать отказ от претензий. Уже в шесть-семь лет я понимала, какая она тупая корова. Папаша выходил из обезьянника и молча шел домой, мать семенила следом, что-то лопоча виновато, я шла за ней, потом, когда родилась сестра, — несла Маринку, а дома папашу ждал завтрак и опохмел, а мать получала легкую затрещину, и я тоже — если не успевала увернуться.

Но я была умной и лет в семь начала оставаться во дворе, чтоб не участвовать в их забавах.

Когда все случилось, Маринка оказалась в квартире потому, что мать не позволила мне ее унести. Я думаю, она надеялась, что Маринкино присутствие смягчит папашу, но он просто сделал на один взмах ножом больше.

А я их ночью нашла.

Когда я вошла в квартиру и услышала слабый стон матери, почувствовала запах крови и блевотины, то даже ощутила облегчение: то, чего я все время боялась, уже случилось, и теперь что бы ни было, но будет все равно по-другому.

Свежая кровь, если ее много, имеет какой-то металлический запах, знаете?

Помню, как зажгла свет — обычно я пробиралась в квартиру, не зажигая свет, шла на кухню в поисках еды, потом на ощупь ложилась спать. Но в тот раз я отчего-то точно знала, что надо зажечь свет. Было два часа ночи, в квартире все было залито кровью, папаша сидел, опершись спиной о стену, в руке он все еще сжимал нож — не наш, откуда-то он его принес. Я потом часто представляла себе, как он шел по улицам, нес тот нож и уже знал, что сделает. Но тогда я просто увидела его и уже знала, что он мертвый, и это обрадовало меня.

А потом я заглянула в кроватку сестры.

Маринка лежала там, ее глаза были закрыты, но то, что ее больше нет, я поняла. Крови было немного, розовая рубашечка сбилась, и я прикрыла ее кукольные ножки, дотронулась до кудряшек, еще влажных, — и что-то внутри меня умерло. Когда я подошла к матери и поняла, что она еще жива, то всего лишь и подумала: лучше бы Маринка осталась жива.

Потому что Маринка это не выбирала, но за выбор матери заплатила сполна.

Уже потом, когда мать забрала меня из приюта, во дворе я ловила на себе жалостливые взгляды соседей и любопытные — других детей, но мне совсем не хотелось с ними разговаривать, и на все расспросы я молчала, отметив про себя, что мать придумала отличный способ избежать ненужных вопросов. Когда на вопросы не отвечаешь, их со временем просто перестают задавать. Но я знала, что отныне я сама по себе.

О Маринке я больше не думала: есть некоторые вещи, думать о которых невозможно.

Мы жили в этой квартире, где не делался ремонт — кроме необходимого, как, например, треснувший от старости толчок. Я красила подоконники и как-то раз покрасила в белый цвет нашу кухонную мебель. Белый цвет мне нравился своим абсолютным пофигизмом — какое бы ни было у кого настроение, ты вынь да положь уборку, иначе белизна уйдет. Я собирала бутылки и сдавала, чтобы накопить денег на свои надобности — мать выдавала мне деньги только на еду и оплату коммуналки, а одежда — ну, это как знаешь. Нет, она иногда что-то мне покупала, но обычно эти вещи носить было нельзя, до того по-уродски они выглядели. Я теперь даже не уверена, что она намеренно делала это, просто в том мире, где она жила, не было места девочкам, которые растут среди других девочек. Тех, у которых есть родители, и этим родителям не наплевать на своих дочерей.

Но именно тогда я научилась сама решать большие проблемы.

А поскольку я должна была всегда опрятно выглядеть, мне очень помогало то, что в школе заставляли носить форму: клетчатая юбка, серый пиджак и белая блузка. В эту школу мать перевела меня, когда забрала из приюта, — в новой школе никто не знал о том, что у нас произошло. Школа находилась достаточно далеко от дома, я ездила туда на трамвае, и там было совсем по-другому, чем в старой школе около нашего дома: форма, английский и бассейн.

Форму мать мне купила, но я росла, а ее это мало волновало — но уж такой-то наряд я могла себе приобрести раз в год. Вот с куртками и обувью было сложнее, мать оставляла мне на это очень мало денег — не потому, что их не было, а потому, что она понятия не имела, сколько стоит обувь, которую можно носить и не стать всеобщим посмешищем. И в какой-то момент я открыла для себя подсобки окрестных магазинов. Я познакомилась со всеми продавщицами, я помогала им наряжать манекены и убиралась в подсобках, приносила им булочки и кофе, иногда оставалась посторожить торговый зал, а случалось, что и продавала что-то — клиентки считали, что ребенок врать не может и скажет правду, хорошо смотрится вещь или нет. В награду мне порой перепадали вещи, которые списывали по тем или иным причинам, причем перепадали часто совсем бесплатно.

Я даже получала от этого удовольствие, превратив добычу брендовых шмоток в спорт. Вы скажете — какие шмотки для маленькой девочки? — и будете не правы, потому что девочек воспитывают не родители, а дешевые журналы и сериалы о школьниках. А там не бывает китайских стеклянных блузок и ужасных отечественных сапог, если вы понимаете, о чем я толкую. Девочки — это пираньи, яростно набрасывающиеся на любого, кто выглядит не так, как принято в их среде. Что такое школьная травля, я знала, видела не раз. Но я никогда не была жертвой, хотя никогда и не участвовала в травлях. Я рано поняла: чтобы выжить в социуме, нужно сливаться с толпой, не выделяться, и тогда никто не станет присматриваться пристальней. Опасно быть человеком в толпе зомби.

Ну, назовите меня высокомерной, и что?

Так мы с матерью жили четыре года — каждая сама по себе. Я просто смотрела на все это, думая о том, что наша жизнь совсем не похожа на нормальную — ну, знаете, вот на ту жизнь из рекламы, где мама, папа и двое счастливых детишек, все улыбчивые, обнимаются, трескают какую-то вкусную фигню и явно не думают о том, что завтра папаша налакается до синих слоников и перережет и детей, и маму в розовом свитере, выстиранном с каким-то суперополаскивателем, и даже рыжую ушастую собаку убьет, если у той не хватит ума сбежать. Нет, эти люди живут в красивом чистом доме, у них в холодильнике есть овощи и апельсиновый сок, у их детей есть прекрасные светлые комнаты и яркие игрушки, а родители читают им на ночь сказки и возят по выходным на пикники. А у нас квартира, которая помнит смерть и кровь, и мать, которая плевать на меня хотела.

А потом вдруг все начало меняться.

Началось все с того, что мать купила тюбик краски и неумело намазала ее на волосы, тщательно изучив инструкцию. Понятия не имею, почему она не пошла в парикмахерскую, но она заляпала раковину в ванной, и я потом оттирала ее губкой, думая о том, к чему бы это.

Она никогда на моей памяти не прихорашивалась.

А все оказалось к тому, что фирму, на которой работала мать, перекупил некто Зиновий Бурковский. И он както сразу принялся звонить матери, что-то там обсуждать, и я впервые за много лет услышала, что моя мать разговаривает предложениями, а не кивками и междометиями. С Бурковским она разговаривала, еще как! И то ему, и сяк — а он взял моду: как вечер, тут же присаживался матери на уши, и она даже смеялась, я собственными ушами слышала!

И я понимала, что это неспроста.

А потом он пришел к нам домой. Перед его приходом мать впервые за все время занялась уборкой, даже занавески новые купила! И я поняла, что наша жизнь изменится, и хотя вряд ли это будет такая семья, как во всех этих рекламах йогуртов и ополаскивателей, но, возможно, это будет нечто более нормальное, чем то, что есть у нас.

Учитывая, что к тому времени мы с матерью вообще не разговаривали друг с другом.

Он сначала даже показался мне неплохим дядькой — Бурковский, в смысле. И я подумала тогда: возможно, он не станет сильно напиваться, а напившись, сразу будет ложиться спать, а не гоняться за нами с ножом и колотушками. Но он совсем не похож был на папашу, и я решила, что он, скорее всего, пьет не каждый день. Правда, Бурковский зачем-то притащил к нам своего избалованного сынка, такого же гладкого и улыбчивого, как и сам, — но то, что он пронырливый и наглый, уж это я поняла сразу, как только взглянула на его туфли за бешеные деньги, я такие видела в бутике, где регулярно помогала в подсобке, и джинсы на нем тоже были из последней коллекции, и стригли его явно не в нашей местной парикмахерской. И смотрел он на нашу квартиру так, словно впервые в жизни попал на помойку, и я в этом его понимала —

несмотря на все мои усилия, квартира наша и была помойкой, но нечего ему было воротить нос, вот что.

Правда, я привыкла не подавать виду, что вообще что-то чувствую, а потому на мальчишку и не смотрела.

Я даже привычно промолчала, когда Бурковский сказал:

— Ну, вот, детка, это Янек, поиграйте вместе.

Как будто я грудная — играть. И как будто я не понимаю, зачем он пришел в нашу квартиру.

Я молча ушла в свою комнату, краем уха уловив:

— Она у меня немножко дикая, не привыкла к мужчинам.

Как будто она знала, к чему я привыкла, а к чему нет. Как будто ей было не все равно все эти годы, что со мной и где я брожу целыми днями. Но перед Бурковским она разыграла эдакую Мамашу Года, и он на это повелся, как последний лох. Когда речь шла о матери, у него мозги отшибало напрочь.

Но это я только потом поняла, а тогда просто удивилась, что он клюнул на такую туфту.

Его жена умерла двумя годами раньше, и он искал не просто жену, но и мать для своего Янека. Со смеху умереть можно, вот уж кто меньше всего годился на роль матери, так это моя мать. Но Бурковского ей удалось обвести вокруг пальца — все-таки она была красивая, а я не выглядела заброшенной. То, что в этом нет никакой ее заслуги, Бурковский даже представить себе не мог.

А я предпочитала не распространяться, да у меня никто и не спрашивал.

Просто потом оно вдруг так быстро завертелось, что — раз! — и мы уже живем в доме Бурковского, где у меня есть комната, как в кино, и полный шкаф одежды. Меня перевели в жутко дорогую школу, где уже не было юбки в серую клетку и серого пиджака, а были синие пиджаки и юбки в синюю клетку, и герб на лацкане, и разная фигня, которую называли «школьная традиция». Мы стали ездить на пикники, на море и еще бог знает куда — но дело в том, что я всегда знала: когда-то это закончится, потому что вряд ли мать сказала Бурковскому всю правду. Да и кто бы сказал? Но когда он узнает... В общем, я знала, что вся эта красивая жизнь рано или поздно закончится, тем более что между мной и матерью так и осталось молчание.

Нам по-прежнему нечего было сказать друг другу.

Она разговаривала с Бурковским и Янека облизывала изо всех сил — строила из себя примерную мать, а меня словно и не было на свете, тут уж она никак не могла себя переломить. И я удивлялась, как это Бурковский, весь из себя такой примерный папаша и вообще неглупый чувак, не замечает того, что происходит у него под самым носом.

Но он, конечно же, все видел, просто молчал до поры.

Правда, он не раз пытался поговорить со мной, но дело в том, что *я* с ним говорить не хотела. Ни с ним, ни с их распрекрасным Янеком, ни с матерью, конечно же, — хотя справедливости ради надо сказать, что она и не пыталась. Я не хотела говорить с Бурковским, потому что все это было неправдой, как реклама ополаскивателя. И когда Бурковский подъезжал ко мне с разговорами, я просто молчала или отвечала односложно — точно так же, как все эти годы делала мать, оставив меня наедине с жизнью.

Ну, назовите меня неблагодарной, что ж.

Но я не вещь, чтоб меня таскать туда-сюда, просто ставя меня перед фактом: вот ты завтра идешь в новую школу! Я к предыдущей-то едва привыкла, но у них, видите ли, семья теперь, а куда ж меня девать, приходится нянчиться, чтоб соблюсти приличия. Мать охотно оставила бы меня в нашей старой квартире, но это не вписывалось в ее новый сияющий образ Идеальной Матери. Я бы сама охотно там осталась, лишь бы они все отвалили от меня, но у Бурковского был другой план. Он считал, что лучше знает, как именно для нас будет хорошо. Он меня даже к психологу таскал, да только эта ушлая тетка живо разобралась, что к чему, и без обиняков заявила ему, что жнет он сейчас то, что посеяла его любимая женушка, и что если кого и надо лечить, то не меня, а ее.

Ну, как вы понимаете, я ни за что на свете не пропустила бы их разговора, а потому спряталась за диваном в гостиной.

Бурковский был в ужасе, потому что, как я и предполагала, мать не рассказала ему правды. Он понятия не имел ни о том, что сделал папаша, ни о Маринке, ни о чем вообще — а шрам на шее мать как-то ему объяснила, конечно, — и солгала, ясен хрен. И я помню, как она рыдала и каялась, что не сказала ему, а он смотрел на нее со смесью жалости и недоумения, а потом спросил:

— Маша, я другого не понимаю. Девчонка-то при чем?

Мать помотала головой, пытаясь нырнуть в молчанку, но Бурковский на то и был Бурковский, что с ним этот номер не прокатил, он тут же, не отходя от кассы, распотрошил мать до самого нутра без всякого психолога, потому что все лежало на поверхности.

— Не могу я, Зенек. — Мать сделала мученические глаза, и Бурковский дрогнул. — Видеть ее не могу и ничего с собой не могу поделать. Она похожа на него, понимаешь? Вот эти синие глазищи в пушистых ресницах, нос его, губы — то, за что его бабы любили, и я была на все готова, лишь бы он был со мной, детей ему родила, на него похожих, терпела все... Как в тумане жила! А она все это видела, понимала — и сбежала! Я потом только вспомнила: как вечер, так она за дверь и приходит ночью, где при этом шарилась, неизвестно. Стас уже спит, я синяки мажу гелем, и эта является как ни в чем не бывало и давай по кастрюлям заглядывать. Она знала, что он это сделает, она похожа на него, и она понимала, что он сделает рано или поздно. Маришка была маленькая, она сбежать не могла, а эта сбегала постоянно! Кот за дверь, и она вслед — якобы ловить его, но я потом поняла уже: она знала!

Ну, я не то чтоб точно знала, но предполагала. И если бы у матери сохранился мозг, если бы она оказалась, как и я, Другим Кальмаром, она бы тоже предполагала такой исход, и Маринка сейчас была бы жива. Ей было всего полтора года, и я уже почти не помню ее лица, но это без разницы, потому что она была моей сестрой, а из-за матери, из-за того, что она безмозглая идиотка, моей сестры больше нет. Но мать не сказала Бурковскому, что запретила мне тогда унести Маринку. И если опустить этот факт, то получается, что я предательница, а она невинная жертва.

Только я отлично помню, как было дело!

И в тот момент я поняла, почему мать так себя ведет со мной. Она в курсе, что я помню. Это она в милиции могла рассказывать что угодно, и ей поверили, и Бурковский поверил, но со мной в эти игры «верю — не верю» играть было бесполезно, я точно знаю, что и как было в тот вечер, как и во многие дни и вечера до того.

Я единственный свидетель, вот что.

— Маша, это чудовищно. — Бурковский покачал головой. — Ты сама-то хоть понимаешь, насколько это чудовищно? Девочка жила посреди постоянного скандала, драк и страха. Когда все случилось, сколько ей было, восемь? Ах, да, восемь с половиной, это разница! А до этого она уже научилась прятаться, она просто начала убегать — бродила где-то по ночам, ожидая, пока утихнет побоище в ее доме, и ты даже не искала ее! Это что ж надо было увидеть и узнать ребенку, чтоб она с шестисеми лет по ночам бродила невесть где, потому что дома было хуже? Но в итоге благодаря этому она выжила, сама выжила, сама о себе позаботилась — и о тебе тоже, если на то пошло, потому что побежала за помощью. Вдумайся, Маша: не ты, мать, позаботилась о ней, а она сама, и ты же ее за это обвиняешь? Вероника права, тебе нужна помощь.

Мать зарыдала, и я поняла, что больше ничего интересного не будет.

Бурковский по факту так и не понял, что за птица моя мать, но это были отныне только его проблемы. Я не собиралась рассказывать ему — это ничего бы не изменило, да я и не хотела ничего менять. Никакие изменения на свете не могли вернуть к жизни мою Маринку, а без этого мне было наплевать, что там у них в семействе происходит, пусть живут как хотят.

Правда, за шторой я увидела носок кроссовки — Янек подслушивал, и теперь он тоже все знал.

Бурковский тогда незамедлительно запихнул мать в клинику, где ей пытались вправить мозги, а меня на время оставил в покое. Но я знала, что это ненадолго и что часики у бомбы тикают и все равно дело будет плохо. И я снова была права, но на этот раз сбежать без потерь мне тоже не удалось — я оказалась на улице, без денег и документов.

Просто снова дело в выживании, и я собираюсь выжить, чего бы мне это ни стоило.

И даже если приземлиться мне придется в этой странной квартире, рядом с почти незнакомой Валькой — это неважно, потому что я по-любому выживу.

Вот только узнаю, отчего так вопит толстуха.

Уставилась Валька в одну точку, и, кажется, ей уже совсем конец приходит, до того она перепугана, а на что смотрит, неизвестно — ничего там нет, кроме кресла.

— Валь!

Она смотрит на меня с мольбой, и будь я проклята, если понимаю, что происходит.

— Видишь, она приходит. — Валька плачет, боком придвигаясь ко мне. — Вот как вечер — и она тут как тут, я тебя позвала, думала, что при тебе она не придет, но куда там... Пришла и сидит. Господи, ну за что мне это? Половина лица сгнила уже, почернела вся, а приходит!

Валька цепляется в меня мертвой хваткой, и я понимаю, что плохи мои дела.

— Валь, там нет никого.

— Как же — нет! — Валька застонала. — Мама приходит, каждый вечер, я спать не могу совсем. Сядет в кресло, молчит и смотрит, глаза мутные... Вот, снова смотрит! Я-то надеялась, что при тебе она приходить не станет, да только...

Что ж, суровые времена требуют суровых мер.

— Я с этой бедой справлюсь, Валь. Дай-ка мне пачку соли и свечу, а сама возьми кастрюлю и колотушку.

— Зачем?

— А увидишь.

У Вальки нервный срыв, ясен пень, вот и словила глюк. Я о таком как-то читала, убеждать ее в том, что у нее галлюцинации — бесполезно, а потому сейчас я попробую убедить ее, что умею изгонять неупокоенные души, иначе выспаться мне сегодня вообще не светит и остаться здесь я не смогу.

— Вот, соль и свечка.

— Отлично.

Я зажигаю свечку и набираю соли в горсть.

— Бери колотушку и бей в кастрюлю, нужен чистый металлический звук в нечастом ритме. — Боже, что я делаю, кто бы видел! — А я буду читать мантру.

— Мантру? А почему не молитву?

Видали такое? Она еще и капризничает!

— Мантра — гораздо более древняя вещь, чем любая молитва. — И это правда, все это знают. — Это как бы тоже молитва, но к сущностям, которые слышат нас гораздо лучше, чем все святые, вместе взятые. Святым обычно не до нас, хотя и среди них хорошие граждане попадаются, но беспокоить их по ерунде и отвлекать от их святости из-за какого-то примитивного призрака смысла нет, так что давай, мерно извлекай звук, а я займусь остальным. — Ом-эйм-хрим-клим-чаммундайе-виччей!

Я затянула мантру Кали, потому что это первая, которая пришла мне на ум, — и она не хуже остальных, которые точно так же бесполезны, как и молитвы, но тут главное не победа, а участие, Валька должна верить в то, что я умею изгонять всякое.

Я запела мантру — точно так же, как это делала моя подруга Оксанка, которая реально верит во все эти дела и всерьез поет разные мантры, Валька застучала в кастрюлю, а я принялась посыпать солью кресло, делая пассы рукой, в которой горит свеча.

— Ом-эйм-хрим-клим-чаммундайе-виччей!

Свеча вдруг затрещала — видимо, от сквозняка — и начала оплывать черными потоками, а потом погасла.

Валька всхлипнула и уронила кастрюлю.

— Ушла! — Валька потрясенно смотрит на меня. — Светк, она ушла, ей-богу! Да я уже и батюшку звала, и колокольный звон в Интернете включала — ничего не помогало, а тут ушла!

— Ушла и ушла, давай спать ложиться.

— А соль?

— А соль пусть до утра лежит, а утром уберешь — на перекресток вынесешь.

Должна же я придать действу какой-то магический оттенок, иначе Валька снова станет видеть разную чертовщину.

— Светк...

— Все, я устала, данная практика отбирает много энергии — давай спать ложиться.

— Да я не о том. — Валька виновато покосилась на меня. — А вдруг она вернется? Светк, перебирайся ко мне, я тебе спальню уступлю, ты же там платишь деньги за комнату, а я тебе бесплатно уступлю, живи здесь. Нет, я понимаю, что квартира рядом с железной дорогой... Но ты подумай: что я стану делать, если она вернется? Перебирайся, я тебе с вещами помогу, вдвоем перетащим. Светк, ну пожалуйста!

— Ладно.

Это значит, что теперь у меня есть крыша над головой. Пусть хоть так, но это лучше, чем на улице, и лучше, чем там, где я приземлилась, — ночами еще прохладно, а если ничего не изменится, то уже сейчас нужно думать об осени и зиме.

Я мою руки и чищу зубы. Валька на кухне чем-то гремит — не иначе, заедает стресс. Ну, наверное, данный способ не панацея от психических расстройств, но я ловлю себя на том, что продолжаю напевать мантру, притопывая в такт.

Кали — богиня смерти и разрушения, но у нее, как и у всех, есть другая сторона: это богиня-мать, победительница демонов и защитница от Зла. И если вдуматься, то все логично. Все разрушения принесла в мою жизнь мать, так или иначе. Но она дала мне жизнь, и этого ничто не отменит. И научила выживанию — хотя не ставила перед собой такой задачи, но выхода у меня не было.

— Светк, ты киселя-то выпьешь на ночь?

А раньше нельзя было сказать? Я уже зубы почистила.

Квартира снова затряслась — за окном мелькают освещенные вагоны пассажирского поезда.

Будем считать, что все неприятности уехали на нем.

Но чтоб мне поверить в это, нужно нечто большее, чем колотушка и кастрюля.

3

В колоде Таро есть карта — Башня, она означает полный крах всего, и если она выпадает — жди беды.

Не то чтоб я твердо верила в подобные вещи, но что-то в этом однозначно есть.

Вообще человек так устроен, что ему непременно надо знать, что будет, и я не исключение, но я обычно пользуюсь мозгами, мне карты без надобности. Жизнь похожа на движение шаров по бильярдному столу. Оно кажется хаотичным и случайным, но правда в том, что каждый шар, двигаясь, задевает соседние, и они тоже приходят в движение, и если понять, куда какой шар отскочит, какая инерция возникнет при том или ином движении, кого и как это заденет, то можно спокойно ступать по краю пропасти.

Фишка лишь в том, чтобы не оказаться слишком близко к краю.

Когда я оказалась на улице, то у меня была с собой сумочка с небольшой суммой денег, косметичкой, телефоном и блокнотом. Телефон я потом реализовала, предварительно переписав номера в блокнот. Но я знала, что звонить, обращаясь за помощью, мне, по сути, некому.

Ну, или почти некому.

Я долго прикидывала, звонить или нет — дело в том, что по Оксанке я скучаю, по-настоящему скучаю, хотя все считают ее немного странной, но я и сама немного странная, так что Оксанка мне в самый раз. Но потом решила, что незачем ей во все это впутываться вместе со мной.

Я не из тех, кто чуть что — бежит за подмогой.

Мы с Оксанкой познакомились в институте, Бурковский считал, что мне нужно учиться — видит бог, он был иногда прав, но в вопросе выбора института для меня он руководствовался какими-то своими соображениями. Моего мнения никто не спрашивал, да я его и не озвучивала — я точно знала, что вся эта хорошая жизнь ненадолго, а потому просто брала от нее по максимуму.

Это было нужно для выживания, а выживать я умею.

Бурковский давно оставил попытки наладить со мной конструктивный диалог, у них с матерью сложилась семья, и даже Янек был частью этой семьи, только я торчала как больной зуб, портя их идиллию. Мать пару недель провела в клинике, где ей объяснили, что к чему, и когда она оттуда вышла, то была вполне договороспособной. И все они, во главе с психологом, отчего-то решили, что нам с матерью надо «помириться» — но, чтобы помириться, нужно для начала поссориться, а мы-то не ссорились. Просто в какой-то момент моя мама исчезла, а в ее теле поселилась чужая тетка, которая не испытывала ко мне никаких добрых чувств, и никакие психиатры не могли этого исправить.

И я это знала, так что никакого «помириться» не получилось.

Мы просто жили так, как получилось, и Бурковскому пришлось смириться с тем, что в его доме живет абсолютно чужая девочка, которая вроде как есть — но вроде и нет. Они втроем были настоящей семьей, мать очень привязалась к Янеку, потому что он не напоминал ей о пережитом унижении, боли и смерти, а я напоминала, глядя на нее папашиными глазами. Как будто я виновата, что она выбрала себе мужа, думая не головой, а промежностью.

Но от папаши мне досталась выигрышная внешность, однозначно.

Может, если бы я была похожа на мать, она бы относилась ко мне по-другому, но я получилась похожа на папашу, а судя по его доалкогольным фотографиям, он был очень хорош и даже потом, пережеванный зеленым змием, был весьма неплох. И когда он вваливался в квартиру, наливаясь краснотой, его глаза горели неистовым синим огнем. Конечно, он был моральный урод и чокнутый психопат, но это не отменяло его упаковку. И его гены оказались сильнее бледных генов матери, потому что и я, и сестра получились как две капли воды похожи внешне на папашу. Но сестра так и не выросла, а я в полной мере насладилась наследством Станислава Билецкого — единственного наследства, которое он мне оставил. Он бы пропил и его, если б мог, но тут уж было никак. И если в мои тринадцать, когда Зиновий Бурковский решил жениться на матери, я была просто подростком, состоящим из рук и ног, то в семнадцать мне досталась корона королевы школьного выпускного бала. Я обхохоталась, глядя на перекошенные в приветливых улыбках лица соучениц, тем более что эту идиотскую традицию выбирать короля и королеву руководство школы сдернуло из американских фильмов о подростках, мечтающих потерять девственность на выпускном — как водится, попутно выхолостив эту идею до банального конкурса на самую симпатичную вывеску. Именно потому я оказалась обладательницей нехилой диадемы в камешках, и это было не стекло, школа-то не обычная. Королем выбрали Янека — ну, тут удивляться нечему, девки от него кипятком ссали, но я-то знала, что он пронырливый сукин сын, вечно сующий нос в чужие дела.

Друзьями мы с ним так и не стали, потому что он был Бурковский, а я — Билецкая, и это было как клеймо.

Мы тогда просто танцевали с ним, а через неделю он должен был улететь учиться в Итон, и он пялился на меня, как теленок, а я думала о том, что сейчас на нас смотрят десятки глаз и многие из смотрящих меня неистово ненавидят.

Но мне было не привыкать.

А потом мы приехали домой, и я пошла к себе, а Янек пошел за мной. И принялся что-то бормотать о любви, о том, что не может без меня жить, и прочую чушь, и обнимал меня, и я бы не сказала, что это было неприятно, вот только матери это не понравилось, а у нее была милая манера вваливаться ко мне без стука.

Я надеялась, что Янек это перерос.

Меня в Итон не послали, Билецкой в Итоне совершенно не место, для меня было достаточно и факультета менеджмента — «да ты бы хоть «спасибо» отцу сказала!», надо же. Идиотский факультет в дурацком университете Александровска. Это даже приблизительно не Итон, или Бурковский думал, что я не уловлю разницы?

Но я привычно промолчала, по большому счету, мне было плевать.

Я так и не стала съезжать из дома Бурковского, наша старая квартира, где мы жили с матерью раньше, оказалась продана, куда делись деньги от ее продажи, я не знаю, а смысла тратить деньги на аренду я не видела, все равно приходила только ночевать. Так что я продолжала жить в своей комнате, чему Бурковский был рад, а вот мать — не очень. Я ездила в институт, посещала иногда разные клубы, а иногда приходилось изображать счастливую семью вместе с Бурковским и матерью — случались мероприятия, куда Бурковский должен был приходить с семьей. И я ходила — потому что он, в сущности, был неплохой дядька, и если у нас не вышло семьи, то не из-за него, а из-за матери, и уж такую малость, как покрасоваться в новом платье и блестящих цацках перед толпой лощеных зануд, я могла для него сделать, ведь в целом я по-своему неплохо к нему относилась.

Правда, он этого не понимал.

И на этих мероприятиях я окончательно поняла, что мой внутренний мир вообще никого не колышет, важна лишь упаковка — внешность, шмотки и цацки, и можешь не соблюдать десять заповедей, всем насрать. На этих сборищах нуворишей было полно их избалованных деток и пустопорожних жен, и все они пялились на меня — кто-то со злостью, кто-то с завистью, кто-то с восхищением, но я-то знала, что дальше упаковки они не заглядывают, никому из них такое даже в голову не приходит. Так что я просто влилась в коллектив деток-мажоров, и бывало, что тусовалась вместе с ними в различных модных клубах и прочих местах, но спросите вы у меня, считала ли я кого-то из них хоть приблизительно близким человеком, и я засмеюсь вам в лицо.

Если бы выжила моя сестра, она была бы моим близким человеком, а раз ее нет, то на «нет» и суда нет.

Но Бурковский был рад — «девочка оттаяла и нашла себе друзей». О господи, друзей! Слыхали вы что-нибудь подобное?! Все эти глупые курицы в безвкусных побрякушках и дорогих аляповатых шмотках, скомбинированных зачастую самым диким образом, — они не были ничьими друзьями, они даже не понимали, что это.

Они были просто удобны мне, и я этим пользовалась.

Я сразу смекнула, что на них можно отлично заработать, идея пришла сама собой, и я стала устраивать вечеринки самые разные, в самых неожиданных местах, вплоть до трамвая, катающегося по маршруту, и все эти нелепо наряженные барышни в татуированных бровях и силиконовых губах слетались на них, не жалея денег и сил. Выпивку на подобных вечеринках можно продавать с такой прибылью, что наркокартели нервно зарыдают под плинтусом.

А Бурковский продолжал считать меня травмированным ребенком.

Он давал мне деньги, и я иногда их брала, чтоб он не расстраивался, но деньги зарабатывать я и без него давно научилась, а видеть мать и Бурковского в роли идеальных супругов мне не улыбалось. И, несмотря на вооруженный нейтралитет и попытки Бурковского одомашнить меня, я думаю, мать тошнило от одного моего вида, а меня тошнило от нее, и в итоге я не верила им обоим.

Рассчитывать можно только на себя.

Учиться мне было скучно, потому что мои интересы лежали в несколько иной плоскости, но зато я встретила Оксанку. Ну, чтоб вы понимали: у меня никогда не было подруг. И тут Оксанка — в вязаном балахоне, на руке браслет из колокольчиков, и вечная ее самодельная матерчатая сумка, расшитая бахромой и блестками, — в общем, с точки зрения статусности это была катастрофа, но дело в том, что Оксанке было на это плевать.

И она понравилась мне именно потому.

Уж я не знаю, как она почуяла меня, ведь я, в отличие от нее, в толпе не выделялась, но когда я заняла последнюю парту у окна, она подошла и спросила: «У тебя тут не занято?» И, не дожидаясь ответа, плюхнулась рядом, открыла свою ужасную сумку, вытащила из ее недр тетрадь, ручку и апельсин, выудила из кармана небольшой нож и разрезала плод на две части. Одну из них протянула мне — ну, будем считать, что мы, выражаясь библейским стилем, преломили вместе хлеб.

Мы просидели вот так пять лет и оставались вместе до момента, когда мне пришлось уйти.

Оксанка вышла замуж, родила ребенка, но я все равно шастала по ее жизни и личному пространству, причем ее супруг был совсем не против. И когда мне пришлось исчезнуть, я скучала и скучаю только по Оксанке. Но звонить ей не стану, тем более что она знает, что я жива. У нее к смерти вообще собственное отношение, она считает, что это переход в другое измерение, Оксанка занимается эзотерическими практиками, и она-то уж точно в курсе, что я пока в этом измерении.

Но это в любом случае временно.

Хотя иногда я думаю, что жизнь — это квест. Вот так сидят где-то там непонятно чуваки — может, даже состоящие из светящегося газа типа неона (надеюсь, я состояла из какого-то симпатичного цветового решения). И вот сидят они, и растут над собой, и придумывают новые способы этого роста, потому что впереди маячит нехилый приз в виде долбаного бессмертия и вечного блаженства, в чем бы оно ни заключалось для граждан, у которых теоретически нет тел, сплошной светящийся газ. И вот они сидят и беспощадно вскрывают свои недостатки, прикидывая, как же от них избавиться в кратчайшие сроки. Один говорит: «У меня мало терпения — а давай ты в новой игре будешь моим мужем и станешь бухать и регулярно выдавать мне колотушек, а я буду этот праздник жизни молча терпеть, потому что нужно учиться терпению». Второй говорит: «А у меня куча тщеславия, давайте я в нашей игре буду большим богатым сукиным сыном, который в какой-то момент потеряет все, а вы будете меня пинать, способствуя моему личностному росту». А третий говорит: «А я стану вашим ребенком и в хрен вас ставить не буду, вы будете учиться терпению, а когда меня грохнут в дурной компании, научитесь смирению, а я тоже чему-то там научусь».

И все это для них просто игра, но насчет духовного роста они не шутят.

И вот так они между собой договариваются, распределяют роли, а может, даже записывают для верности, потому что народу-то много хочет получить ништяки, а получат не все, а только те, кто вырастет нереально. И начинается игра, в которой кто-то выбывает, кто-то снова появляется уже в новой роли — а самое главное гадство состоит в том, что, запершись в материальных телах, эти сущности не помнят сами себя. Это, конечно, где-то правильно, ведь одно дело точно знать, что если ты будешь хорошим, то получишь местечко в каком-то категорически прекрасном уголке Вселенной, где всей заботы — греться на солнышке, возглаживать урчащих котов и радоваться своему совершенству. Ради такого приза можно и колотушки стерпеть, чтоб терпению научиться. А вот ты пойди и научись, если думаешь, что жизнь эта у тебя одна, и тебе хочется прожить ее так, чтоб было что вспомнить, но нечего внукам рассказать, — стерпи тогда колотушки, как же! И уж кто смирит свою гордыню и прочие недостатки, стерпит — тот просветлится, а кто нет — тот, может, тоже просветлится, никто ж не знает задания. А может, задание совсем противоположное — научиться давать сдачи, например, иди знай, кем ты в этой игре записан и чего тебе не хватает до перехода на следующий лэвел.

Сволочная игра, но другой-то нет.

Я думаю, что мать точно просветлится — если, конечно, задание состояло в терпении. Тем более что теперь-то она в шоколаде, а значит, у нее есть еще какое-то задание, и кажется мне, она его провалила, потому что так и не смогла простить мне то, что я выжила. Думаю, когда мы вернемся в свое газообразное состояние, я отведу-таки душу и выдам ей здоровенного пинка, и плевать на следующий лэвел, пройду этот по новой, не полиняю.

Если, конечно, газообразную сущность можно пнуть, но я попробую.

Так вот, если принять за основу эту идею с квестом, то все, кто появляется в нашей жизни, появляются не случайно. У каждого имеется своя роль в игре и свое задание, и, взаимодействуя, мы делаем тысячи выборов, которые потом влияют на конечный результат и подсчет очков. Так что вряд ли мне случайно встретилась Валька. Правда, я у нее в доме на правах породистой кошки: валяюсь на диване, трескаю вкусняшки, и вокруг меня ходят на цыпочках, всячески ублажая просто потому, что я вот такая.

Думаю, Вальке это нужно не меньше, чем мне, слишком долго ее мучили эти глюки с трупом мамаши, я представить даже не могу, что ей пришлось пережить, — ведь для нее это было реально! И когда это вдруг прекратилось, она не готова остаться одна, она боится, что мама вернется, и это вполне может быть, времени прошло еще мало, так что наше сосуществование взаимовыгодно. Поскольку она связывает свое спокойствие с моими действиями и моим присутствием и теперь очень боится, что в один прекрасный день я съеду.

Она же не знает, что съезжать мне некуда.

Вот потому я уже пятый день живу в ее квартире, и на удивление Валька мне совсем не мешает, а уж она-то как рада, что я живу на ее диване, — передать нельзя. Призрак умершей мамы ее больше не посещает, и она заметно лучше выглядит, даже похудела. Просто перестала заедать стресс, вот и все.

А главное, искать меня здесь точно никто не будет.

— Смотри, Светк!

Валька сует мне газету, которую обнаружила в почтовом ящике.

— Что там?

Мне лениво читать местную прессу, да еще из такого допотопного источника, как бумажный носитель, но Валька не отстанет, я знаю.

— Ужас, вот что! — Валька тряхнула передо мной газетой. — Сама посмотри, вот как можно жить в таком мире? Я просто умираю всякий раз, когда читаю о таком.

Мир — это то, что мы строим вокруг себя, это большая игровая площадка с горками, каруселями и прочим игровым реквизитом, который помогает нам скоротать игру, но иногда и калечит. И конечной цели мы не знаем, как и даты окончания игры. Нам, конечно, намекнули, что вострубит, дескать, ангел — и тогда уж кто не спрятался, тот сам виноват, но когда конкретно объявят конец игры, мы все равно не знаем. А потому возмущаться несовершенством мира смысла нет, ведь это мы его таким делаем, никак не избавляясь от недостатков, а культивируя их. А ведь игра не бесконечна, и когда она закончится, каждый останется в том состоянии, которого достиг до звонка «стоп!», и дальше уж останется там, где был, никакого совершенствования, если кто еще не понял.

— Убийство, смотри. — Валька вздыхает. — Я представить не могу, как можно такое сделать! Лишить жизни другого человека, это же страшно!

Я молча киваю, вспоминая папашу да и еще кое-что. Вся история человечества — это история убийств, жестокости и поиска путей к утилизации отходов. Став взрослыми, люди перестают замечать красивое и принимаются крушить все вокруг, как малахольные. А потом плачут: мир ужасное местечко!

Все-таки сложно быть Другим Кальмаром.

«Убийство жены известного бизнесмена». Мастер заголовка, уровень «БОГ»!

Тут меня никто не удивит — я насчет этого убийства в курсе дела, просто гораздо меньше, чем принято считать, но и этого достаточно, чтобы вдруг утром обнаружить себя мертвой.

— Так это две недели назад было, а газеты до сих пор булькают, надо же.

— Красивая какая была... И имя такое — Валерия. Вот нравятся мне такие имена, знаешь — Валерия, Юлия, Лидия...

— Прекрасные имена, римского происхождения. Женщин там считали за скот, а потому собственных имен они не имели, получали имена — производные от имени отца, например. А так ничего, имена отличные. — Я бегло просматриваю статью. — Надо же, убили в подворотне... Что жена известного бизнесмена в той подворотне делала?

Убили-то ее совсем не там, но полиция, похоже, этого так и не выяснила.

— Вот я тоже об этом подумала. — Валька вздыхает. — Убили ножом, изрезали, не иначе — маньяк объявился, кому еще могло бы понадобиться убивать несчастную женщину таким зверским способом?

Несчастной Валерия Городницкая никак не была, а была ужасной сплетницей, и убить ее мог любой, кто был с ней знаком, и я тоже, только я точно этого не делала.

— И ведь не найдут никого, как водится, — сетует Валька. — Страшно жить на свете, ей-богу. Смотри, ищут свидетельницу. Какая-то старушка видела в окно, что на месте убийства была женщина, которая, скорее всего, рассмотрела убийцу, но она убежала.

— Что эта старушка делала у окна среди ночи, ты мне лучше скажи? Неймется вечно этим старушкам...

Кто бы не убежал, если б на его глазах чувак в толстовке с капюшоном кромсал ножом тетку, с которой перед этим пили, обедали в ресторане и катались на карусели в старом дворе?

Да любой бы убежал.

— Валь, вот лично мне на это плевать. Каждый день кого-то убивают, но о них никто не пишет, они же не купались в деньгах при жизни. Вот если грохнут кого-то из нас, об этом в газетах не напишут, потому что наши с тобой жизни в глазах газетчиков — ничто по сравнению с жизнями богатых зажранных шлюх. Нам с тобой вроде как и жалеть не о чем в случае чего. Ладно, я спать пойду.

— Завтра аванс, сходим в магазин за шмотками?

— Сходим, почему нет.

В том бывшем бункере можно найти брендовые вещи — главное, знать, что ищешь. Мой гардероб может увеличиться, и это отлично.

— Людмила хвалила тебя вчера, я сама слышала. Они с Пашковским стояли на крыльце, и она ему говорит: фасовщицы отлично работают, особенно новенькая — просто как автомат, быстро и точно. — Валька хочет поговорить, но, видит бог, все эти складские сплетни выше моего терпения. — Ты видала, Гоша теперь к нам вообще не заходит, Людмила ему пистон вставила, чтоб не воображал о себе слишком много, а ему если ни над кем не куражиться, то интереса нет.

— Да плевать.

— Светк, как это у тебя получается — не париться из-за... ну, вообще из-за всего?

Да потому, что это бред — и Гоша с его вечно недовольной миной, и складские интриги, и убийство богатой надменной курицы — тоже, да плевать на это все, было бы из-за чего париться. У меня в жизни были моменты, которые реально можно считать страшными. И у Вальки такие моменты тоже были, но она продолжает ужасаться несовершенству мира, а я нет.

— Валь, в Средние века была такая казнь — колесование. Виновного распинали на колесе, и палач ломиком перебивал ему кости, тщательно следя за тем, чтоб клиент не скопытился раньше времени и граждане всласть натешились его криками. На такие зрелища даже места покупались.

— Зачем ты мне это рассказываешь? — Валька испуганно смотрит на меня. — Это ужасно...

— Я к тому тебе это рассказываю, чтоб ты понимала, почему я не парюсь насчет остального. На свете происходило и происходит столько жестокости, что портить себе нервы из-за какого-то банального убийства я смысла не вижу. Просто представь уровень страданий этого несчастного чувака, распятого на колесе, и ты поймешь, что мы живем в век повальной невинности. По крайней мере, цивилизация, созданная белыми людьми, подобное осуждает. Это тебе не шариат, который сулит отрезание носа непокорной жене, которой двенадцать лет. И не Африка, где негры соревнуются, кто из них самый жестокий сукин сын. Ты понимаешь, о чем я тебе толкую?

— Наверное, да... Всегда есть кто-то, кому хуже.

— Именно. — Я растягиваюсь на диване, всем своим видом давая Вальке понять, что аудиенция закончена. — Всегда был и есть некто, по отношению к кому была применена ужасная, с нашей точки зрения, жестокость, и даже вот в эту самую минуту какого-то бедолагу сжигают, надев на него покрышки и облив бензином — распространенная казнь у латиноамериканских наркокартелей. Вот в эту самую минуту он горит, думая лишь о том, что смерть отчего-то все не идет. И ты ничего не можешь сделать, ничем не можешь помочь — и по сравнению с ним тебе очешуенно. Давай спать, Валь, завтра на работу.

Валька вздохнула и поплелась на кухню. Она так и не избавилась от привычки перекусывать перед сном, но это уже именно привычка, а не потребность, и она постепенно сойдет на нет, если занять ее чем-то и отвлечь от желудка. Конечно, мне все равно, что с ней будет, — но если я поселилась здесь, нужно поддерживать порядок во всем, а это значит, что Вальке придется отвыкать жрать что попало, тем более на ночь, желудок тоже порядок любит.

Дом вздрогнул, посуда привычно зазвенела — за окном мелькают освещенные окна пассажирских вагонов. Люди находятся буквально между небом и землей, потому что дорога вне пространства, и люди, сидящие в поезде, словно вне законов общества и физики. Они знакомятся, что-то друг другу рассказывают, вместе пьют чай — а потом снова возвращаются на свои места в игре, но встретились они не случайно.

На свете вообще нет ничего случайного.

Вот я тоже не случайно родилась в семье, где папаша оказался психопатом, а мать — глупой коровой. Видимо, я должна чему-то научиться, и если это выживание, то я этому уже научилась, но кажется мне, что не все так просто с моей задачей в этой игре. И если я пойму, что еще должна извлечь из всей этой суеты, то в следующей жизни, возможно, мне удастся родиться котом.

Кошкой не хочу, у кошек, я думаю, возня с котятами отбивает все удовольствие от жизни.

Я всегда знала, что хорошая жизнь для меня закончится — просто не предполагала, что мать продаст нашу старую квартиру. Жалеть там не о чем, конечно, — а все ж время, которое я провела фактически на улице, не способствует моему человеколюбию.

Это реально оказалось страшно.

Сначала я сняла квартиру — не слишком шикарную, у меня с собой было не очень много денег, но я продала смартфон и одно кольцо, купила кое-какие вещи и простенький телефон и несколько дней жила на съемной квартире, изнывая от скуки: телевизор я смотреть не привыкла, Интернета не было, а на звонки я не отвечала. Мой новый кнопочный телефон голосил не умолкая, но я реально не хотела ни с кем контактировать. Квартирка была маленькая, грязная, и я развлекалась тем, что отмывала ее. В шкафу оказались чьи-то старые вещи, судя по фасонам, их купили в семидесятых годах прошлого века — видимо, квартиру просто сдали как есть после смерти хозяйки. Я с интересом изучала странного кроя платья, представляя, как же их можно надевать, — но люди носили и более странные вещи, удивляться нечему. Главное же — я была в той квартире одна, ощущала себя защищенной, несмотря на писк телефона. Номера были незнакомые, и я не хотела отвечать.

Это было глупо, ведь возможно, что меня искали потенциальные клиенты, но я была в ярости.

А через три дня в квартиру позвонили, и в глазке я увидела двух крепких парней, одного из них я узнала, он работал на Бурковского. Не иначе, вычислили меня по сигналу сотового. Они еще немного позвонили, потоптались под дверью, о чем-то тихо переговариваясь, а потом ушли, но я знала, что они вернутся и нужно сваливать.

Конечно же, они обретались недалеко от дома — ждали.

Но я-то не пальцем деланна, в шкафу среди шмоток нашла жутковатой расцветки платье родом из семидесятых, но не настолько жуткое, чтобы привлечь ненужное внимание. Напялила его, на голову повязала косынку — и спокойно вышла из подъезда, не удостоившись даже взгляда. Это я к тому, что одежда — неотъемлемый атрибут личности, и так всегда было, с самых давних времен одежда служила для определения статуса человека. Вот даже если взять римлян, уж они были большие мастера одеждой обозначать статус. У них, например, граждане, желающие занять государственный пост, носили белоснежные тоги — их так и звали белоснежными, по-латыни — кандидат. Белоснежный на латыни — кандидат, ясно? То есть тот, кто желает занять пост, — это кандидат, потому что он в белоснежной тоге, чтобы все понимали: помыслы его чисты. Хотя на самом деле — какая там чистота помыслов, учитывая нравы Рима... Но это лишь на взгляд современного человека, а им оно было вполне нормально. За одеждой по сей день можно вполне удачно спрятаться: внешняя атрибутика отсекает тебя от мира, никто не думает, что ты за человек, все видят лишь твой статус.

И не пользоваться этим глупо.

Вот в Китае, к примеру, желтое мог носить лишь император, а китайские императоры были теми еще сукиными детьми, но желтый цвет прятал их мерзкую сущность и придавал некий флер божественности даже тогда, когда эти гады ходили в сортир. Хотя с сортиром я, возможно, перегнула палку, но не думаю, что намного.

Лично мне желтый цвет вообще не идет, но я бы потроллила императоров.

А во Франции времен Короля-Солнце буржуа, даже самые богатые, могли носить лишь серые и черные цвета, и никаких кружев, кроме скромного воротника, и их кареты могли быть только черными. Думаю, это было им ужасно обидно — а делать нечего, одно дело аристократы, и совсем другое — простолюдины, даже если у них есть деньги. При этом аристократы часто были нищими, и украшенные кареты, богатые наряды и значительные цацки частенько были им не по карману, а носить все это им полагалось, и они из сил выбивались, влезали в долги, чтобы одеваться сообразно своему статусу. А у мещан частенько денежки водились, и они могли себе позволить и карету побогаче, и кружева какие угодно — а вот нельзя им было все это великолепие, каждый сверчок знай свой шесток! В общем, за века своего существования человечество набило руку в том, чтоб через шмотки унизить или возвысить, и пословица «встречают по одежке» не на ровном месте родилась.

И если вы думаете, что это в прошлом, то вы ошибаетесь.

Я тогда просто вышла из подъезда, одетая в нелепое платье, с рюкзаком, который засунула в мусорный пакет, и на меня никто не обратил внимания, потому что на мне, в принципе, не могло быть такого платья. Я и рассчитывала именно на такую реакцию, а потому спокойно пошла вдоль дома, свернула за угол — и была такова. Денег на новую съемную квартиру у меня не было, но я еще не поняла до конца, в какое дерьмо угодила.

Первую ночь я провела в парке на скамейке — у меня оказалось катастрофически мало денег, а карточка, наличка и цацки остались в доме Бурковского и матери, как и документы. Я не придумала, как их оттуда извлечь, не попадаясь на глаза никому из заинтересованных лиц. На мне были серьги, цепочка с подвеской и три кольца, но продавать их я не хотела: я собиралась как-то жить дальше, мне нужно было встречаться с клиентами, и украшения были неотъемлемой частью того, что называется общее впечатление. Слухи о моей ссоре с семьей уже поползли, но я должна была показать, что в порядке — а для этого мне нужны были мои украшения. Чтобы работать с теми людьми, которые меня нанимали, я должна была выглядеть как обычно.

А обычно я выглядела сногсшибательно.

Но когда утром меня разбудила дворничиха, которая решила, что я уснула на скамейке, напившись накануне в ночном клубе, я подумала, что мне срочно надо что-то предпринять — правда, я не знала, что именно. Мысль о том, что я должна вернуться в дом Бурковского и забрать свои документы и кое-какие вещи, обрела очертания, но план так и не появился. Я целый день бродила по городу, а вечером купила парочку коричневых пирожков и пришла на берег реки — мне надо было искупаться и постирать одежду. Вы знаете, сколько времени нужно, чтоб из нормального человека превратиться в воняющего бомжа? Летом достаточно суток. Мысль о том, что еще одна ночь в парке, и прохожие станут шарахаться от меня на улицах, была ужасна, но еще ужаснее было то, что у меня не было ни мыла, ни шампуня, а немногие оставшиеся деньги я решила оставить на пропитание.

Первичные потребности никто не отменял.

Проблема решилась быстрее, чем я думала. Какой-то мужик вынес на мусорку пакет с пластиковыми бутылочками из-под косметики — видимо, жена затеяла уборку, и я этот пакет мастерски умыкнула, если это кто и видел, то подумал: прилично одетая девушка несет пакет с хламом в мусорный контейнер, что тут такого.

Как я и ожидала, бутылочки были не совсем пустыми.

Но вопрос ночевки все равно стоял очень остро, остаться в парке я не могла, да и не хотела, спрятаться там было сложно, а потому решила остаться на берегу. Это показалось мне хорошей идеей: рядом вода, никого нет, на песке даже ночью тепло.

Правда, я не учла, что меня заметили те, кто на улице гораздо лучше себя чувствует.

Но игра есть игра, и по замыслу я не должна была погибнуть от рук кучки маргиналов. Решив переночевать на берегу, я нашла укромное местечко, и когда зазвучали приглушенные голоса типа «была здесь, сам видел», я поняла, что выживание на улице для меня целиком новый опыт.

Утром я снова пошла в центр в надежде, что меня осенит какая-то мысль, но мысль была одна: нужно найти жилье, а без денег я это никак не сделаю.

Замкнутый круг, да.

Я снова провела ревизию всего, что у меня было с собой: косметичка, полупустой пакетик влажных салфеток, блокнот и ручка, телефон и зарядное устройство. Это был явно не тот набор, который пригодится на необитаемом острове, например, а ведь необитаемый остров гораздо безопаснее городских улиц.

Впрочем, я и тогда еще не до конца поняла, в какое дерьмо влипла.

Я могла бы, конечно, пойти к Оксанке, и она бы меня не выгнала. Но они с мужем и ребенком жили в крохотной однокомнатной квартирке, и я не собиралась падать на голову лучшей подруге, которая бы мне, конечно, не отказала, и супруг бы с пониманием отнесся — но это в любом случае было бы на день-два, а проблему надо было решать кардинально.

Вариант с Оксанкой я оставила на самый-самый крайний случай.

Но дело в том, что на тот момент я все равно не понимала, что самый крайний случай уже наступил. В косметичке оказался стандартный набор косметики, полфлакона духов, несколько тампонов и два ключа на колечке. Я уставилась на эти ключи, как баран на новые ворота, — что это за ключи и где от них замок, я представить себе не могла. Но если ключи есть, значит, замок тоже существует, и я его могу отпереть.

И тут я вспомнила.

Примерно год назад несколько моих знакомых заказали мне организацию улетной вечеринки, которой ни у кого еще не было. Весна стояла в разгаре, и существующие в городе клубы всем за зиму приелись. Мне пришла в голову идея, которую я подсмотрела когда-то в сериале о криминалистах Майами: вечеринки устраивались в помещениях складов, на кладбищах, в фургонах, на крышах. Идею с крышей я отмела сразу: спьяну кто-нибудь обязательно свалился бы вниз, да и жильцы будут явно против. Кладбище я сочла вульгарным, а фургон просто не нашла — никто из владельцев не был готов отдать свой фургон на поругание. Пустой склад никто не сдавал на одну ночь, и тогда я решила купить гараж. Ну вот просто — купить, озвучив клиентам цену за вечеринку, куда бы входила цена гаража, и в гаражном кооперативе мы ночью никому не помешаем.

Вопрос был только в том, согласятся ли клиенты на такую бешеную цену, а они согласились.

Вечеринку, как всегда, организовывала я сама, помощники мне в этом деле ни к чему, но на этот раз клиентам пришлось раскошелиться заранее. Я держала в уме и запасной вариант с развалинами старого Дома культуры, но там были сложности с подключением музыки и шумом, вокруг были жилые дома, а гараж подошел бы мне идеально — ну, то есть гараж определенного вида. Я знала, что нужно найти просторное помещение на две машины, без хлама, с нормальным ремонтом, желательно недалеко от центра города и расположенное так, чтоб туда было удобно прийти и уйти, не привлекая внимания. Я была уверена, что такого счастья в природе не существует, но когда представила, как я смогу заработать на подобном мероприятии, причем не раз, то начала поиски изо всех сил.

Вы будете смеяться, но такое помещение я нашла.

Заросший седой бородищей дядька, показывая мне гараж, сказал:

— В претензии не будешь, две машины становились и мотоцикл. Ремонт годичный, а продаю, потому что уезжаю. Единственно, что ворота, видала, на дорогу глядят, а остальные гаражи и сторожка — дальше.

Ну а мне как раз такое и было надо. Договор подмахнула в тот же день, заплатив председателю кооператива за год вперед, а потом завезла в гараж пару биотуалетов и наняла рабочих, которые установили вокруг них стенки из гипсокартона, при этом снабдив стены умывальниками и зеркалами, привезли небольшую барную стойку, колонки, пару диванов, несколько барных стульев, а на потолок повесили зеркальный шар. Подготовка к вечеринке закончилась, и хотя я не понимала, зачем всем им толкаться в тесном гараже, но клиент всегда прав, а я собиралась на этой вечеринке заработать, и заработала, еще как!

Утром все расползлись, я опорожнила биотуалеты, залив их дезраствором, выбросила мусор и заперла гараж. Через месяц я устроила там еще одну вечеринку, а по осени еще две. Когда идея себя исчерпала, я законсервировала помещение и просто забыла о нем. Основательно забыла.

А ключи-то вот! И гараж фактически мой, я же покупала его на свое имя!

Кто-то тронул меня за локоть, и я ощутила ужасное зловоние. Рядом стояла жуткая, опухшая, синюшная бомжиха.

— Не дергайся так. — Бомжиха оглядела меня мутным взглядом. — Ты это... вечером спрячься, иначе они тебя найдут, и тогда уж... как водится. Ты не из наших, так что тебе лучше где-то спрятаться.

— Но кто?!

— Малолетки. — Бомжиха оглянулась. — Пока были мелкие, то просто воровали, а сейчас подросли... Ну, чисто зверье, и творят что хотят. Они тебя еще вчера приметили, да вот ночью не поймали, а ежели поймают — худо будет, тяжело умирать станешь.

И прежде, чем я успела хоть что-то сказать, она ушла, унося с собой запах вокзального сортира. Я содрогнулась, вспомнив прошлую ночь и тени, рыскающие по берегу. Это значит, что меня заметили, вычислили, и спасло меня только то, что я от природы осторожна.

Но, видимо, недостаточно осторожна.

И тем не менее я не нашла того, или тех, кто за мной следит. Не заметила, хоть и глядела в оба. Потому что некоторую часть сограждан мы привычно не замечаем, а они не афишируют свое присутствие. Их словно и нет, но они есть — в подвалах и на чердаках, сбиваются в вонючие кучки около мусорных баков, у них своя жизнь, свои правила в квесте, и чему они учатся на самом дне, я не знаю, но я точно знаю, что не хочу учиться тому же.

Я поднялась и пошла по улице, осознавая, что на мне одежда, которую я не меняла третьи сутки, и выгляжу я, мягко говоря, так себе. Я все еще могла бы, конечно, пойти к Оксанке, но кроме того, что я не хочу вваливаться в ее размеренную жизнь, именно там меня и стали бы искать. И узнать, что мы с Оксанкой подруги, можно — если просмотреть все мои звонки, например. Зачем-то Бурковский ищет меня — уж не знаю, что еще он хочет предпринять, но разговаривать ни с ним, ни с матерью я не собираюсь, после всего того, что произошло, это лишнее как минимум.

Иногда просто все уже сказано, и нет смысла переживать все заново.

В гараже оказалось пыльно и жарко. Я нашла за барной стойкой пакеты с печеньем и забытый электрочайник, бутылки со спиртным и несколько паков воды. Несмотря на давность, раствор благополучно плескался в биотуалетах, потому что я когда-то очень плотно закрыла крышки. Вытерев салфетками пыльный диван, я разделась и улеглась, запершись изнутри. Да, было душно — и тем не менее я уснула, как будто провалилась во тьму.

Сон — величайшее благо, а мне в последние ночи, как вы понимаете, поспать толком не удавалось.

Ночью я проснулась от того, что кто-то пытался вскрыть замок. Но дело в том, что замок я вообще не заперла, потому что внутри была устроена капитальная задвижка, и замок можно было ковырять до китайской пасхи.

— Дверь изнутри заперта.

Голос деловитый, что-то звякнуло, и я почувствовала себя как последний выживший сапиенс в городе, населенном зомби.

— И что, никак?

— А как, если там изнутри железная задвижка, вот оно и заперто на задвижку.

Меня проследили до этого гаража и теперь пытаются достать, как моллюска из раковины, даже не стесняясь — я оказалась на их территории, ночной город принадлежит им, и я должна была это знать.

— Так что теперь?

— А ничего.

— Вот же сука!

Ничего не бывает случайно. Мне надо было оказаться именно здесь и сейчас, чтобы понять: я снова победила, но это, похоже, пиррова победа.

4

Вот как получилось. Уйти-то я ушла, а жить на что-то было надо. А все, что я умею делать, — это устраивать вечеринки и консультировать по поводу шмоток. Ну, и номер телефона при мне остался, и телефон, купленный мной взамен айфона, продолжал звонить. Выбросить симку я не могла, на этом телефоне была вся моя жизнь, все контакты. Я рассталась с айфоном, купив самый простой кнопочный телефончик, но сим-карта была мне нужна. Конечно, с гардеробом у меня оказалась катастрофа, а житье в гараже и помывка в реке не добавили мне шарма, так что, когда утром мне позвонила Валерия Городницкая, это был джекпот.

Анатолий Городницкий, ее муж, был сахарным королем — если это применимо по отношению к крупному перекупщику, а не к производителю. Цены в регионе на этот вредный продукт диктует Городницкий.

Валерию я знала шапочно, встречались иногда на мероприятиях, куда меня таскал Бурковский, чтобы продемонстрировать семейные ценности, во всех смыслах. Валерия была второй женой Городницкого, и когда она стала его женой, ей было двадцать два года, а старшей дочери Городницкого — двадцать один. Была еще младшая дочь, но ей и сейчас не то шестнадцать, не то пятнадцать лет, и говорят, что с ней что-то не так — что именно, я не вникала и девчонку никогда в глаза не видела.

Да, Городницкий был похотливым старым козлом.

Янину, его старшую дочь, я знавала шапочно, она была замужем и в тусовках не участвовала, а вот Леха, его сын, называющий себя звучно «Алекс», одно время даже пытался за мной ухаживать. Этот сопляк с папиными деньгами в карманах, это ничтожество, это напомаженное недоразумение, трясущееся от вожделения при виде рулетки или карт, пыталось за мной ухаживать! При этом мать и Бурковский были от данного факта в восторге. Им обоим очень хотелось пристроить меня замуж.

Ничего более глупого они придумать не могли.

Валерия Городницкая была забавная тетка — если вам нравятся тощие брюнетки с зелеными глазами и смуглой кожей, отливающей шелком. Я тоже брюнетка, но кожа у меня очень белая, а Валерия была похожа скорее на мексиканку или очень светлую мулатку. Ее экзотичная внешность, видимо, сильно заводила Городницкого, так что Валерия из него веревки вила, если дело касалось финансов.

А вот если речь шла о ревности, тут я бы на Валерию не поставила даже сухого таракана.

Городницкий в этом вопросе был смешным хрестоматийным психопатом, и хотя он эти свои завихрения тщательно скрывал, я-то видела его насквозь. Наверное, никто не понимал, что он и вправду больной на голову собственник, Валерия точно не понимала этого, но меня не проведешь.

Когда живешь во тьме, учишься многое видеть, это вопрос выживания.

Городницкий был скрытым психопатом, а Валерия была хороша, даром что вертихвостка. И она умела веселиться, а для веселья ей нужна была я. Она отчего-то считала, что это реально зашибись — заказывать вечеринки у меня. Ей казалось, что этим она меня слегка унижает, потому что я падчерица самого Бурковского, но именно падчерица, в Итон не поехала, и мне надо бы знать свое место. Да только мне плевать на снобов, и всегда было плевать. Потому что у них есть бабки, и это они мне платят, а не я им.

А это уж всяко не тот расклад, где есть место унижению, ведь это у меня прибыль. Тем более что Валерия платила мне за организацию своих мероприятий столько, сколько я назначала, а на ее внутренний мир и скрытые желания мне было чихать. Гораздо веселее было наблюдать за Городницким, который всегда сторожил ее на всех вечеринках или присылал с ней своего охранника. Как зовут этого угрюмого мужика, я не помню, мысленно я называла его Кинг-Конгом, до того он был огромный и на вид очень тупой, но он всегда следовал за Городницким как тень, а полного дурака Городницкий не стал бы держать при себе. Кинг-Конг бродил за своим «объектом» неотлучно, хоть за Городницким, хоть за Валерией, и я иногда думала, что будет весело, когда всплывет, что Валерия с ним спит.

А я это просекла давным-давно.

Впрочем, осуждать этого гамадрила сложно, учитывая безусловные внешние данные Валерии, а также ее страсть к молодым накачанным самцам. А если взять во внимание, что Городницкому уже под шестьдесят и вряд ли в койке он многого стоит, то данная ситуация была только вопросом времени. Я имею в виду рога для Городницкого. Это надо понимать любому стареющему самцу, который женится на молоденькой девке, рано или поздно природа возьмет свое, и рога вырастут.

И сейчас я думаю, что Городницкий наконец прозрел насчет своих рогов и нанял кого-то поставить точку в их с Валерией отношениях. Учитывая, что развод обошелся бы ему гораздо дороже — не в материальном смысле, нет. Ему было бы ужасно осознавать, что Валерию уже на вполне законных основаниях пялит кто-то другой.

Но в тот вечер Валерия мне позвонила и позвала в «АристократЪ» — ага, идиотская привычка лепить старосветский твердый знак в конце разных названий. Хозяин, видимо, думает, что это чудо как мило — старый добрый мир без антибиотиков, ГМО и качественной стоматологии и что сам он, присобачив этот злополучный твердый знак в конце тривиального и пафосного названия, выглядит утонченным эстетом, но выглядит он как дегенерат и долбодятел, который из грязи в князи оттопыривает мизинец с недостаточно чистым ногтем.

Ничего хорошего не было во времена, когда не существовало Интернета и моющих средств.

Но само заведение неплохое, кухня там очень приличная, и я пришла туда, делая вид, что у меня все прекрасно. А Валерия, конечно же, знала, что я поссорилась с матерью и ее семейством. Валерия любила сплетни и семейные склоки, а тут такая благодатная почва. И у нее появилась призрачная надежда узнать все подробности, хотя подругами мы с ней не были, но разве это ее когда-то останавливало? Она собиралась расспросить меня и удовлетворить свою страсть к сплетням.

А я собиралась состричь с нее максимальное количество дензнаков.

Когда я пришла, Валерия сидела за столиком, позволяя мужикам пускать слюни в свою сторону, а я вся из себя приветливая и деловитая, свежеотмытая в реке, волосы в пучок, вовсю надеялась, что мои слегка истрепавшиеся джинсы она воспримет как некий стиль. Валерия совсем не была умной, просто очень хитрой и пронырливой. И она не поняла, что я сильно на мели — я не зря не позволила себе продать украшения.

Одежда и цацки — это то, за чем всегда можно спрятаться.

— Прекрасно выглядишь, дорогая.

Она заказала стейки и салаты, мой вкус в еде она отлично знала. А мне очень хотелось есть, и вместо стейка я бы лучше похлебала какого-нибудь супчика, но я не должна была это показывать.

— Как и ты. — Я небрежно бросила сумку на свободный стул. — Надеюсь, на этот раз никакого аврала?

В прошлый раз она заказала вечеринку «сегодня на сегодня», и это обошлось ей в очень круглую сумму. Но я не могла в нынешнем моем положении организовать ей такое же сейчас.

— Ни в коем случае! — Валерия засмеялась. — Давай поедим, я ужасно проголодалась. Ты любишь хорошо прожаренное мясо, я помню.

— Мясо тяжеловато, но...

— Закажем к нему вина.

Мы поели, болтая ни о чем, но я видела, что она выжидает, как змея перед прыжком. Ей казалось, что она хитрая бестия и хорошая актриса, но я ее ужимки знала все до единой — во-первых, ей хотелось поживиться подробностями семейного скандала, а во-вторых — ей от меня было нужно еще что-то.

— Отличный тут стейк. — Валерия потянулась к бокалу с вином. — Так ты теперь сама по себе?

— Я всегда сама по себе. — Я подставила бокал лучам уходящего солнца, любуясь цветом вина. Вот если бы такого цвета коктейльное платье из шелка, с вышивкой по линии проймы... Ладно. — Жизнь удивительно прекрасна, когда никто не сует нос в твои дела.

Она даже не поняла, что я имела в виду, — решила, что это я даю понять, что не намерена отвечать ни на какие вопросы, и это было так, но лишь отчасти, на этот раз я имела в виду ее Городницкого, старого параноика и рогоносца, который наверняка просматривает все ее письма и мониторит звонки.

И когда-нибудь он обнаружит то, что она так тщательно прячет.

А она не была Другим Кальмаром, ей только казалось, что она мыслит, хотя на самом деле она просто искала пищу.

— Могу себе представить. — Валерия лениво улыбнулась. — Послушай, дорогая, это не мое дело, конечно, да только мы же не чужие люди. Ты могла бы обратиться ко мне или к Алексу, он очень любит тебя, а ты сорвалась непонятно куда, спряталась...

— Лер, я никуда не спряталась, я просто больше не живу в доме отчима. — И это чистая правда. — Но ты позвонила — и я ответила и приехала к тебе, что ж еще?

— Еще... Ах да, что я, собственно, хотела. — Валерия открыла сумочку и подала мне золотую карточку. — Кредит неограничен, аванс за работу возьмешь отсюда же. Но через неделю мне нужен самый роскошный банкет, который только можно организовать за деньги, у Толика день рождения, мало того — юбилей. Вечеринка нужна в стиле классического Голливуда тридцатых, дорогая, — круглые столики, драпированные тканью, живая музыка, приглашения, список гостей, ну и все такое. Сможешь?

— Я все могу, Лера. ПИН-код тот же?

— Да. — Валерия о чем-то задумалась. — ПИН-код тот же, и все нужно организовать по высшему разряду. Господи, как гора с плеч. Мне самой это мероприятие ни за что не поднять, и я ужасно боялась, что в свете твоих последних событий в семье — вот я наберу твой номер, а ты не ответишь. У нас тут, знаешь ли, ходят самые разнообразные слухи, но я всем затыкала рты. Это правда, что ты спала с Янеком, а папаша вас застукал?

— Нет. — Я отпила из бокала, наблюдая, как в фонтанчиках загораются лампочки. — Стемнело уже... Нет, конечно, я никогда не спала с Янеком. Где ты хочешь устроить мероприятие?

— Есть отличное место, завтра я тебе его покажу, такого ты точно не видела, да и никто не видел!

— Да? И где это?

— Пусть будет сюрприз, должно же хоть что-то тебя удивить. И это место тебя точно удивит, вот посмотришь. Там есть нечто... Нет, не буду говорить, пусть это останется сюрпризом, иначе неинтересно.

— Ты о чем?

— Если честно — то о переселении душ. — Валерия засмеялась. — Нет, не проси, не расскажу, хочу завтра первая увидеть твое лицо, когда покажу тебе это.

— Ладно, не рассказывай.

Не знаю, что она задумала, но сюрпризы я не люблю, так уж традиционно сложилось, что все сюрпризы в моей жизни — какой-то лютый трэш.

— Так ты расскажешь мне, что у вас там стряслось? Твой отец тебя ищет, знаешь? Анатолию звонил, Алекса расспрашивал... А нужно было всего лишь позвонить тебе! Все говорят, что у вас с твоим братом роман, и...

— Он мне не брат. И у нас нет романа, да и с чего бы?

Мне и в голову бы не пришло крутить романы с Янеком. Но что-то ему было от меня нужно, а я под собственным носом не видела того, что давно должна была понять. Но теперь уже ничего не исправишь, да и не надо. Просто я никогда не воспринимала сводного «братца» как одушевленный, а уж тем более мыслящий объект, несмотря на Итон.

И это в итоге вылезло мне боком.

— Ну как это — с чего? Янек настоящий красавчик и умен, тем более вы не кровные родственники. Ладно, расскажешь, когда захочешь. — Валерия миролюбиво улыбнулась. — Ты, главное, теперь не пропадай. Мне завтра нужно будет прошвырнуться по магазинам, хочу выбрать подходящее случаю платье, и очень пригодилось бы твое авторитетное мнение. Пойдешь со мной? Просто включи консультацию в счет. А потом поедем, покажу тебе место, где хочу устроить вечеринку, и отдам ключи заодно. Но сначала платье, и у меня пока нет на этот счет никаких идей, вся надежда на тебя.

Я вам уже говорила, что тряпки — мой конек? Наверное, говорила. Да и все это знают.

— Звони, пересечемся.

— Ты будешь в восторге от зала, я уверена. Это нечто, поверь мне.

— Хорошо, завтра поедем.

Я все эти дни не была в магазинах, на мне одежда, которую я ношу уже четыре дня, и утром еще я стирала ее в реке. Но сегодня я высплюсь в настоящей кровати, а не в гараже, потому что я сейчас уйду, унося с собой золотую карточку Валерии, сниму денег, куплю новый телефон, войду в Интернет и арендую квартиру, а потом поеду в торговый центр «Пальмира-Плаза», он работает до полуночи, куплю себе шелковую ночную рубашку, сменной одежды и новые босоножки... Жизнь налаживается, похоже.

А потом придумаю, как забрать из дома Бурковского свои документы и деньги.

— Проводишь меня немного? — Валерия кивнула официанту, вернувшему ее кредитку, и поднялась. — Вечер хороший, хочется пройтись, тем более что машину я оставила далековато, в центре за последние пару лет стало сложно парковаться.

Я бы с большим удовольствием проехалась в машине, но если учесть, что я живу в гараже, то просить Валерию подбросить меня к нему было бы неразумно. Что ж, неплохо будет пройтись, я сыта и довольна, и надо уходить, потому что все мужики в ресторане пялятся на нас.

Я не люблю, когда меня слишком пристально рассматривают.

И мы пошли по проспекту, время от времени ныряя в арки и заходя во дворы. Мы болтали ни о чем, и я была очень признательна Валерии за этот вечер, словно вернувший мне мою прежнюю жизнь. Я решила, что сегодня же начну планировать праздник для Городницкого... Стоп. А ведь на нем в числе приглашенных сто пудов будут Бурковский с матерью.

И Янек.

Но Валерия была беззаботной, как птица на ветке, — не то и правда переживала из-за предстоящего праздника, а теперь беспокойство ее отпустило, не то делала вид.

— А в этом дворе я выросла.

Мы вошли в старый дворик, засаженный ивами. Посреди него была устроена карусель, рядом песочница, окружающие дома были небольшими, а старая береза у заборчика шелестела плотными листьями, влажно блестящими в свете фонаря.

— Давай покатаемся, что ли. Мы с мамой часто здесь катались... Мама любила эту карусель.

На площадке горел одинокий фонарь, не слишком яркий, но мы все равно оказались в круге света, потому что нас со всех сторон обступила тьма, лишь окна, налитые апельсиновым цветом, да в арку прорывался шум с проспекта, но здесь словно на острове, и вокруг никого.

Странное ощущение, учитывая, что с Валерией мы никакие не подруги... Впрочем, я никому не подруга.

— А где она теперь? Ну, мама в смысле?

— Умерла за год то того, как я вышла замуж за Толика. — В голосе Валерии звучала тоска. — Никого не осталось, папа еще раньше умер, а я училась в институте... А тут Толик.

— Просто потому, что осталась одна?..

Она поняла, о чем я спрашиваю. Конечно, она продала свою молодость Городницкому, она и не могла любить его, старого и отвратительного козла, — и вместо того, чтобы бороться за себя, просто выгодно продала свою внешность. Но Валерия не понимала, что я не осуждаю ее, каждый выживает как умеет, ну вот она умела так.

— Да.

Иногда кому-то нужно это сказать, и она понимала, что между нами никогда больше не будет момента такой откровенности — просто эта ночь, эти огни с проспекта и карусель, которая когда-то была символом счастья, потому что рядом были те, кого она любила, с кем чувствовала себя в безопасности, они были живы, и она была самой собой — и лгать в такой момент нельзя, особенно себе. Потому что здесь она была еще прежней, была той девочкой, которую любили родители, — беззаботной и беззащитной перед жизнью, как и многие любимые дети из благополучных семей, а уйдя отсюда, она стала той, что сейчас, и хотя она сама это выбрала, ей от этого не легче. Потому что когда ушли те, кто любил ее просто за то, что она есть, чувство безопасности исчезло, она сумела выжить — но при этом утратила себя саму. И плевать, что я бы ни за что так не смогла, потому что она бы не смогла так, как я.

Мы все очень разные, граждане. И не спешите бросаться камнями.

Мы уселись на карусель и завертелись, и дворик завертелся вместе с нами, и освещенные окна превратились в золотистые ленты.

— Фух, раньше могла часами кататься вот так, а теперь голова закружилась. — Валерия поднялась на ноги, ее качнуло. — Может, кофе выпьем где-нибудь?

— Идем тогда в «Мелроуз», тут недалеко.

Мы вышли из освещенного круга и двинулись в сторону арки сквозь темноту, и темнота оказалась не такой уж безусловной ввиду освещенных окон. Мы почти совсем дошли до арки между домами, соединяющей темный двор с освещенным проспектом, когда все случилось.

Какой-то парень в толстовке, с капюшоном, надвинутым на лицо, вышел из арки, просто отделился от стены и шагнул к нам в темноту, и Валерия охнула, стала оседать на асфальт. Я на какой-то миг застыла, стояла и смотрела, лезвие ножа хищно блеснуло в свете фонаря, зардевшись темной кровью, а я какую-то длинную холодную секунду молча пялилась, не в силах избавиться от мысли, что я все это уже видела, только тогда я пришла под занавес, а сегодня застала самое начало спектакля, и следующим актом станет еще один взмах ножа.

И я побежала.

В отличие от Валерии, которая всегда носила каблуки, я предпочитаю удобную обувь — ну, разве что случай требовал туфли на каблуках, но в повседневной жизни я всегда ношу обувь на низком ходу — мягкие балетки или мокасины, босоножки и что угодно, лишь бы моя нога твердо ощущала дорогу. И в этот раз мои балетки, уже изрядно истрепавшиеся, сослужили мне добрую службу, я вылетела на проспект и нырнула в подъехавший троллейбус. Ищи-свищи меня теперь, если охота.

Кот когда-то научил меня этому безотказному способу оставаться в живых.

А Валерия осталась, конечно, — я и тогда уже знала, что удар был насмерть, и лезвие, блеснувшее в свете фонаря, окрашенное темной кровью, убедило меня, что все всерьез. И это большая удача, что я не умею впадать в ступор и кататонию, а начинаю действовать сразу, не ожидая, пока волна дерьма докатится до меня и накроет с головой.

Я выскочила из троллейбуса через пару остановок и нырнула в темный двор. Выудив из сумочки остро заточенную отвертку, которую я таскала с собой из-за малолетних недоумков, каждую ночь ковыряющих мою дверь, я метнулась в тень, в заросли сирени, мне нужно было подумать и отдышаться.

Я снова осталась без денег: карточку, которую выдала мне Валерия, светить нельзя, камера банкомата снимает круглосуточно. И транзакция, проведенная меньше чем через час после гибели Валерии, сразу поставит меня во главу списка подозреваемых: золотая кредитка Городницкого, которой я пользовалась не раз и от которой знала ПИН-код, — да иного мотива даже искать не надо, учитывая мое теперешнее положение. Тем более что когда проверят звонки Валерии, то выяснят, что она мне звонила, как и то, где и с кем она была за час до смерти. Но если я не трону кредитку, то просто буду свидетельницей, хотя мне это мало поможет. А самое главное, никто мне не поверит, что я не рассмотрела убийцу. И убийца не поверит, ведь он стоял и ждал нас там — и уж он-то меня отлично рассмотрел.

Из тьмы отлично видно то, что происходит в освещенном месте.

Какая-то тень метнулась мне навстречу, я ощутила отвратительный запах — смесь клея и немытого тела, чья-то рука попыталась ухватить меня за руку, а я вогнала отвертку прямо в центр этой тени, и болезненный вскрик стал мне ответом.

— Вот сука...

Голос подростка, переходящий в бульканье. Наверное, я пробила ему легкое, а то и что-то поинтереснее. Ага, парнишка, я сука, а мир — страшное местечко. Страшнее, чем ты можешь себе представить, потому что иногда добыча может стать охотником.

По крайней мере, я добычей становиться не собираюсь.

Гараж встретил меня запахом дезинфекта и моих духов. Никогда еще я не была так рада сюда вернуться. Закрыв двери на задвижку, я без сил опустилась на диван. Теперь придется залечь на дно очень плотно, и лучшее, что можно сделать, — больше не светиться в кругу прежних знакомых.

И тогда я вытащила из телефона сим-карту.

То, что Валерия не стала жертвой случайного убийства, мне было ясно. Это не маньяк, которому было все равно, кого убивать, — нет, тот чувак в толстовке, видимо, шел за нами достаточно долго, пока мы не остановились поностальгировать на старой карусели. И он стоял там и ждал, и он знал, что убить хочет не меня, а Валерию, что он с успехом и сделал в единственном месте, где вообще мог это сделать.

Странно, что Валерия была одна, без Кинг-Конга.

И я слишком поздно об этом подумала, сообразила, что я никогда раньше не видела Валерию в самостоятельном плавании, и вдруг! Но самое странное — то, что ее телефон молчал. Обычно Городницкий принимался ей названивать сразу, как только она куда-то выезжала, и звонил через каждые десять минут. Иногда мне казалось, что у него уже окончательно съехала крыша, но дело в том, что так оно обычно и бывает, когда старый козел женится на молодой девке, которая любит его деньги. Городницкий дураком не был и не мог не понимать, что его личность, а уж тем более он сам, как мужик уж никак не мог заинтересовать Валерию. Он купил ее и знал, что купил, и что держал ее только деньгами, тоже знал, но в какой-то момент она могла бы и сорваться с крючка.

Тем более что у нее могло быть что-то накоплено на черный день.

Возможно, он все-таки прознал о ее шашнях с Кинг-Конгом.

Впрочем, они хорошо шифровались, я и сама не сразу поняла, а ведь я гораздо наблюдательнее Городницкого. И если ему хватило ума понять это — значит, он либо увидел их, либо кто-то ему донес, когда эта парочка неосторожно терлась коленками.

И пока я думаю, что лишь Городницкий мог нанять кого-то, чтоб оформить разрыв отношений, а это значит, что сейчас лично я в большой беде. Хотя, возможно, мотив есть еще у кого-то, просто я пока его не вижу, но в любом случае ситуация так себе. И хотя вряд ли убийца сумел отследить меня с того момента, как я сбежала с места убийства, но это ничего не значит. Он отлично меня рассмотрел, а по описанию выяснить мою личность ничего не стоит, просто спросит у Городницкого.

Но если я исчезну, растворюсь среди людей, которые даже близко не стоят к тому кругу, в котором я вращалась последние десять лет, то найти меня будет сложнее.

Проблема только с документами, у меня их просто нет.

Но это, возможно, гораздо меньшая проблема, чем я думаю.

У меня так устроена голова, что, если возникает какая-то проблема, я тут же бросаюсь искать пути ее решения. И эти пути обычно ничего общего не имеют с тем, что бы сделал среднестатистический человек. Я — Другой Кальмар, и решения у меня получаются другие. И то, что я здесь... Ну, ошибаются все.

Но, возможно, все это к лучшему.

5

— Светк, тебя там Людмила искала.

Это вездесущая Валька орет, и все глаза обратились на меня. Женский коллектив, жадный до сплетен, — это бывает неприятно. И хуже всего то, что они уверены в своей разумности, в то время как это не мышление, а просто потребление. Каким-то непостижимым образом в последние годы мышление гражданам заменили потреблением — они потребляют готовую новостную жвачку, не думая о качественных характеристиках потребляемого продукта.

Хотя на примере рекламы я когда-то узнала, что можно считать нормой для семейной жизни.

Но граждане привыкли жадно глотать новости — любые, и сплетни тоже, а я вызываю у своих подруг по несчастью жгучий интерес, особенно после того, как поселилась у Вальки. И вот теперь меня разыскивает Людмила — хотя она отлично знает, где я нахожусь эти последние две недели.

Я исправно хожу на работу и фасую всякую сыпучую фигню. У меня в руке словно поселились весы, так что я все время выдаю полторы, а то и две нормы, просто не отвлекаюсь на болтовню и курение. Что за моей спиной говорят остальные, мне потом передает Валька, но дело в том, что меня не волнуют сплетни, пока они далеки от истины.

Пусть болтают, это заменяет им мышление.

— Светк, так ты пойдешь?

— А она что, просила прийти?

Неточность формулировок меня просто убивает, «искала» и «просила прийти» — это как бы совсем не одно и то же.

— Ну, да. — Валька энергично кивнула. — Так и сказала:

пусть ко мне в кабинет придет. Ты иди, Светка, Людмила ждать не любит.

Бросив в ящик очередной пакет с крупой-арнауткой, я поднимаюсь, отряхивая спецовку. Если бы меня сейчас видели мои знакомые, то-то было бы злорадства и смеха! Это стало бы главной новостью, но дело в том, что никто не знает, что я здесь. Затеряться на самом деле очень просто, достаточно лишь сойти с привычной орбиты.

Причем сойти радикально.

На самом деле все люди снобы. Они общаются между собой только в пределах своих социальных групп, выше каждый из них готов идти, но ниже... В Индии этот снобизм когда-то довели до абсурда, поделив общество на касты и прописав для каждой касты отдельное законодательство, правила поведения, особенности одежды... В общем, о «все люди созданы равными» индийцы не слышали. И хотя прогрессивное человечество осудило несознательных индийцев за такую злостную дискриминацию, лично я осуждаю лишь абсурд, который всегда проистекает из любого абсолюта.

Так я о чем, собственно, толкую. Очень легко потеряться, если просто оборвать связи с социальным слоем, к которому принадлежишь. Покинуть свою социальную группу и примкнуть к той, которая ниже по статусу. Никому и в голову не придет искать вас среди тех, кого как бы и нет. Но дело в том, что я никогда не считала социальную группу, в которую впихнули меня Бурковский с матерью, своей. Конечно, я в ней ассимилировалась — это было необходимо для выживания, но я всегда знала, кто я и откуда. И когда я ту социальную группу покинула, то особой трагедии в этом не увидела, наибольшее неудобство мне доставило только отсутствие душа и чистой одежды.

Потому что любая социальная группа — это условность.

Впрочем, у меня не было тогда вообще никакой одежды, и когда я поняла, что деньги с золотой карты мне недоступны, то продала еще одно колечко и цепочку, чтобы раздобыть рюкзачок, смену белья и пару маек, а также на что-то питаться. А остальное я просто украла в разных магазинах и бутиках — благо, я отлично знала все способы краж из магазина, в свое время нагляделась, когда охранники просматривали записи с камер наблюдения. Во всех окрестных бутиках я когда-то была своим человеком — и продавцы, и охрана знали, что я надежная и аккуратная и никогда ничего не украду. Когда я стала жить в доме Бурковского, то продолжала иногда навещать старых знакомых, и хотя со временем это общение сошло на нет, знания остались.

Никогда не надо лениться учиться чему угодно — то, что знаешь или умеешь, рано или поздно пригодится, я вот заметила: если жизнь складывается так, что мы чему-то учимся, значит, так нужно, и неважно, что это за умение, для перехода на новый лэвел оно сгодится. И тут главное — помнить, что мыслительная функция должна работать всегда, иначе можно превратиться в безмозглую закуску для всякого, кому взбредет в голову тобой закусить.

Сегодня я собиралась исчезнуть.

Нынешнее мое прикрытие показалось мне вдруг ненадежным, и у меня созрел план, каким образом я достану из дома Бурковских свои документы и деньги. В мои планы не входило общение с Людмилой, я составляла план побега из Валькиной квартиры, но пока ничего удобоваримого мне в голову не приходило, только прийти домой раньше Вальки, собраться и свалить, а Вальке я по понятным причинам ничего не сказала.

Она взрослая, справится.

Оно, конечно, все было бы ничего, но если ищейки Бурковского и полиция меня не нашли, то Кинг-Конг накануне нашел. Возможно, он мыслил так же, как и я, а возможно, случайно увидел меня на улице, и его ошибкой было лишь то, что он схватил меня за руку на людной улице.

— Идем-ка потолкуем.

Я много раз видела его, но голоса никогда не слышала. И голос оказался под стать внешности — низкий, рычащий, он должен был, наверное, наводить страх. Но дело в том, что мой самый худший страх умер вместе с моей сестрой, а те, кто живет во тьме, страха не знают. Чего ж еще бояться, если уже живешь там, где большинство людей оказаться не хочет?

А потому я просто посмотрела на него, и он почти отпустил мою руку, но вовремя вспомнил, что страшный здесь именно он.

— Будешь дергаться — сломаю руку. Идем.

— Ломай. — Это смешно, граждане. На дворе светло, вокруг полно людей — руку он мне сломает, видали такое? — Я буду орать, отбиваться, упаду на землю, и в итоге приедет полиция.

Для меня не составит труда устроить безобразную сцену, мне абсолютно безразлично, что подумают обо мне окружающие.

— Но ты же не хочешь объясняться с полицией?

В этом, безусловно, есть свой резон, но Кинг-Конгу знать об этом не надо.

— С чего ты взял? — Я подняла на него взгляд — боже ж мой, что Валерия в нем нашла! — Мне скрывать нечего, чтоб ты понимал.

— Ну, то-то ты бегаешь по городу.

Я освободилась пораньше и шла в «Бункер» за шмотками, а потом собиралась на маникюр. Валька на прицепе за время нашего совместного житья надоела мне до чертиков, она все дни таскалась за мной как пришитая, до того боялась, что, как только она потеряет меня из виду, ужас снова вернется. И вот мне удалось уйти раньше ее, и я радовалась новообретенной свободе, но недолго.

Да кто же знал, что так будет?

И ведь это хорошо, если наша встреча — просто несчастная случайность, но что-то мало верится в это. А значит, он каким-то образом меня выследил, а раз выследил он, то выследит и еще кто-то.

Похоже, моя передышка закончилась.

— Мое дело, бегаю — и бегаю. Тебе-то что?

— Да ничего. — Он сверлил меня взглядом. — Но потолковать тебе со мной придется.

— Ага, вот прямо сейчас.

Я ударила его в солнечное сплетение — и это было все равно, что врезаться в стену, но замысел состоял не в этом. Удар — просто отвлекающий маневр, Кинг-Конг удивленно отстранился, насмешливо прищурившись, — и тут же получил ощутимый удар по яйцам. Вот уж что другое, так нет, но этот удар у меня отточен до мастерства уровня черного пояса, и смеяться тут может лишь тот, у кого нет яиц, а у этого парня они таки были.

Правда, что с ними теперь, я не знаю, но точно ничего хорошего.

Главное в этом ударе — нанести его неожиданно, когда оппонент ничего плохого не ждет, вот тогда достигается наилучший эффект. Парень ухнул, согнулся пополам и выблевал мне под ноги. Его дыхание остановилось, а потому я добавила ему ногой в затылок, и он рухнул на тротуар, прохожие пуще прежнего заторопились по своим делам, а я нырнула в арку и побежала через дворы.

Никогда не надо недооценивать противника, даже если он меньше вас.

В драке часто побеждает не более сильный, а тот, у кого сильнее мотивация. Вот Кинг-Конг понадеялся на грубую силу, а это была ошибка. Но дело в том, что когда этот парень обнаружит меня в следующий раз, то церемониться уже не станет, а переломает мне все, что сможет, и такая перспектива мне нравится примерно как гвоздь в пятке, но делать нечего, есть то, что есть, я выиграла сражение, но выиграю ли я войну? Хотя можно было бы воткнуть отвертку ему в шею, но не могла же я грохнуть его на глазах у изумленной публики? А только это стало бы эффективным средством от переломов.

Тем не менее проигрывать я не собираюсь просто из принципа.

И я просидела дома весь вечер, бессмысленно пялясь в телевизор и прикидывая, как Кинг-Конг меня вычислил, и скорее всего, случилось это, когда я сдуру зашла на свою страницу в Фейсбуке — ответить клиенту, попросила девчонку в офисе одолжить на минутку свой комп, а там, видимо, оказался статичный айпи, вот он и выяснил, в каком районе я обретаюсь.

И хорошо, если выяснил только он.

Блин, в наше время не нужна армия сыщиков, за нами следят наши электронные игрушки.

Но уйти сразу я не могла, мне нужны были хоть какие-то деньги, а зарплата положена в пятницу, а пятница послезавтра. И я решила остаться, чтобы получить деньги, а теперь вот не пожалеть бы мне об этом.

— Ты от кого-то прячешься.

Валька любит поговорить, а вот мне не до разговоров. И когда я вбежала в квартиру, она встретила меня этими словами. Долго думала над ними, ага.

— С чего ты взяла?

— Ты никуда не выходишь, ни с кем не говоришь по телефону, не выходишь в Интернет. — Валька вздохнула. — Если тебе нужна помощь, я помогу.

— В данном случае ты ничем не поможешь.

— Не хочешь поделиться?

— Нет. Но если хочешь мне помочь, сходи в круглосуточный ларек — только не в тот, что рядом с домом, а тот, что на Сталеваров, и купи мне одноразовый телефон и сим-карту, я хочу позвонить. Только сама не покупай, дай денег какому-нибудь алкашу или бомжу.

Нет смысла скрывать очевидное — Валька поняла, что я в бегах, что ж, из этого тоже можно извлечь пользу. Из всего можно ее извлечь. Ну, почти из всего.

— Ладно, сейчас схожу. — Валька снова вздохнула и поднялась с дивана, колыхнувшись боками. — Светк... Ты сделала что-то плохое? Ты не подумай, даже если сделала, для меня это ничего не меняет, но я просто хочу знать. Ты что-то сделала такое, что приходится прятаться? Ты только скажи, и я во всем помогу тебе, вот чем только смогу.

— Нет. — Хотя бы в этом я могу сказать ей правду, и это радует, не люблю лгать. — Ничего плохого я не сделала, но сделал кто-то другой, и он думает, что я свидетель, а я ничего не видела на самом деле, просто мне никто не поверит.

— Понятно. А кто — он?

— Я не знаю. Я его не рассмотрела даже, но видела, *что* он сделал. И вся помощь, которая мне сейчас нужна, — крыша над головой и одноразовый телефон с незасвеченной сим-картой.

— Я сейчас принесу, Светк, ты подожди только, я мигом обернусь. Заодно ягод куплю около перехода, киселя наварим. Самое то — киселька на ночь похлебать...

Ничего ей, конечно, не понятно, да только впутывать Вальку в неприятности, отягощая ненужными знаниями, тоже несправедливо. Достаточно того, что она притащит мне чистый телефон и я наконец смогу позвонить Оксанке.

Валька обернулась быстро, притащив пакет ранней клубники и коробку с телефоном.

— Ты как, отсюда будешь звонить, мне уйти?

— Нет, не отсюда.

Выяснить местоположение трубы можно запросто, но одноразовый телефон я просто выброшу, тут главное — добраться невредимой до того места, откуда я стану звонить, и вернуться обратно. Потому что за меня, похоже, принялись всерьез, и, возможно, разъяренный Кинг-Конг с горячим омлетом в штанах — наименьшая из моих проблем.

— Так ты недолго? Я киселя наварю пока.

Схватив трубу, я выскочила из квартиры. Терпеть не могу, когда меня жалеют, а Валька, похоже, собирается меня пожалеть.

Это она-то!

Знаете, я обожаю цветущую катальпу. Эти цветы не пахнут так прекрасно, как цветы клена или абрикоса, они не выглядят тончайшим кружевом, как цветущая вишня, но сама катальпа, с ее невероятно зелеными широкими листьями, плотными и идеальными, с ее округлой ступенчатой кроной — и эти огромные соцветия розоватого, желтоватого и белого с бордовыми прожилками цвета... Это красиво, необычно и элегантно. И когда я смотрю на цветущую катальпу, то чувствую присутствие Бога в том смысле, который вкладывают в него граждане, поклоняющиеся Творцу всего сущего.

Хотя, возможно, это лишь моя собственная реальность.

Но сейчас темно, и я бегу мимо цветущих деревьев, лихорадочно соображая, откуда я могу поговорить и потом сбежать настолько быстро, насколько это будет возможно. Нужно несколько путей отхода, если предположить, что меня ищут очень плотно.

Вот здание крытого рынка, который сейчас закрыт, а за ним трамвайное полотно и дальше какие-то гаражи.

Идеально.

Я взбираюсь на дерево, растущее у стены гаража, и сажусь на теплую крышу, пахнущую смолой. Тут этих гаражей гектар, я по крышам сбегу в любую точку, прыгну вниз — и давай, ищи-свищи меня в душной июньской темноте.

— Ксюнька, это я.

Мне нужен ее совет. Мне нужно ее услышать. Мне нужен кто-то, кто… Ну, кто-то близкий, а кроме Оксанки, никого нет. Я не мастерица заводить друзей.

— Вопрос только один: ты в беде?

— И да, и нет.

— Ясно.

За что я люблю Оксанку особо — так это за то, что ей ничего не надо объяснять. Каким-то образом она все понимает как надо, она ощущает меня, и мысль о том, что я могла навлечь на нее большую беду, просто явившись в ее маленькую квартирку, наполняет меня ужасом.

Я уже потеряла Маринку, больше я никого не потеряю.

Когда-то я сама себе поклялась, что больше никогда не привяжусь к кому-то настолько, чтоб его уход вверг меня на самое дно тьмы, и так оно и было, пока не появилась Оксанка с ее смешными колокольчиками на запястьях.

— Помолчи.

Да я и так молчу. Просто ощущение, что вот она, Оксанка, совсем рядом, наполняет меня радостью. Я старалась даже не вспоминать о ней, до того мне было хреново, не думать о том, что могу попросить помощи у нее, потому что не могла, а соблазн иногда был размером с Юпитер.

Но сейчас мне нужно поговорить с ней.

Об Оксанке не знает ни Бурковский, ни Янек, и уж точно не знает мать. Я никогда не приводила ее в их дом — мне нужно было мое собственное пространство, да и не хотела я, чтобы это семейство поджимало губы при виде Оксанкиных нарядов и самодельной сумки.

Они бы ничего не поняли.

И никто из того круга, где я обтяпывала свои дела, не знаком с Оксанкой. Но дело в том, что иногда я с ней созванивалась, и перешерстить мои звонки, чтобы выяснить круг общения, — проще простого, я же не знала, что стрясется такое и мне придется прятаться, звонила ей со своего обычного номера, который у меня уже десять лет.

Я не люблю перемены.

— Башня. — Оксанкин голос звучит озабоченно. — В перевернутом положении, но все равно расклад так себе. Во что же ты вляпалась?.. Смерть не как перемены, хотя и как перемены — тоже, но и как Смерть… Как начало чего-то. О господи!

Конечно, она знала обо всех моих знакомых. Я рассказывала ей и об Алексе, и о Валерии, и, конечно же, она знает, что Валерия убита и что полиция ищет свидетельницу.

— Я ничего не видела.

— Да кто же поверит?.. Погоди, вот еще смерть, и старая смерть как Врата… Ничего не понимаю. — Оксанка вздохнула. — В общем, это самый странный расклад из всех, но по итогу ты победишь. Совет: просто будь собой.

Быть собой — это как? Где она — я? Кто я? Столько масок у меня в запасе, что я и не знаю уже, где мое настоящее лицо. Значит, это мое задание в этой игре? Что ж, если это так, то сдается мне, картина будет неприглядная.

— Ты вернешься. — Голос у Оксанки расстроенный. — Но ты должна быть очень осторожна. И тот, кто тебе враг, — на самом деле не враг.

— Это как?

— Возможно, что там, где ты всегда ставила минус, нужно ставить плюс.

— Ладно, разберусь. Ксюнь, я больше не буду звонить, появлюсь, когда все утрясется.

— Лучше бы ты к нам пришла.

— Ты сама знаешь, что это ни фига не лучше.

Я разбираю телефон и разбрасываю его части в стороны, предварительно вытерев. Сим-карта тоже отправляется куда-то во тьму. Давайте, ребята, поищите меня теперь. Я даже слезу с этих крыш не там, где залезала, я этот район отлично знаю, и вряд ли кто-то знает его лучше, чем я, — из тех, кто явится, чтобы добыть мой скальп, а кто-то непременно явится.

Но я исхожу из того, что я не одна такая умная, где-то еще есть Другие Кальмары, это уж точно.

Перебежав на противоположный конец ряда крыш, я слезаю по дереву в пространство между гаражами, где расположены ворота, и взбираюсь на следующий ряд крыш. Главное, чтоб меня не выдали собаки, а они здесь точно есть.

Но все тихо.

Смерть как начало. Забавно.

6

У Людмилы нет кабинета, у нее просто есть стол на складе с мукой. Мешки муки громоздятся под самый потолок, уложенные на деревянные паллеты, пол чисто выметен, но мучная пыль все равно повсюду — на подоконнике, на столе, поверх бумаг... Но боже мой, как прекрасно пахнет на этом складе! Запах муки можно ощутить только там, где она хранится, — это запах лета, горячего поля, теплого ветра и счастья.

— Вызывали?

Людмила смерила меня взглядом и вздохнула.

— Садись.

Я скромно присела на краешек стула. Что нужно от меня Людмиле, я без понятия — хотя, возможно, она просто лесбиянка, и тогда плохи ваши дела, товарищ призывник.

— Тут такое дело...

Людмила явно не в своей тарелке, и я окончательно перестаю понимать происходящее.

— Валентина рассказала мне, как ты помогла ей.

У Вальки язык как у собаки хвост, ей-богу.

— Она преувеличивает.

— Я так не думаю. — Людмила цепко смотрит на меня. — Послушай, я понимаю: ты не рада тому, что информация всплыла. Но ты должна меня понять: я наводила о тебе справки. Документов у тебя нет, бледная ксерокопия паспорта, которую ты предоставила, меня не впечатлила, хотя я просила кадровичку закрыть глаза на это, но сама я была вынуждена навести о тебе справки — у нас тут товар, наличка, транспорт, документы, а поскольку никто, кроме Валентины, тебя не знает, то я спросила у нее. Надо сказать, защищала она тебя, как медведица любимого медвежонка, и тут я ее целиком и полностью понимаю, я была в курсе ее проблемы. Я должна была спросить, мало ли, вдруг ты наводчица, например. Или работаешь на налоговую полицию, вынюхиваешь для них.

— Но я не...

— Я поняла уже, что ты «не». — Людмила усмехнулась. — Ты в какой-то беде, но ты не воровка и не агент наших силовых структур. Но еще я знаю, что ты избавила Валентину от ее жуткой проблемы.

— У нее просто был стресс, вот и...

— Я сама знаю, что это было. — Людмила нахмурилась. — Есть вещи, которые не объяснить вот так, простыми словами. И наука их не объясняет — даже и сложными словами тоже. Было время, когда Валька на складе ночевала, до того боялась домой идти, и то, что она видела призрака, для меня лично очевидно. А ты его изгнала, и...

— Это просто внушение, вы не понимаете...

— Я понимаю одно: у человека была огромная проблема, которую никто не мог решить и которая едва не довела ее до психушки. И в одночасье проблема была решена, раз и навсегда. И у меня есть к тебе предложение.

— Какое?

— Я помогу тебе с документами, тебе восстановят паспорт и все остальное, причем если пожелаешь — то на любую фамилию, весь пакет. А ты поможешь одному очень близкому моему человеку. У него похожая проблема, и если у тебя получилось с Валентиной, то получится и с ним.

— Да вообще не факт, с Валькой это случайно вышло.

Я должна ей объяснить, потому что иначе можно наломать дров. Я должна рассказать ей, что с толстухой это было спонтанное решение, практически аутотренинг, и то, что он сработал, для меня самой оказалось чем-то из разряда чудес.

— И тем не менее сработало. — Людмила покачала головой. — Люди иногда живут и не знают о своих способностях, пока не проявятся в какой-то невероятной ситуации. Попробовать стоит. Слушай, давай так: я помогу тебе с документами в любом случае, неважно, получится у тебя или нет, идет?

— То есть даже если у меня ничего не выйдет...

— Я все равно помогу тебе. — Людмила кивнула. — Тебе нужны какие-то инструменты? Ну, что-то специфическое?

Нам с Валькой хватило ложки и кастрюли из нержавейки, но я знаю, что у Оксанки есть поющие чаши и разные гонги, колокольчики и прочее.

— Мне бы тибетскую чашу и...

— Едем в магазин, я знаю такой, купим все, что нужно. — Людмила поднялась и сняла покрытый белой пылью пиджак спецовки, под ним оказалась майка с черепом и готическими буквами, увитыми розами. — Сними спецовку, и пошли в машину, нечего тянуть. Смену тебе засчитают как обычно.

У меня ощущение, что я попала в какой-то смешной нелепый фильм — знаете, из этих, где некто покупает старую вещь, оказавшуюся зараженной каким-то демоном, и демон начинает втравливать нового хозяина в разные страшные ситуации, пока вовсе не убивает и его, и еще кучу народу в придачу.

— Для изгнания сущностей нужна серебряная чаша. — Тощая сморщенная продавщица внимательно смотрит на меня. — И сухую полынь возьмите, и жаровню. Браслеты на ноги и на руки с колокольчиками, и ритуальное облачение из натуральной ткани, по подолу и рукавам руническая вышивка-оберег, и...

— Вы реально путаете, руны — это из скандинавских штучек, а мантры — индуизм.

— Все это — части одного древнего знания, раздробленного, распыленного среди людей и культур, потому что люди не способны постигнуть Знание в целом. — Продавщица вздохнула, с сомнением глядя на нас с Людмилой. — Я охотно соберу вам все необходимое, но дело в том, что стоимость...

— Много текста. — Людмила выудила из кармана золотую кредитку, точно такую же, как выдала мне покойная Валерия. — Хватит болтать попусту, давай, собирай нам все нужное, и мы пойдем, время — деньги.

— Конечно!

У продавщицы словно крылья выросли, она засновала между полками, бормоча под нос что-то невразумительное.

— Жнецы иногда пропускают мимо блуждающие души, а они потом людей баламутят, и главное — управы на них никакой, но теперь-то есть управа, и пусть Хель меня заберет, если я не помогу собрать все нужное, такого товара, как у нас, нигде нет... Где же она?.. Ага, вот, всего одна и была, я уж думала, что зря заказала, нет на нее покупателя, но ведь заказала, словно знала, что понадобится... И браслеты еще. Такой красотке нужны красивые браслеты... Лодыжки тонкие, вот эти в самый раз будут, и...

Людмила с опаской смотрит на продавщицу, а я думаю, что ввязываюсь в авантюру, но правда в том, что выхода у меня нет. Документы из дома Бурковского я забрать не могу, так что остается их только заново получить, во что бы то ни стало, а как это сделать, не обращаясь к прежним знакомым, я не знаю. Я ведь больше не падчерица Бурковского, а просто фасовщица круп, живущая на чужом диване.

У меня по чистой случайности в собственности оказался отличный гараж на две машины, да только пользы мне с него, если без своих документов я не могу обратить его в деньги?

А потому я должна буду сегодня снова повалять дурака, чтобы документы у меня появились.

— Готово.

Пакет оказался увесистым, но Людмила, отпихнув меня, подхватила его, пряча в карман золотую карточку.

— Весь этот хлам тоже будет твой — после всего, независимо от результатов. — Людмила подтолкнула меня к выходу. — Едем, что ли.

Да мне-то что, хоть и едем. Машина у нее такая же тяжеловесная и неэлегантная, как и она сама, и мне любопытно, зачем она довела себя до такого состояния. Ведь реально я достаточно долго решала, мужчина она или женщина, пока кто-то не позвал ее по имени. Ну, не родилась же она мужеподобной квадратной бабой с оплывшим грубым лицом!

Машина исправно везет нас по городу, вот только едем мы совершенно в другую сторону, если нужной стороной считать склады.

— Идем, купим тебе шмоток, потому что придется заночевать там. — Машина останавливается у входа в магазин. — Давай выбирай, да только живо.

Сама Людмила заинтересовалась отделом с рыбацкими принадлежностями. Ну, это как раз неудивительно, я бы удивилась, если бы ей вдруг захотелось поглазеть на белье или сумочки.

А мне вот хочется.

Я выбираю себе платье, белье, туфли, и сумочку, и пижаму с халатом, и кое-что из косметики, и — была не была! — новые джинсы, шелковую тунику для дома, и такую же пижаму, босоножки и мокасины, и отличную джинсовую куртку, потому что вечерами еще бывает прохладно. Я соскучилась по новым вещам, пахнущим именно магазином. Нет, я ничего плохого не хочу сказать о «Бункере», там я провела много счастливых часов, находя среди куч шмоток брендовые вещи, совершенно новые, но пахли они по-другому.

Я ожидала, что Людмила примется голосить насчет количества вещей и размера счета, но она не моргнув глазом просто оплатила покупки, карточка весело заблестела на солнце, а Людмила даже не взглянула на итоговую сумму и чек брать не стала. Пакеты с вещами она и на этот раз мне не доверила, а молча потопала к машине. Либо карточка ее и она богата — тогда она зачем-то маскируется на складе, либо карточка не ее, но ей дано указание не перегреваться из-за суммы, стоящей в чеке.

Я голосую за второй вариант.

Есть и третий, и о нем я думать не хочу.

Возможно, все это ловушка, и я еду аккурат в самый центр неприятностей, но тогда не было смысла покупать мне все эти штуки... Нет, не хочу об этом думать! Иногда импровизация — наше все, особенно когда для окончательных выводов мало вводной информации.

Я вообще редко тороплюсь с выводами в неоднозначных ситуациях.

Машина бежит по шоссе, и я думаю, мы едем за город. Судя по карточке, либо в Научный Городок, либо в Озерное. Оба места населяют какие-то несметные богатеи. У Бурковского там недвижимости нет, но не потому, что он нищеброд, а просто он не любитель загородных домов. Но Бурковский и вообще странный тип, а у большинства тех, кого я знала в той жизни, были дома как раз в этих двух точках, что было предметом особой гордости.

Мы проехали Научный Городок, но свернули на дорогу, ведущую в сторону от шоссе. Я иногда видела эту дорогу, но не удосужилась узнать, куда же она ведет. В километре от своего начала дорога оказалась перегорожена шлагбаумом, и стерегут его вполне себе профессиональные охранники. Никакого знака нет, и со стороны шоссе дорога не выглядит интересной, шлагбаум-то не виден. Зато теперь я вижу, что дорога очень хорошая, и вдали виднеется небольшое озеро, на берегу которого стоит беседка со ступеньками, а дальше виднеется большой дом с колоннами.

Никогда бы не подумала, что здесь есть такое.

Дом у озера, оказывается, не один, их тут целая улица, просто остальные не видны за холмами. Картинка живописная, как Шир во «Властелине колец», а лес вдоль дороги очень ухоженный.

— Что это за место?

— Посольские дачи. — Людмила покачала головой. — Охраняемый поселок, в сороковых годах здесь строили дома для отдыха иностранных специалистов. Земля была выделена посольствам.

— Не далеко ли посольским сотрудникам сюда мотаться? Близкий свет — от столицы сюда.

— А чего им далеко? — Людмила пожала плечами. — Не пешком ведь, а на хорошей машине три часа, и на месте. Тут тихо, озеро хорошее, глубокое, рыбалка отличная и места красивые. Построено это было сразу после войны, когда требовалось восстановление промышленности и нужны были специалисты, приходилось привлекать иностранцев. Потом, правда, дома использовались как дачи всеми сотрудниками посольств, отсюда и название, но сейчас большинство этих домов проданы частным лицам, в собственности посольств только два участка, там своя прислуга и своя охрана, причем постоянная. Некоторые дома стояли законсервированными, и только спустя долгое время их продали.

У самого въезда в поселок вторая линия обороны — еще один шлагбаум, возле которого нас тоже встретили суровые охранники, но, увидев Людмилу, молча открыли проезд.

— Считай, уже приехали. — Людмила свернула с основной дороги направо и поехала по аллее. — Тут очень красивое место, сама увидишь.

Машина притормозила у каменного забора с пафосными коваными воротами — кто бы ни построил это варварское великолепие, он явно хотел воссоздать некое подобие классического Баскервиль-холла, но дело в том, что за пределами Англии это невозможно, да и нелепо.

Климат и ментальность диктуют архитектуре, а не наоборот.

— Приехали. — Людмила подхватила пакеты с вещами и кивнула в сторону дома. — Ступай.

Дом и правда оказался красивым. Я отчего-то сразу была предубеждена и против дома, и против хозяина — ужасно не люблю, когда меня нагибают, а в данном случае меня именно нагнули, и хотя посулили разные плюшки, это не меняет дела, но дом все равно красивый, я за справедливость. Может быть, хозяин и сукин сын, дом тут ни при чем.

Дом выглядит старым, но не ветхим.

Что-то меня тревожит во всей ситуации — и неожиданная доброта Людмилы, посулившей мне документы в любом случае, и все эти дорогие шмотки, инструменты, серебряная, блин, чаша... Что-то здесь не так. Слишком гладко, слишком все хорошо и просто, чтобы оказаться правдой. Ну, ладно, ребята, кто не спрятался — я не виновата. Мой папаша был чокнутый убийца-социопат, и если вы решили, что я лучше его, то я на вас улыбаюсь, ей-богу.

Я просто не пью, и оснастка корпуса у меня другая, естественно, да только в этом и вся разница.

Дом каменный, с двускатной крышей и колоннами, высокие окна, забранные фигурными решетками, увиты плющом, как и весь фасад.

— Решетки поставили, когда консервировали дом, новый хозяин их снять не успел. — Людмила открыла дверь своим ключом и кивнула мне. — Входи.

Я шагнула за ней в гулкую тишину, звякнула связка ключей, которую Людмила бросила на стол, расположенный посредине холла. Но все равно ясно, что дом совершенно пуст.

— Никого нет...

Холл, из которого наверх ведет широкая лестница, раздваивающаяся в районе второго этажа налево и направо, пуст — а ведь должен быть, например, дворецкий. В таком доме без дворецкого никак — слишком уж все торжественно и напоказ. Бурковский в этом вопросе более демократичный, прислуга у него в доме есть, конечно, но это не выглядит нарочито, а тут все как на картинке в журнале о богатеях: круглый стол посреди холла, на столе ваза с красивенным букетом, состоящим из лилий, круглый ковер и блестящий пол, лепнина под потолком и прочие пафосные штуки, кричащие об успехе и деньгах.

И никакого, даже самого завалящего дворецкого.

Вообще никого.

Людмила кивает мне в сторону ступенек, и я плетусь за ней. Если они думали ошеломить меня красотой обстановки, то должна сообщить, граждане, что я не ошеломлена. Видала я и дома побольше, и обстановку покруче, так что впадать в экстаз и таращиться в сакральном восторге я не стану.

Чтобы меня впечатлить, нужно что-то гораздо более экзотическое, чем старый дом.

Тем более что дом пуст и похож на декорацию из фильма ужасов — ну, знаете, когда кто-то покупает дом, даже совсем не мрачный, а вполне хороший, но по смешной цене, и радуется своей удаче. А потом ночью — хрясь! — и в подвале зомби, или вампиры, или просто призраки из-за спрятанных в стенах трупов, и вообще в этом доме когда-то произошло убийство, или размещалось похоронное бюро, или пропали бесследно сироты, а потом вдруг появляется призрак кошмарной девочки в старомодном окровавленном платье и мишку за лапу держит, для пущего когнитивного диссонанса... Этот дом похож на такой, и если тут под половицами труп или в подвале зарыты несчастные сиротки, я вообще ни разу не удивлюсь. Посольство тут было или что, старые дома много чего помнят. Убийство может произойти когда и где угодно, даже в посольском особняке.

— Вот твоя комната. — Людмила открывает тяжелую дверь. — Здесь ты можешь остаться, еда и напитки внизу на кухне.

— А хозяева?

— Хозяева здесь не живут. — Людмила покачала головой. — Вот в этом-то все и дело.

Комната полукруглая, ситцевые обои, белая мебель, кровать с пологом, и разрази меня гром, если все предметы здесь не настоящий антиквариат, привезенный издалека.

— Дом был построен по чертежам аналогичного дома в Лос-Анджелесе. — Людмила укладывает пакеты в кресло. — Построен в сорок шестом году прошлого века, земля была выделена для американского посольства. Когда дом перестали использовать, охрана оставалась, но сам дом был законсервирован вместе со всем содержимым вплоть до прошлого года. Составлена опись содержимого, дом заперли, а в прошлом году продали с торгов.

— Прямо так, со всей начинкой?

— Конечно. — Людмила хмыкнула. — Существует некая мода — покупка дома как есть. То есть покупателю дают план участка, фотографию фасада и опись содержимого, хочешь — покупай.

— Не глядя?

— В этом и смысл. Когда дом был куплен, стало ясно, что жить в нем пока нельзя... по определенным причинам.

Лично мне было бы противно и стремно жить в чужом доме, спать на кровати, на которой до этого сто пудов спали покойники, ходить по коридорам, по которым прошли сотни чужих ног, и все они давно истлели и обратились в прах. Зачем люди делают подобное, я представить не могу, но, судя по всему, новые хозяева дома не знали, на что подписываются.

— Этот особняк был построен когда-то как копия особняка Линды Ньюпорт, голливудской актрисы тридцатых-сороковых годов. Не слишком знаменитой как актриса, но очень знаменитой в другом смысле — среди ее любовников были самые знаменитые и богатые мужчины того времени. Она иногда жила здесь, когда приезжала в нашу страну якобы для концертной деятельности или съемок, но ни в каких съемках не участвовала, а все концерты были прямо тут, и заключались они в вечеринках и приемах, которые Линда устраивала каждый день, ну и, наверное, крутила романы — точно известно, что ее любовником был тогдашний глава службы безопасности при посольстве Соединенных Штатов. Я в Интернете много чего о ней прочитала, когда увидела этот дом. Линду также подозревали в шпионаже, но тогда всех иностранцев подозревали. Впрочем, я считаю, что подозрения относительно Линды были не беспочвенны: известно, что у нее было здесь несколько очень высокопоставленных поклонников, в том числе и среди высших чиновников, а также и среди высокопоставленных посольских сотрудников других стран. Они покупали ей недвижимость и драгоценности, меха и роли в европейских фильмах, но актриса она была весьма посредственная, играла маленькие роли, чего не скажешь об остальном. На мелочи эта дама явно не разменивалась. Умерла она в пятьдесят четвертом году прошлого столетия, в возрасте тридцати четырех лет, вот в этом самом доме. Ходили слухи, что ее отравили, но тогда в США о ней мало знали, а у нас ее вообще никто не знал, и смерть актрисы никто не расследовал, потому что случилась она фактически на территории другого государства — любое здание, принадлежащее посольству, считается территорией той страны, чье посольство. Ну а что они там расследовали, я не знаю, тем более что дом юридически ей не принадлежал, а ее заокеанская недвижимость, я думаю, отошла государству. Именно после смерти Линды дом был законсервирован и более не использовался, хотя я подозреваю, что дом пытались использовать, но не смогли. Так он и стоял все эти годы, но в свете последних событий было принято решение выставить на торги, никому не нужен мертвый актив. Так что полтора месяца назад дом был куплен как есть, со всеми потрохами, ничего с тех пор не трогали, просто уборку сделали и модернизировали водопровод, ванные комнаты и кухню.

— Мило.

Могла бы просто сказать, что дом принадлежал богатой шлюхе. И раз ей дарили дома и бриллианты, между ног у нее, ей-богу, было что-то выдающееся.

— Это все, что ты можешь сказать? — Людмила хмыкнула. — Негусто... Что ж, может, оно и к лучшему, что ты не слишком эмоциональна. Как бы там ни было, спустя почти сто лет особняк приобрел один мой хороший друг, но дело в том, что жить здесь нельзя.

У этого друга, должно быть, полно наличных, если он вслепую купил такой дом и не почесался.

— А почему просто не выбросить весь хлам, принадлежащий прежней хозяйке?

— Вся мебель, ковры, занавески, посуда — да что там, все вещи в шкафах и комодах — все было куплено вместе с домом. — Людмила вздохнула. — Это представляло интерес для человека, которому дом предназначался в подарок. Но когда в доме решили немного пожить, то внезапно оказалось, что это невозможно. Что-то здесь есть, понимаешь? Что-то такое... Короче, никто так и не смог находиться здесь достаточно долгое время, чтобы... Ну, чтобы что-то предпринять. А теперь обстоятельства изменились полностью, но все равно нужно выяснить, что здесь происходит. А здесь... неспокойно.

— Не понимаю, что значит — неспокойно.

— Побудешь здесь — поймешь. — Людмила нервно оглянулась. — Я надеюсь, у тебя получится разобраться. Возможно, вся здешняя кутерьма — просто чья-то глупая шутка.

Как же, шутка. Думаю, толстосум, купивший дом, нанял дивизию спецов, чтоб выяснить, кто же над ним шутит, да только никого они не нашли.

Вы спросите, верю ли я в призраков, и я скажу вам: что-то в этом есть.

— Зачем все это могло кому-то понадобиться — ну, шутить над вами? И в чем заключается беспокойство и кутерьма? Если в доме нельзя жить, почему бы его просто не продать? Он ведь стоит кучу денег, даже в том виде, что сейчас.

— Дом, скорее всего, действительно в ближайшее время будет продан, обстоятельства изменились, но мой друг — честный человек, и он при продаже не сможет умолчать о том, что в доме... происходят некоторые необъяснимые вещи. На карту поставлена его репутация, понимаешь? И если ты сможешь...

— Да я ничего не смыслю в этом, вам надо нанять специалиста. Ведь есть же специалисты? Все эти битвы экстрасенсов, например... Почему я?

— У богатых свои причуды, и мой друг предпочитает нанять тебя. Учитывая, что телешоу — это просто телешоу, постановка для планктона. — Людмила взглянула на настенные часы. — Как я уже говорила, тут успели произвести кое-какие переделки — водопровод заменили полностью, как и систему отопления, на кухне поставили технику, в нескольких ванных установили стиральные машины. Также полностью поменяли проводку во всем доме, очень осторожно, конечно, чтобы сохранить колорит и аутентичные материалы, а потом... В общем, сама все увидишь. Твоя задача заключается в том, чтобы проверить, что с домом не в порядке. Ты можешь открывать все сундуки, шкафы и комоды, брать любые вещи, но главное — проблема в том, что в этом доме есть... Ну, что-то есть. Не могу объяснить. Это нужно видеть, чтобы описать, дело в том, что каждый видит что-то свое.

— Вы что, собираетесь меня здесь оставить?!

— Идея была именно такая. — Людмила усмехнулась. — Послушай меня, девочка. Просто сделай то, что сделала в квартире у Валентины, получится — отлично, не получится — ну, значит, так тому и быть.

— Тогда мне нужен план дома.

— К сожалению, его нет. — Людмила развела руками. — Не сохранился, и мой друг только собирался его заказать, но не успел. Да зачем тебе план? Ты сама все рассмотришь. Надеюсь, у тебя получится сделать то, что хочет мой друг.

— Да что здесь такое происходит?

— Ты это либо увидишь, либо нет. — Людмила снова взглянула на часы и заторопилась. — Я не хочу, чтобы ты была предвзятой, так что сама поймешь... Или нет. В общем, попробуй, и если выйдет — благодарность хозяина дома будет весьма существенной, и это помимо восстановленных документов.

Мне больше нечего сказать. Да и стоит ли что-то говорить? Говорят, кальмары весьма любопытны — тут у нас есть нечто общее, я тоже любопытна. Но дело в том, что я, в отличие от кальмаров, осторожна, да и сама затея кажется мне весьма сомнительной.

Зачем я им понадобилась, если до этого они меня знать не знали?

На лестнице затихли шаги Людмилы, хлопнула входная дверь.

Я взяла пакет с одеждой, срезала бирки со всех вещей и отправилась искать ванную. Людмила сказала, что установлены стиральные машины, а я все новые вещи обязательно стираю, надеть что-то, предварительно не постирав, для меня немыслимо. Это пошло еще с тех времен, как я ошивалась в подсобках магазинов — видела, как хранятся вещи, сколько раз их примеряют самые разные люди. А ведь до этого ткань везли, фасовали, перефасовывали и разгружали, что-то шили, паковали, везли на склады, снова паковали и снова везли… Пока джинсы дойдут до конечного потребителя, их коснутся сотни рук, оставив на них свои эпителиальные клетки и ДНК.

В ванной, несмотря на то что сохранили всю старую обстановку, действительно установлена современная стиральная машина, и я запихнула в нее вещи, всыпала порошок и запустила программу с сушкой. С некоторых пор превыше всего я ценю возможность помыться и постирать одежду.

Блага цивилизации начинаешь ценить тогда, когда их теряешь.

Большая ванна, стоящая на золоченых ножках, словно сошла с фотографий столетней давности. Я нашла в шкафу полотенца и решила принять душ. Вода зашумела, и в ее шуме я услышала смех, голоса, звуки джаза — ощущение, словно где-то работает телевизор. Но это для меня не новость, я и раньше в шуме воды всегда слышала голоса и смех.

Вернувшись в комнату, я прислушалась к дому — тишина запредельная.

В ванной мерно гудит машина, а я, завернувшись в полотенце, пытаюсь решить, что же я надену, ведь все обновки пока в стирке, а надевать на чистое тело одежду, в которой полдня фасовала арнаутку на пыльном складе, неохота.

Я открыла шкаф, стоящий вдоль стены. Людмила сказала, что я могу это сделать — так почему бы и нет.

Шкаф набит одеждой, пахнущей какими-то сладковатыми духами. Вечерние платья из шелка и бархата, расшитые стеклярусом или украшенные мехом, — я вспомнила свои вечерние платья и сняла с вешалки синее длинное платье. Оно выполнено из тонкого бархата, украшено кружевами, на корсаже блестит брошь. Ощущение, что его только что сняли и повесили в шкаф — запах до сих пор ощутим, едва уловимый.

Следующее платье зеленое, как эльфийский луг, — тоже бархатное, украшенное золотистой вышивкой, рукава из тонкого крепдешина точно в тон, тоже затканы золотистыми цветами... Мне очень хочется примерить его, и оно, в отличие от предыдущего платья, не сохранило запаха прежней хозяйки.

Я сбросила полотенце и надела платье.

Оно подошло, словно было сшито на меня — отчего-то меня это не удивило, а ведь должно было удивить.

В шкатулке на туалетном столике обнаружились драгоценности, и я выбрала набор из янтаря — изумруды слишком тривиальны и ожидаемы, а бриллианты тяжеловесны.

Наверное, комично я выгляжу — в элегантном бархатном платье, в шикарном янтарном ожерелье и босиком.

Где-то в доме зазвучал рояль.

Ей-богу, как в дурацком фильме ужасов.

7

Когда-то я смотрела некую передачу об одной великой актрисе. Кто знает, что она была за человек, но актриса замечательная, не то что эта Линда Ньюпорт, о которой я впервые услышала сегодня.

У актрисы была прекрасная квартира, наполненная антиквариатом, куча нарядов, шуб, драгоценностей, и сама она выглядела отлично, несмотря на почтенный возраст. И муж у нее был хорош. Но всему хорошему приходит конец, актриса умерла. Она прожила отличную жизнь: состоялась в профессии, добилась признания и славы, а на склоне лет, похоже, обрела и женское счастье, но все умирают, хотя ей умирать было, наверное, обидно.

Но природа взяла свое, Жнец махнул косой — и огромная квартира, в которой она жила и которую любовно украшала, превратилась в наследство.

Оказалось, что у актрисы есть дочь — страшная, беззубая, усатая тетка с грязными ногтями, оплывшей бесформенной фигурой, недобрым пучеглазым взглядом и сальными спутанными волосами. Зачем-то засняли, как она с боем прорывается в квартиру матери и начинает лихорадочно шарить по шкафам и комодам, восклицая: «О, какая чашка! А где бархатный пуфик? А вот эта сумочка из набора! Где зеркальце? Здесь было зеркальце!»

И лощеный адвокат вторит ей, и уж ему-то в такой момент должно было быть стыдно, но не было.

Я так и не поняла, зачем эта страхолюдина разрешила телевизионщикам снимать неприглядный процесс взятия боем наследства. Камера беспристрастно засняла, как она сладострастно громоздит на столе какие-то чашки, тарелки, флаконы, жадным взглядом съедая все, что есть в квартире, и ей плевать, что это вещи ее матери, помнящие ее руки, несущие на себе отпечаток ее эмоций, — у нее одно желание: хватать и тащить в свою нору все, что, по ее мнению, имеет ценность. Шубки, в которые она даже при огромном желании не влезет, потому что актриса была стройна и элегантна, а эта жуткая мымра даже миловидной никогда не была, и эти шубки, даже если бы она каким-то чудом втиснулась в них, смотрелись бы на ней как на корове седло.

Она рылась в вещах матери, нагромождая то, что она хотела забрать, на полированном столе. А все эти предметы что-то значили для ее матери — не в материальном смысле, но для нее это просто наследство, халява, принадлежащая ей вроде как и по праву, но когда смотришь, как она, дорвавшись до вожделенных чашек и сервизов, сгребает их дрожащими ручонками, создается впечатление, что ей все эти годы не из чего было напиться воды. И очень заметно, что на смерть матери ей плевать, главное для нее в этот момент — забрать, утащить, унести и спрятать в свои кладовки все эти чашки, сервизы, зеркальца и бог знает что еще, спрятать, и пусть оно лежит. Наследница регулярно вспоминала о камере, потому что время от времени пыталась делать постный вид и блеять о том, как она любила покойную маму, что-то бормотала о каких-то духовных семейных ценностях, попутно интересуясь, куда же подевались драгоценности и деньги со счета, но эта мерзкая суета вокруг тарелок, цацек и шуб выдавала ее с головой.

Это было настолько отвратительное зрелище, что я, помнится, долго не могла избавиться от ощущения гадливости. Не знаю, каким человеком была сама актриса, мы ведь на сцене видим не актера, а того, кого он играет, — но дочурка у нее, по ходу, получилась полнейшее дерьмо.

У Линды Ньюпорт, видимо, наследников не было. И когда ее не стало, все ее вещи были беспристрастно переписаны государственным исполнителем, занесены в реестр и сохранены. Это были просто вещи, которые покупала Линда или получала в дар, — ее они радовали, но для посторонних людей это было выморочное имущество, подлежащее реализации в доход государства.

И я сейчас, роясь в ее шкафу, ничем не лучше дочери этой самой актрисы — нет, внешне я, конечно, лучше, но морально... Вот платье ее напялила, например. А ведь она шила его по какому-то особому случаю, и возможно, даже надеть не успела. С другой стороны, я сделала это без злого умысла, просто увидела красивое платье и захотела примерить, забирать себе его я не стану. И я знаю, что все эти вещи что-то значили для Линды — не как вещи, а просто что-то значили: радовали ее, давали ощущение стабильности, защищенности.

И тут я ее понимаю, как никто другой, я ведь и сама ужасно люблю хорошие шмотки и разбираюсь в них. В доме Бурковского у меня была огромная гардеробная, где я хранила свои наряды, сумочки, обувь, и Бурковский даже смеялся, глядя на это, — но его моя страсть к шмоткам не раздражала, смеялся он по-доброму, а вот мать здорово бесилась.

Одежда не терпит небрежности, она говорит о том, кто ты, гораздо лучше слов.

И шкаф Линды, набитый платьями, сумочками и шляпками, притягивал меня, словно магнит. Думаю, здесь есть большая гардеробная, ну не может не быть, если принять во внимание этот шкаф. И мне интересно: вот купил гражданин этот дом, наполненный вещами мертвой тетки, и все это напоминает кукольный домик. А теперь здесь, видите ли, что-то не так. А что может быть «так», если здесь, возможно, происходило нечто ужасное? Оно не могло вот так взять и куда-то подеваться.

Ну, даже это полбеды.

Я представить себе не могу, как удалось сохранить этот дом с полным фаршем — в наши-то смутные времена, длящиеся последние сто лет? Но и это не главное. Просто в местах, где случалось нечто скверное, иногда остается... Ну, не знаю что. Раньше я думала, что все об этом знают, просто потому, что об этом помнят вода и ветер. Но, оказывается, эти голоса слышу только я! Правда, у меня хватило ума никогда никому об этом не рассказывать.

Чтоб вы понимали, о чем я говорю, я должна объяснить.

Когда шумит ветер или журчит текущая вода, они шумят голосами и музыкой. Нужно просто встать на ветру или включить воду — и слушать, если охота знать, что и как было, но мне, как правило, неохота, потому что слышно всегда только очень паршивое.

Как-то Бурковский возил нас с Янеком в Веймар, где был концлагерь Бухенвальд, там сейчас музей — ну, все эти печи, бараки и прочие такие штуки. Бурковский хотел нам объяснить, что люди иногда бывают такими сукиными детьми и творят вещи, которые нормальному мозгу не постичь. Но дело в том, что мне об этом говорить на тот момент было уже бесполезно, тьма давно поглотила меня. И железные печи, и газовые камеры, и фотографии трупов меня вообще ни разу не впечатлили, потому все это было уже мертво и молчало много лет, а вот остальное... Они все были там, отпечаток беды остался по сей день, а что хуже всего — там были звуки, таящиеся в ветвях леса, окружающего это место, в журчании воды...

Там, знаете ли, есть лес, ага. И он был, когда там дымился крематорий, и сейчас он там. И мы попали туда в ветреный день, и мне пришлось забрать у Янека наушники, потому что я НИЧЕГО не хотела слышать, а ветер кричал голосами, лаем собак и какой-то классической музыкой. В этой какофонии иногда проскакивал голос женщины, поющей монотонную колыбельную, это было немножечко жутко, и я ничего не хотела слышать.

В этом доме тоже случилось нечто скверное, не такое, конечно, как в Бухенвальде, но тоже не фонтан.

Вообще, я думаю, что есть в мире нечто, что объединяет всю фигню, которая происходит. И если случается какая-то очередная гадость — кого-то убили или кому-то причиняли боль, да бог знает, сколько всего происходит такого, что не должно происходить вообще, то все это просто часть квеста. Это как бы препятствия, определенная система, но препятствия создает не какая-то злобная, специально обученная сущность, а мы сами генерируем их, создаем систему мирового зла, так сказать.

И меня угораздило получить возможность все это слышать.

В этом доме, где точно творилось зло, тоже остался его отпечаток, не мог не остаться. Любое событие проистекает из прошлого и влияет на будущее, это цепочка выбора многих людей, участников Большой Игры. В этом и состоит смысл самой Игры — выбор каждого из нас, и пока, судя по тому, сколько плохого в мире, выбор большинства игроков так себе.

Впрочем, и я игрок не слишком позитивный.

И теперь я стою в пустом доме, наполненном прошлыми эмоциями и желаниями, а дальше-то что? Дом купил какой-то богач, ему нужно здесь жить, а тут все пространство занято вещами прежней хозяйки! Куда он их денет? Выбросит? Но он заплатил кучу денег, чтобы владеть всем этим, и каким-то чудом все оказалось в целости, даже платья сохранились, и я хочу знать, как этот чувак собирается жить в таком доме. Я бы нипочем не согласилась.

А ответ, возможно, лежит на поверхности.

В этом доме никто жить не собирается. И история о голливудской потаскушке тоже фейк, скорее всего, и якобы призраки, беспокоящие хозяина дома... Где он, этот хозяин?

Дом — ловушка, вот только чего ради? Не понимаю конечной цели.

Я снимаю платье и возвращаю его в шкаф. Машинка достирала и закончила сушку, и я могу надеть тунику из черного шелка — раз уж я собираюсь провести здесь какое-то время. Но лучше всего просто уйти, и я двумя руками голосую за это мудрое решение, но очень хочется найти гардеробную и посмотреть. Если Линда Ньюпорт существовала, то у нее сто пудов была гардеробная. И пропустить ее я не могу, это было бы непростительно.

Я спускаюсь по лестнице — в холле сильный запах лилий, а это значит, что поставили их в вазу самое большее сегодня утром, вода в вазе свежая, стебли без гнилостного налета. Я открываю дверь — перед домом лужайка, запах скошенной травы говорит о том, что газон стригли вчера. Все это значит, что здесь все-таки бывают люди, и вопросы, которые я себе задала, остались открыты.

Тем не менее я обещала Людмиле остаться здесь и... Ну, не знаю, чего они от меня ждут. Даже если предположить, что в доме обитает призрак, вряд ли я его увижу — в Валькиной квартире я не видела ничего, а Валька визжала и билась в истерике, в подробностях описывая свои видения.

Так, может, я не способна это видеть, а она может? Зато она не может это прогнать, а я могу.

Ну, это если признать, что теория о призраке состоятельна, хотя я в этом не уверена. Как по мне, то все эти звуки, хранящиеся в ветре и воде, — не более чем звукозапись, не влияющая вообще ни на что, кроме настроения таких же бедолаг, как я, родившихся с ущербным слухом... Хотя, возможно, я вообще такая одна. Но париться на эту тему я по-любому не стану, и не потому, что давно умершему чуваку, которого, к примеру, сажали на кол, было сто пудов хуже, чем мне, а еще и потому, что ни в какую чертовщину я не верю, несмотря на то что Оксанка верит всерьез.

Хотела бы я позвонить ей сейчас, но не могу.

Солнце перекатилось за отметку полудня, но до вечера еще далеко. Я иду вдоль дверей, заглядывая в комнаты, — дом реально очень большой, а та комната, что отвели мне, явно принадлежала хозяйке дома. И вопрос, зачем понадобилось оставлять здесь мебель — и ладно бы мебель, она антикварная, но тут шкафы, набитые вещами прежней хозяйки. И что потом со всем этим делать, как в этом доме жить? Тут вообще вопрос пока остается открытым.

Хотя, конечно, это не моя головная боль, но мне любопытно.

— Вот черт, я не знал, что здесь кто-то есть.

Я вздрогнула и обернулась.

В конце коридора открыта небольшая дверца, а за ней, оказывается, есть чердачная лестница. И в проеме открытой двери сейчас стоит парнишка с чемоданчиком, в каких носят ноутбуки, и с ящиком для инструментов, который стоит у открытой двери. Его появление здесь для меня тоже неожиданность — Людмила о нем не говорила. Или она не знала?

— Извините, я вчера должен был прийти, но не успел. Мне сказали, что в доме пока никто не живет, и я решил, что нет разницы, в какой день я приду, раз никому не помешаю.

— Вы мне не мешаете.

Он высокий, светлые волосы аккуратно подстрижены, длинная челка падает на правый глаз, одет в темные джинсы, темную майку и клетчатую рубашку. Обычный парень, нордический типаж, как раз в моем вкусе. Другой вопрос, что все эти танцы вокруг «нравится — не нравится» меня не интересуют, потому что я избегаю эмоций, но констатация факта — это не эмоция.

— Нет, просто я... Извините.

У него зазвонил телефон, и он, выудив трубу из кармана, вернулся на чердачную лестницу.

Где-то в доме звучит рояль, но тут уж без вариантов — рояля я пока нигде не видела, но это ничего не значит, я же пока не обследовала дом, особенно помещения первого этажа и подвала... Тут точно есть подвал, в таких домах он всегда есть, и по закону жанра именно там расположены неучтенные трупы. И рояль этот... Думаю, в доме есть еще кто-то, о ком Людмила мне почему-то не сказала. И я правильно сделала, что сняла то роскошное платье, хороша бы я была — в чужом-то платье, причем вечернем! Учитывая, что сейчас не вечер, а у меня нет ни прически, ни подходящих туфель, полная нелепость.

— Я протянул кабель, теперь в доме есть Интернет и работают наружные камеры. Вернее, они уже есть, нужно просто включить. — Парень поднял с пола ящик с мотками кабеля и инструментами. — Я прошу прощения, а можно мне воды?

Ну да отчего ж нельзя, надо только найти, где она, и постараться не слушать то, о чем она говорит.

— Мне сказали, что кухня внизу, но я пока ее не видела, так что давай вместе поищем, — предлагаю я.

Парень озадаченно смотрит на меня, но я не собираюсь объясняться, я и сама не в курсе, что я здесь делаю. Людмила сказала, что кухня внизу, значит, она внизу. Первый этаж я еще не обследовала.

— Я инструменты у входа поставлю, ладно?

— Мне-то что, ставь. — Ситуация мне в целом не нравится. — Вряд ли они там кому-то помешают, тем более что, кроме нас, тут никого нет.

Я хочу попасть в кухню и вооружиться ножом, потому что парень вполне может оказаться убийцей-психопатом, и в его ящике сто пудов есть нож, а то и что похуже. А я точно знаю, что может натворить парень с ножом.

Кухня оказалась не совсем кухней. Большое светлое помещение с рабочей стенкой, красивым полом и светлыми панелями, посредине стол и стулья из какого-то тяжелого светлого дерева, викторианские комоды, высокое венецианское окно выходит во внутренний дворик, выполненный в стиле итальянского патио.

Глупость какая-то.

Вот и холодильник, и в нем есть газировка, а еще какие-то закуски, молоко и апельсиновый сок. Все отчего-то свихнулись на апельсиновом соке, а лично я больше люблю яблочно-виноградный.

— Мне воды. — Парень заглядывает через мое плечо. — Ишь, сколько тут всего!

— Хочешь есть — ешь.

Людмила сама сказала, что можно пить и есть все, что имеется в холодильнике, а значит, я имею право угостить любого, кто попросит его угостить.

— Вы уверены? Я, честно говоря, сильно проголодался, с утра тут ковыряюсь, напарник приболел, и...

— Много текста. Ешь, что приглянулось.

Я подхожу к окну и смотрю на обустройство внутреннего дворика. Плиты пола либо реально выковыряли и перевезли из какого-то старого замка, либо искусственно состарили. Я, например, поначалу думала, что этот дом новый, просто стилизованный под старину, а оказалось-то совсем наоборот. Дом старый, и эти платья в шкафу, которые, спустя много лет, до сих пор хранят запах хозяйки... Жутковато, конечно. Словно она сама тоже здесь, просто вышла ненадолго, а тут какие-то левые люди ввалились в дом, роются в шмотках... Так, а я же не нашла гардеробную. В спальне шмотки, так сказать, экстренные, у меня тоже так было — в спальне я хранила то, к чему хотела иметь постоянный доступ, а в гардеробной все остальное. Вот и у Линды, скорее всего, тоже было заведено именно так — шляпки, обувь, сумочки, пальто и шубки она хранила в отдельной комнате, и я хочу на это посмотреть и примерить тоже хочу. А потом верну обратно, мне чужого не надо.

Ладно, время есть.

— А вы здесь живете?

Парню явно хочется поболтать, а вот мне — нет.

— На данный момент — да.

Странно, что меня поселили именно в бывшую спальню хозяйки дома. Мысль о том, что мне придется спать на кровати, где покойная предавалась пороку с кучей разных мужиков... На порок-то мне плевать, а вот мысль о том, что все они трогали эту кровать, оставляли биологические жидкости, микроскопические клетки эпителия наверняка еще находятся в волокнах ткани, разлагаясь там, ну и прочее... В общем, это не слишком интересная перспектива — провести ночь в кровати сто лет назад умершей шлюхи. Даже если это роскошная кровать в голливудском стиле, все равно.

— Интересный дом, как в старом американском кино. — Парень с видимым удовольствием поглощает какие-то бутерброды, запивая их шипучкой. — Я хотел его получше рассмотреть, честно говоря.

— Ну, так рассмотри, кто тебе мешает?

Оставаться здесь одной мне, если честно, не слишком хочется — пока светло, еще ничего, а ночью... Кто знает, что будет ночью? Я не верю ни во что иррациональное, но дело в том, что иногда оно происходит. И тогда я просто стараюсь об этом не думать. В этом я, наверное, похожа на историков-ортодоксов, которые делают вид, что не существует никаких артефактов, полностью опровергающих официальную версию истории, потому что иного объяснения у них нет, и если принять за основу неудобные на данный момент факты, то всю историческую науку можно свободно выбросить на помойку.

Я тоже поступаю аналогичным образом по отношению к сверхъестественному просто потому, что берегу свои нервы.

Но я осознаю, что в какой-то момент удельный вес накопившегося иррационального заставит меня изменить точку зрения, и оттягиваю этот момент как могу. Я ничего не люблю менять.

— Это ваш дом?

Нет, вы видели такое? Он просто переполнен вопросами!

— Нет. Но на данный момент я здесь живу.

Самое смешное, что это чистая правда.

— Не хотите перекусить?

Я сомневаюсь, что готова есть или пить хоть что-то находящееся в этом доме. На меня вдруг напала паранойя, и я начинаю думать о том, что я здесь нахожусь для некоей тайной цели. Кто, кроме Людмилы, знает, что я здесь?

А никто, вот в чем дело.

И этот парень, так кстати появившийся из ниоткуда, и звуки рояля, возникающие то и дело в глубине дома, — это как-то неправильно. Кстати, рояль я пока не видела, как и гостиную. Наверху одни спальни, их там целых восемь — кроме той, в которую поселили меня, она самая большая.

— Нет, спасибо, я не голодна.

Самым разумным поступком будет сейчас просто взять и уйти, но по многим причинам я не могу этого сделать. Людмила наступила на больную мозоль: она посулила мне восстановить мои документы. Как она сделает это, мне, в принципе, неинтересно, при наличии денег и нужных связей можно раздобыть любые бумаги, а уж восстановить прежние — и подавно. С документами я получу доступ к своему банковскому счету и забуду о невзгодах, я накопила достаточно, чтобы жить безбедно и продолжать зарабатывать. По крайней мере, квартиру я себе куплю точно — вот только карточка моя в доме у Бурковского, как и ключ от сейфа. И документы тоже там, я уже говорила, но поныть-то мне можно? А пробраться незамеченной я туда пока не могу, как и попросить кого-то вскрыть мой тайник — ну, просто некого просить.

И они знали, что я ни за что не откажусь от такого шанса. Кто — они? Понятия не имею, но вряд ли Людмила, похожая на тролля, придумала все это сама.

Точный расчет, вот что это такое.

Но я ни за что не подам виду, что предполагаю нечто подобное. Я вообще умею смирять свои параноидальные порывы. Вот мой папаша не мог — алкоголь выводил из строя его слабую тормозную систему, так что в какой-то день чудовища подошли совсем близко.

И это хорошо, что они сожрали и его самого тоже, но лучше бы это случилось до того, как он убил мою сестру.

Я не такая, мои чудовища прочно заперты, но кто знает, когда замки ослабеют? Может, и никогда — но я бы на это не слишком рассчитывала. Если в человеке есть такие гены, рано или поздно они дадут о себе знать. Пусть не сразу, но никуда их не денешь, а потому нужен постоянный контроль. Я раньше думала, что это мать помешана на контроле, но дело в том, что я на этом помешана в гораздо большей степени.

Откуда, по-вашему, взялся Джек-потрошитель? То-то. Все дело в контроле.

— А чей это дом?

Да что ж такое, просто ходячий опросник, а не парень!

— Я не знаю.

Людмила сказала, что это ее очень близкий человек. Если принять во внимание ее странную внешность, то это, скорее всего, родственник или друг детства, но никак не романтически настроенная особь любого пола. Хотя справедливости ради надо отметить, что сексуальные пристрастия граждан варьируются очень широко, включая в себя трупы, резиновых кукол и собак. В данном случае пострадавшей стороной я считаю только собак.

Но мне почему-то кажется, что Людмила мне солгала.

— Так ты делал разводку под камеры слежения и Интернет?

— Ну да. — Он кивнул, пытаясь проглотить кусок, — рад, что я с ним заговорила. — Сами камеры уже есть, но подключения пока нет... Вернее, все работает, просто пока выключено. Интернет тоже пока ни к чему не подключен, ведь нет компов, но разводка сделана, роутер установлен, сервер тоже, все работает, если включить. Серверная и остальное расположены на чердаке, там помещение оборудовали с отличным кондиционированием.

— А с кем ты договаривался?

— Шеф договаривался, я просто исполнитель. — Парень отхлебнул шипучку прямо из бутылки. — Наряд получил позавчера, но захворал напарник, и я на предыдущем объекте работал вчера один, потому задержался так, что сюда уже не успел. Но шеф сказал — ничего, дом стоит пустой, езжай завтра... Ну, сегодня то есть. А сегодня дом оказался не совсем пустой.

— На меня не обращай внимания, ты мне совсем не мешаешь.

Я понятия не имею, что мне теперь делать, — никаких призраков я не вижу, да и увидеть не смогу, как можно видеть то, чего нет?

Снова зазвучал рояль, и меня начинает раздражать эта внезапная музыка, то и дело возникающая где-то в недрах дома. Кто-то ее генерирует, а значит, в доме есть, по крайней мере, еще один человек, и я собираюсь его найти прежде, чем наступит ночь.

Не потому, что я боюсь, а так, для порядка.

8

Когда мы поселились в доме у Бурковского, я старалась ни к чему не привыкать. Просто потому, что давно усвоила: хорошее быстро закачивается, но, пока оно длится, нужно извлечь как можно больше пользы для себя.

И это не то чтоб эгоистический расчет, просто обо мне, кроме меня самой, никто не позаботится.

Бурковский жил в большом доме недалеко от Набережной. Он всегда говорил, что загородные поселки не для него, он сугубо городской житель, и тут я с ним соглашалась, когда вокруг бесконечно кипит город, как-то спокойнее на душе.

Дом Бурковского оказался добротным и большим, и он поселил меня в том же крыле, что и Янека. Комната у меня оказалась шикарная, даже кровать как у принцессы, с балдахином — сейчас я думаю, что Бурковский тогда специально оборудовал эту комнату для меня, потому что во всем доме больше не нашлось похожей комнаты, а у меня была и эта кровать, и светлые шкафы, комоды, большой телик и комп, и прочее, что, по мнению Бурковского, могло мне понадобиться, а самое главное — моя собственная ванная, уж тут я была в восторге, конечно. И за все это я Бурковскому благодарна — по справедливости.

В первый же день он поручил своей экономке поехать со мной по магазинам и купить мне одежды. На что я резонно заметила, что сопровождающие в таком деле мне не нужны, я отлично справлюсь сама. Бурковский очень удивился, но выдал мне денег, дал машину с водителем и послал со мной Янека. Я думаю, ему просто хотелось, чтобы мы подружились.

Но дело в том, что я не собиралась дружить с Янеком.

Вот если бы Маринка была жива... Но из-за матери она погибла, и толковать больше не о чем.

Янек вызывал у меня тревогу. Он молчал и пялился на меня, как дебил. Он был симпатичным — если вам нравятся парни с очень светлыми волосами и синими глазами, и мне такие вроде как нравятся, — но отчего-то в его присутствии я чувствовала себя дешевкой, а я не люблю это чувство. Уж очень он был лощеный, словно целый взвод стилистов и парикмахеров следил за ним ежедневно. Ну, а я... Конечно, я не такая замарашка, как моя мать, а все ж. И потому взгляды Янека меня смущали, и хотя мне тогда было тринадцать лет, я уже отлично понимала разницу между нами.

Но деньги Бурковский выдал мне.

И я нырнула в знакомые бутики, где можно было купить нормальные шмотки и обувь — только теперь зашла в главную дверь, а не через черный ход. Если Бурковский ожидал, что я стану покупать бархатные платья с подолом, украшенным шитьем, и поясом, завязывающимся сзади на бант, то он тогда сильно просчитался. Я купила нормальную одежду, а не обмундирование для ботанки — родительской гордости, и эту одежду я хотела носить. Правда, Бурковский оказался в шоке от моих джинсов, маек и блестящих курток, но он ничего не смыслил в том, что носят девочки моего возраста, если не хотят стать всеобщим посмешищем.

Вообще одежда для подростка — это некая униформа, по которой распознается свой-чужой. Особенно если подросток ощущает себя не защищенным со стороны семьи, он ищет определенности своего положения в стае сверстников. В этом сапиенсы мало отличаются от животных, все эти бои за статус в итоге определяют мироощущение и то, какое место особь займет в дальнейшем в обществе себе подобных. Ну, и право территории — самые сильные беспрепятственно топчутся по чужой территории, самые слабые могут находиться только в своем дворе, например, — и то постоянно ожидать нападения какого-нибудь держиморды, у которого острее зубы и длиннее когти.

Собственно, зачем я рассказываю о том, что было раньше?

Дело в том, что «раньше» есть у всех, и от него очень сильно зависит то, что есть сейчас — а «потом» будет вообще не у всех, а даже если будет, то зачастую такое, что лучше б не было. Просто граждане стараются об этом не думать, и, надо сказать, на протяжении веков весьма в данном деле преуспели, некоторые так и вообще перестали думать.

Но я-то нет.

Я постоянно думаю о куче самых разных вещей, которые часто между собой вообще не связаны, у меня множество вопросов, на которые я постоянно ищу ответы. Ну, и думаю о том, что делать, — сколько себя помню, я постоянно думаю о выживании, придумываю новые способы, корректирую планы — в общем, я собираюсь нормально прожить свою жизнь, не то что мать. Ей-то в конце концов встретился Бурковский, который упорядочил ее жизнь, — она нуждалась в ком-то, кто станет ею руководить и контролировать ее. Но я-то не такая, мне никто не нужен, чтобы рулить моей жизнью. Мне такой гражданин, как Бурковский, в жизни вообще ни к чему, слишком он любит командовать.

А я терпеть не могу, когда мною принимаются командовать.

Так что у нас с Бурковским в результате всех попыток общения получилась коса на камень, пока до него начало доходить, что меня лучше оставить в покое и позволить жить так, как я считаю нужным. Будь я его родной дочерью, он бы, конечно, воспринял данное обстоятельство болезненно, да только я просто довесок, прицеп к его распрекрасной и такой несчастной, ужасно пострадавшей жене. А потому он дал мне определенную свободу действий, в душе надеясь, наверное, что я, предоставленная сама себе, быстро сторчусь от наркоты и воткну. Да только я не дура, наркота для меня табу, как и любые другие дурманящие вещества — вдруг они действуют на меня так же, как действовали на папашу? Мне совсем не улыбается умереть во цвете лет в луже собственной крови, мочи и блевотины. Да и не во цвете тоже.

Но тьма, в которой я живу, так и остается тьмой.

Я понимаю, что я вам не нравлюсь, так ведь я не сто долларов, чтобы всем нравиться. Нет, если мне будет надо, я стану такой милашкой, что все растают от моей улыбки, но на самом-то деле я по-настоящему не улыбаюсь. И я не знаю никого, кто делает это по-настоящему, — кроме Маринки, уж кто-кто, а она улыбалась миру искренне. Просто по малолетству не понимала, какое это поганое местечко.

Только Маринки больше нет.

И теперь я в странном доме, в компании абсолютно случайного чувака, с ножом, спрятанным за поясом, сижу на чужой кухне, думая о том, что чувак этот, возможно, самый настоящий призрак. Или я умерла и попала в другой мир, или… Вариантов множество, и большинство из них мне не нравится, но еще меньше мне нравится ночевать на улице или в гараже, слушая, как за дверями серолицые обдолбанные зомби пытаются открыть дверь, чтобы наброситься на меня кучей. Добыть меня у них стало неким спортом и точкой психологического залипания, в связи с этим в данном случае даже такой дом пока меньшее из зол, хотя может статься, я переменю свое мнение на этот счет еще к ночи.

— А что ты делаешь здесь?

Некоторые люди для удовлетворения своего нездорового любопытства готовы бесконечно задавать вопросы, не думая о том, хотят ли с ними вообще разговаривать. Я ненавижу отвечать на вопросы, особенно если ответы на них для меня не очевидны. Я без понятия, что я здесь делаю, но у меня имеются версии.

— Меня наняли для выполнения одной небольшой работы.

И это чистая правда, собственно. Как ни странно, я не люблю лгать. Нет, время от времени я лгу, конечно, если это зачем-то мне нужно, и тем не менее процесс не люблю. Ложь — это как липкая паутина, один раз влез, и выпутаться очень трудно, одна ложь тянет за собой другую, ну и помнить, что и кому солгал, очень сложно, а записывать — опасно. В общем, я предпочитаю обтекаемые формулировки либо уж вовсе промолчу.

В данный момент я вообще могла бы ничего не отвечать.

Я думаю о том, что сейчас попала в дурацкое положение. С одной стороны — я одна в этом доме, и мне это совершенно не нравится. Отчего-то я чувствую тревогу и считаю, это обоснованно, потому что если вдуматься в ситуацию, то мне надо было послать Людмилу с ее посулами еще на складе.

Но мне, блин, очень нужны документы.

Наш мир — мир бумажек, подтверждающих очевидные вещи. Этот бумажный вихрь человечество довело практически до абсолюта, а там, где абсолют идеи, до абсурда полшага, и мне иногда кажется, что эти полшага мы уже сделали. Вот почему я сейчас в этом доме — без документов меня просто нет, и я была бы не против, но мне нужен доступ к моему счету и сейфу, а это можно сделать, только имея документы, хотя в банке меня отлично знают. Вот почему я говорю об абсурде, проистекающем из любого абсолюта. И я останусь здесь и сделаю то, что обещала, а в награду, как дополнение к документам, попрошу зеленое платье, оно хорошо сидит на мне, а Линде уже не нужно, Линда превратилась в кучку праха сто лет назад.

— А какую работу ты должна выполнить?

Нет, вы видели такое? Ну трындец!

— Нужно осмотреть все комнаты и учесть содержимое комодов и шкафов.

— Так ты горничная?

В его голосе звучит такое разочарование, словно он сам — молодой лорд и вдруг наткнулся на кокни прямо в разгар королевского бала. Чувак в джинсах, с ящиком кабелей и кусачек, пожирающий халявные бутерброды так, словно три дня не ел, разочарован моим низким, блин, общественным статусом. О времена, о нравы!

— Нет, я специалист по дизайну и костюмам.

Хотя версия о том, что я горничная, ничуть не хуже моей, но я знаю, что определенный тип людей начинает лезть на голову в момент, когда решает, что личный и общественный статус собеседника ниже его собственного статуса.

— А... — Он прожевал остатки бутерброда и снова отпил из бутылки. — А зачем его учитывать, это содержимое? Хозяева что, не знают, что находится в их шкафах?

— Это не их шкафы, так что — нет, толком не знают. — Я поднимаюсь, давая понять, что аудиенция окончена. — Ладно, будешь уходить — плотно закрой дверь, а мне нужно приниматься за работу, иначе проторчу здесь несколько дней.

Он задумчиво смотрит на меня, что-то прикидывая в уме. Возможно, думает о том, что неплохо было бы сейчас стукнуть меня чем-нибудь по башке, поиметь всеми доступными способами и придушить. Но, возможно, он просто хочет спросить, где туалет.

Никогда нельзя точно знать, что творится в голове другого человека.

— И ты будешь здесь несколько дней?

— Думаю, за пару дней управлюсь, если начну прямо сейчас.

Я надеюсь, он понял, что ему пора уходить. Не люблю без нужды быть прямолинейно грубой.

— Может, тебе помочь?

Парень смотрит на меня все с той же странной миной.

— Помочь?

— Ну, у меня завтра выходной, сегодня работу уже сделал. — Он рассматривает меня совсем уж откровенно. — Я мог бы остаться и помочь тебе. Невесело, поди, торчать одной в пустом доме?

— Когда я работаю, я вообще не замечаю, одна я или нет.

— Но если я останусь, я не помешаю?

— Дом-то не мой, выгнать я тебя не могу — я не охранник. Хочешь — оставайся, объясняться с хозяевами будешь потом сам, просто не мешай мне работать.

Отчего-то я знала, что он просто так не уйдет, не зря же я припрятала нож.

— Да от меня будет только польза! — Парень соскочил с табурета. — Я тебе помогу, вдвоем мы быстро все сделаем.

— Здесь неважно, одна я или вдвоем, все равно придется методично обследовать комнату за комнатой, а на это нужно время.

У меня двоякое чувство. С одной стороны, инстинкт самосохранения говорит мне, что нужно избавиться от парня — мужчины несут в себе опасность, с другой стороны — тот же инстинкт орет: оставь его в доме, не ночуй здесь одна! По ходу, у моего инстинкта самосохранения раздвоение личности, и обе эти личности достаточно назойливые.

— Ну, значит, просто погляжу. — Парень поднимается по лестнице рядом со мной. — Дом красивый, но что-то в нем есть такое... Кстати, я не знаю, заметила ли ты, но время от времени кто-то играет на рояле. Кто это может быть?

— Не знаю, мне это вообще неинтересно. — Я изображаю раздражение. — Есть работа, я ее делаю, а что тут и как, меня, в принципе, не волнует, чтоб ты понимал. И тебе советую занимать ту же позицию.

— Почему?

— Потому что богатые люди не любят, когда кто-то сует нос в их дела.

— А кто ж это любит...

— Точно, никто. Да только удельный вес тайн у всех разный. — Я иду в конец коридора и открываю крайнюю дверь. — Вот ты кто? Монтер? Ну, если отбросить иностранные слова типа «менеджер». Монтер. И твои секреты — даже если ты, например, некрофил — могут заинтересовать только полицию, и то ненадолго. И даже если твои секреты станут известны кому-то — ну и что? Тебя из монтеров прогонят? Да ну. А тут нет, тут все по-другому. Тут высшее, блин, общество — ограниченная тусовка, и если нечто эдакое становится достоянием общественности... Нет, полицию это, скорее всего, не заинтересует, в нашей стране богатые люди вообще стоят над законом, но суд вот этого самого высшего общества бывает куда как жестче. Это не просто какая-то тусовка, тут завязаны деловые и личные связи, которые невосстановимы в случае разрыва. Своеобразная гражданская смерть. Так что подобные люди свои тайны охраняют люто, часто вообще любой ценой. А потому рот на замок, и смотришь только на то, что полагается по работе, иначе работать с такой клиентурой не будешь.

— А ты не слишком доброжелательна, да?

Он смотрит на меня с иронией, но мне на это плевать.

— Если доброжелательность не нужна по работе, то нет, не слишком. Это проблема?

— Нет.

Комната, где мы оказались, полукруглая и затененная. Посредине кровать из какого-то темного дерева, белое шелковое покрывало и полог из легкой прозрачной ткани. Гангстерский шик, короче.

— Гостевая спальня. — Я ищу глазами дверь в ванную, но ее нет. — Без ванной, надо же.

Вдоль стены высится темный шкаф с овальными зеркалами в дверцах, между окнами комод, в углу кресло. Похвальный минимализм, и если бы не прозрачные занавески на кровати, комната выглядела бы типично мужской.

Я выдвигаю ящики комода — они пусты, пуст и шкаф, если не считать стопки простыней на полке. Простыни слегка пожелтели от времени, в шкафу пахнет затхлостью и лавандой, и я думаю, что Линде вряд ли нравится, что мы здесь шарим, но после того, как я заняла ее спальню, примеряла ее платье и цацки, толковать уже не о чем.

— Вот, слышишь?

Парень тронул меня за плечо — в доме снова звучит рояль.

— Слышу — что?

Я сделаю вид, что не слышу, и постепенно звуки перестанут для меня существовать. Мир каждого человека — это то, что существует субъективно, и так называемая объективная реальность — просто совокупность субъективных восприятий и установок.

— Рояль. — Парень смотрит на меня с удивлением. — Он и раньше звучал.

— Не слышала, и сейчас ничего нет. — Мне любопытно, как он отреагирует на столь очевидное отрицание. —

Кто бы мог играть здесь на рояле, если тут никого больше нет?

Из-под шкафа выкатился маленький мячик — белый теннисный мячик, и взяться ему неоткуда. Парень следит глазами за мячиком, а я молча пинаю его назад под шкаф. Мало ли что там и где валяется, я тут мячики собирать не нанималась.

— Слушай… — Парень почти испуганно уставился на то место, где был мячик. — Что здесь происходит?

— А что такое происходит?

Я закончила обыск комнаты и направилась к двери. Если проклятый мячик снова выкатится, у моего спутника съедет крыша.

Рояль умолк, но тишина ничуть не лучше. Я вспомнила фильм «Особняк “Красная роза”» — нет, этот дом до зловещего особняка вообще недотягивает, там реально были погонные километры комнат, битком набитых призраками, а тут так, несерьезно. Мячики, рояль… В общем, пока я не вижу, чего здесь можно бояться.

— Я…

— Хочешь уйти?

Вот ему бы сейчас признаться, что — да, блин, я боюсь здесь оставаться просто до уссачки… Но это опустить себя ниже плинтуса. А у мужчин их самцовое эго часто бывает гораздо сильнее инстинкта самосохранения. Вот и у этого тоже глупая башка, что мне сейчас на руку. Однозначно, мячик мне тоже не понравился. В этом доме точно что-то неладно.

Я открываю дверь в следующую комнату — это спальня, но явно женская. Кремовые шелковые обои, золотистые шторы, светлое покрывало с желтыми и золотистыми цветами, белая мебель и огромное трюмо с ящичками. В шкафу висит кремовый пеньюар, украшенный кружевами и почему-то мехом. Пеньюар красивый, шелк совершенно не тронуло время, я снимаю пеньюар с плечиков и пытаюсь уловить запах, но он ничем не пахнет, только пылью.

В ящиках комодов и трюмо тоже пусто, в прикроватной тумбочке лежит потрепанная Библия и пустой флакон из-под духов. Запах был, вероятно, цветочным, но за столько лет эфирные масла, из которых были составлены духи, распались, и запах у флакона так себе, хотя сам флакон необычный.

— И тут занавески на кровати... — Парень тронул светлый полог. — Зачем это, для красоты?

— Теперь — да, просто для красоты, но изобрели эту конструкцию когда-то во Франции, плотные шторы полностью закрывали кровать, чтобы преградить путь блохам.

— Блохам?!

— Ну, да. — Он, похоже, в плену иллюзий насчет рыцарей и прекрасных дам. — Вся мода того времени проистекала из желания защититься от насекомых и не измазаться в дерьме.

— Это как?

— А это так: моющих средств не было, мытье церковь объявила греховным, стоматология была на уровне цирюльника с клещами. Ну, и насекомые донимали: головы-то не мылись годами, волосы смазывались гусиным жиром и пудрились, слой за слоем, иначе не получались прически.

— А зачем нужны были эти огромные прически?

— А, это интересный момент. Дело в том, что в те времена в Европе в числе прочих эпидемий бушевала эпидемия сифилиса. Ну, контрацепции не было, природы этой болезни не понимали — только подозревали, что передается она через сексуальные контакты, а уж лечить тем более не могли. И от сифилиса выпадали волосы, а пышная прическа была призвана свидетельствовать о том, что особь не заражена дурной болезнью. Смазанные гусиным жиром, напудренные рисовой мукой волосы, воняющие как сортир, политый резко пахнущими духами, служили доказательством здоровья, а ведь это все разлагалось и служило питательной средой для бактерий и насекомых. Потом уже пошли в ход парики, потому что из-за того, что волосы подвергались атаке полчищ бактерий, начиналось облысение, вот и придумали парики. И так многое в моде, кстати. Например, шелковое белье шили не из соображений шика, а потому что за него вши и блохи не цеплялись. Или мужские панталоны, состоящие из множества лент из ткани, соорудили для того, чтобы можно было быстро испражняться: просто ленты раздвинул и присел там, где тебя понос застал, перманентный понос был у всех — холодильников-то не было, продукты портились в дороге, мясо доставляли уже протухшим. Каблуки тоже были для того, чтобы передвигаться по улицам, заполненным нечистотами и грязью, и паланкины для этого же предназначались, а не ради хороших понтов. Вся мода возникала из желания избавиться от неприятных факторов. Это сейчас платья с невероятными шлейфами, огромными уродливыми воротниками или бахромой вместо юбки, например, — просто извращение модельера, мода ради моды, и никто этого носить не планирует, а тогда мода служила прикрытием несовершенства быта и отсутствия элементарной гигиены.

— Мой мир сейчас рухнул.

Ну, да, а самому додуматься до этого было нельзя, как же.

— Идем дальше.

Он молча идет за мной в следующую комнату, которая выполнена в розовых тонах, и в ней есть ванная, но мебель не хранит никаких сюрпризов. Две следующие комнаты тоже вполне обычные.

— А эта?..

А «эта» — комната, куда Людмила поселила меня, и ее мне хочется осмотреть больше всего — шкаф набит одеждой. Интересно, как все-таки им удалось сохранить этот дом и все шмотки в шкафах? Впрочем, имея власть и деньги, можно делать любые глупости. Это меня бы напрягали чужие вещи, которые покупала совершенно левая тетка — ей они нравились, она их подбирала на свой вкус... В общем, я об этом уже говорила.

— А здесь поселили меня, и тут полно работы, но я хочу осмотреть остальные комнаты, и если они пустые, то останется эта, ею и займусь. Ты был на чердаке, что там?

— Ничего. — Он пожал плечами. — Несколько ящиков, но что в них, я не смотрел, а кроме ящиков, там нет ничего.

— Ну, тем лучше. Ящики тоже оставлю на потом.

Я по очереди осматриваю оставшиеся комнаты второго этажа, они такие же гламурные, но так же бедны на трофеи. Видимо, эти комнаты предназначались для гостей, и, судя по их количеству, гости у Линды бывали часто.

В доме тишина, снаружи тоже, словно вообще мир умер — солнце упрямо клонится вниз, и хотя еще не вечер, шестой час пополудни тоже неожиданно, куда-то делось время, я и не заметила. Обычно я люблю это время суток, но сейчас все как-то стремно.

— Как тебя зовут?

Я сразу даже не поняла, что он обращается ко мне.

Конечно же, при знакомстве мы не обменялись именами, мне это и в голову не пришло, а он, может, постеснялся. Зато теперь, в пустом доме, это вдруг стало важно.

Ну, представим, что мы на необитаемом острове. Плыли на океанском лайнера типа «Титаника», и он с какого-то перепугу затонул, и всех наших попутчиков либо поглотила бездна, либо сожрали акулы, а мы каким-то образом спаслись, и нас выбросило на берег. И мы ранее не были знакомы, но когда нас только двое в ограниченном пространстве, застрявших здесь на неопределенный срок, то познакомиться все-таки имеет смысл.

Но дело в том, что парень в любой момент может уйти, а учитывая рояль и мячик, по идее, должен бы уже бежать отсюда сломя голову, простившись под более или менее благовидным предлогом, но он не уходит. И мне кажется, что это неспроста.

— Что ты говоришь?

— Ты и в первый раз отлично слышала. — Он исподлобья смотрит на меня. — Как тебя зовут?

— Света.

Он задумчиво смотрит на меня, и я представить даже не могу, о чем он думает. Люди иногда думают о разной фигне, при этом сохраняя глубокомысленный вид, но я-то знаю, что мало кто думает о по-настоящему важных вещах.

— Света, вот как. — Он кивает. — А я Влад.

Как будто мне не все равно, как тебя зовут, парень. Все вы теперь Влады, Максы, Алексы — вместо обычных Владиков, Максимов, Алексеев и Александров. Чуть только в штанах зашевелится — глядишь, и он уже не Владька или, там, например, Славка, а целый Влад. Но дело в том, что игра, в которой мы все участвуем, подразумевает самые разные имена, и то имя, которое ты именно сейчас носишь, вообще не соотносится ни с чем, это как порядковый номер, код, в котором ты участвуешь в этой части игры.

— Ага, хорошо.

Он на миг удивленно вскинул брови, но мне до его удивления и дела нет. Я до сих пор не нашла гардеробную, а она где-то здесь, провалиться мне на этом месте! У такой штучки, как Линда, должно быть множество шмоток, сумочек и прочей гламурной требухи.

— Давай посмотрим, что внизу. — Я иду к лестнице. — Кухню и столовую мы уже видели, теперь я хочу увидеть гостиную и библиотеку, если они здесь имеются.

— Гостиная должна быть, а насчет библиотеки я не уверен. — Влад вздохнул. — Тут, судя по всему, жила какая-то ветреная дамочка. Ладно, идем.

— Ты же уходить собирался...

— Это когда же я собирался? — Он ухмыльнулся. — Я совсем наоборот, вообще-то.

— А, ну да.

Да видела я, как у тебя из-за обычного мячика поджилки затряслись, рассказывай мне, что ты не хотел, я поверю, ага. Просто сейчас ты зачем-то решил остаться, но вполне может быть, что ты передумаешь очень скоро. Едва только снова забренчит рояль...

Кстати, насчет рояля. Я очень хочу его увидеть. Вот до чего я люблю рояли, просто ужас! Как-то раз в Венеции я видела рояль абсолютно прозрачный, на вид стеклянный — он был сделан из какого-то особого толстого пластика и звучал почти как настоящий хороший рояль, просто выглядел стеклянным, это было необычно и красиво. Но, думаю, здешний рояль вряд ли будет таким.

Если он вообще здесь есть.

Гостиная оказалась огромной, с большим эркером и громадным камином. Я просто глазам своим не верю, до чего огромная комната, наверху ничего подобного нет, а тут — извольте видеть, настоящий бальный зал, с сияющим паркетом какого-то невероятно красивого дерева, образующего удивительный узор, позолоченная лепнина, панели из светлого дерева. Эта комната совершено неожиданная и по размерам несопоставима с верхним этажом и вообще с домом. Как такое могло получиться?

Над камином висит большой портрет — красивая женщина, совсем молодая, с белоснежной кожей, удивительными синими глазами и черными кудрями, небольшой чувственный рот ярко накрашен, длинная шея, высокая грудь видна в глубоком декольте синего парадного платья.

Того самого платья, что я видела в шкафу.

Портрет подписан — «Линда Ньюпорт, 1944 год», фамилия художника неразборчиво. Ага, значит, ей тут двадцать четыре года — просто как мне сейчас. Хороший портрет, и глаза как живые.

За моей спиной приглушенно охнул мой спутник, о котором я успела позабыть. Я обернулась к нему, он в ужасе уставился на меня. Не понимаю, с чего такие нервы, у меня что, внезапно выросли рога?

— Это же ты!

Он тычет пальцем в портрет, и я смотрю на него как на полоумного. Это портрет давно умершей тетки, которая вела жизнь неправедную, но продуктивную. У меня, в отличие от нее, в активах только гараж.

— Это голливудская актриса Линда Ньюпорт, ей фактически принадлежал и этот дом, и все здешнее барахло. Уймись, она померла в пятьдесят четвертом году — ну, считай, что почти сто лет назад. Говорят, ее отравили. Впрочем, нужно в Интернете посмотреть.

— Шестьдесят четыре.

— Что — шестьдесят четыре? — Более глупого диалога я представить себе не могу.

— Шестьдесят четыре года назад. — Он рассматривает портрет. — Жаль...

— Шестьдесят четыре и сто — это в данном случае фактически одно и то же, так что мне проще округлить. Чего тебе жаль, она к этому моменту умерла бы в любом случае, просто перед этим превратилась в старую ведьму, а так нет.

Если все это ей и правда покупали любовники, то я понимаю ту жену, которая отравила жадную бедняжку Линду, я бы тоже отравила тетку, которой мой муж таскает огромные бабки, вместо того чтобы нести их в семью, детям и законной супруге.

— Кстати, у тебя телефон с Интернетом? Потому что у меня с некоторых пор кнопочный.

Влад в ужасе смотрит на меня, но мне до его терзаний дела нет, потому что я все-таки обнаружила рояль — он красный, представляете, красный, лакированный, с золотыми вензелями по кромкам корпуса! Красный рояль — это реально круто, это не хуже, чем тот, стеклянный, и если он еще и играет, то я нахожусь именно там, где надо.

Отчего-то клавишные инструменты вызывают во мне восторженный трепет.

Крышка открылась легко, словно ее открывали не сто лет назад, а недавно. Клавиши из слоновой кости от времени слегка пожелтели, но это неважно, звук оказался мягким и приятным. Я тронула клавиши: рояль издал чистый элегантный звук, и я пробежалась пальцами по клавишам, извлекая из инструмента звуки «Песни колокольчиков».

Рояль настроен и готов к бою.

За роялем я заметила небольшую лестницу, которая спускается от полукруглой площадки в золоченых перилах, расположенной между полом и потолком как раз посредине. Интересно, что в глубине площадки видна дверь, а вот в комнате, которая, по идее, примыкает к этой площадке, двери не было, я это помню абсолютно точно.

— Идем, хватит катать истерику. Смотри, там еще одна дверь.

Я поднимаюсь по лестнице и, оказавшись на площадке, толкаю дверь. Здесь достаточно светло, под потолком окна, и в них проникает свет уставшего солнца. Небольшая комната непонятного назначения, здесь туалетный столик, диван и большое овальное трюмо, в котором можно увидеть себя от головы до кончика хвоста.

А дальше снова дверь.

Я толкаю ее и оказываюсь в комнате, которую так стремилась найти. Запах гардеробной я ни с чем не спутаю, даже если это гнездо покинуто сто лет назад.

Здесь два больших окна, в которые проникает вечерний свет, и я хочу найти, где зажигается электричество — не может быть, чтобы его тут не было. Но даже при таком свете я вижу ряды платьев, шубок, меховых накидок, коробки с обувью, шляпками, сумочки...

В общем, я умерла и попала в рай — неизвестно, за какие грехи.

9

Внизу снова играет рояль, но даже если сейчас по всей комнате примутся скакать мячики, призраки и вампиры вкупе с лепреконами, мне по барабану. Потому что слева длинная стойка с шубками — эти чехлы я не спутаю ни с чем на свете, и там... О господи! Палантин из соболей, ему тыща лет — но, боже ж мой, это сказка!

Я мигом сбрасываю всю одежду и тянусь к бархатному вечернему платью, его бретели и корсаж отделаны бриллиантами, это не стекло и не фианиты, блеск бриллиантов — это еще одна вещь, которую я ни с чем не спутаю, никакие стразы не обманут. И чулки. Блин! Настоящие нейлоновые чулки, со стрелкой, в нетронутой оригинальной упаковке, новые! Я могу не просто посмотреть на них, но и надеть!

— Эй!

О господи, этот болван еще здесь!

— Чего тебе?

— Я это... Ну, я же здесь.

— И что?

Как будто мне есть дело до того, что он здесь, если одновременно с ним здесь куча нарядов и аксессуаров, равных которым я не видела! Туфли тоже пришлись впору, чуть узковаты, но не критично. В зеркале я выгляжу очень даже ничего, нужно только волосы подобрать, тут как раз есть большой гребень, которым можно закрепить их наверху.

А теперь соболя.

Или вот эту шубку из серебристой норки, или... Нет, сначала соболя.

— Зашибись!

Ну, если это все, что может выдавить из себя субъект, принадлежащий к современному поколению особей мужского пола, то вы понимаете, почему я не замужем... Хотя в свои двадцать четыре я считаю, что мне замуж рано.

— Не совсем.

Отсек с сумочками вызывает у меня множественный оргазм. Золотистая плоская сумочка на длинной крепкой цепочке, украшенной монограммой из золота, является эталоном всех вечерних сумочек. Теперь бы тонкий бриллиантовый браслет на запястье и в том же стиле колье — и можно хоть на вечеринку в Голливуд, хоть на посиделки к мистеру Капоне.

Жаль только, что идти мне в таком великолепии совершенно некуда — все пафосные персонажи давно мертвы, наряды висят впустую, а на современных вечеринках гражданки зачастую щеголяют в драных джинсах. Этой дикой моды я реально никогда не понимала.

— Смотри, здесь есть смокинги, примерь.

Мужская мода менялась не так стремительно, смокинги вполне ничего. Уж не знаю, как они тут заблудились, но их три, и все разных размеров. Возможно, что чуваки, которые навещали Линду, оставляли у нее, помимо зубных щеток, и какие-то свои вещи — ну, чтоб если что, не метаться в поисках подходящих случаю шмоток. И если судить по размеру смокингов, у Линды не было определенных предпочтений в росте или весовой категории партнера — судя по всему, главной эрогенной зоной выступал банковский счет.

Отчасти я такую установку даже понимаю.

— Зачем это? — с недоумением спрашивает Влад.

— Просто посмотрим, как это будет выглядеть.

Никакой романтики в голове, что ж такое! Видеть здесь все эти шмотки — и не хотеть примерить!.. Когда я была на выставке королевских нарядов и драгоценностей — все это нельзя было не то что примерить, а даже пощупать, но, боже мой, до чего же мне хотелось примерить клетчатое платье Сисси и свадебное платье Марии-Антуанетты! Вы скажете — фи, мерить платья вшивых теток, не купавшихся годами, и с одной стороны, будете правы, но дело в том, что парадные платья надевались всего один раз — согласно этикету. Этикет был замешен на здоровой доле практицизма: парадные платья стоили дурных денег даже для королей, а делали их из кучи разных тканей, каждая из которых при стирке садилась по-своему, выстиранное платье такого рода можно было свободно выбросить на помойку, настолько оно теряло форму, а если учесть его стоимость, то это чистое разорение — стирать платье, стоившее состояние. С другой стороны, это были мертвые активы, потому что платья просто хранились годами в огромных гардеробных, украшенные камнями и золотом, ткань приходила в негодность, а пользы с них не было никакой... Но если учесть тогдашние нравы, то это все же лучше, чем если бы подолом такого платья подтирались. А потому платья эти вполне годятся, чтобы примерить — если бы все эти короли и королевы не были такими жидкокостными коротышками. И если бы эти тряпки и цацки не охранялись так, что муха не пролетит.

А здесь никто не охраняет комнату, под завязку набитую самыми прекрасными нарядами из всех, что я видела, и большинство из нарядов не потеряли актуальность до сих пор, а самое главное — все они практически моего размера — мы с Линдой, судя по всему, весьма сходны в вопросе фигуры. В лице тоже что-то есть, но я, конечно, не так хороша... Хотя если я накрашусь...

А ведь это мысль!

— Напяливай фрак, и давай устроим вечеринку. — Я перебираю в шкафу шляпные коробки. — На голову бы диадему, конечно... Хотя если на улицу, то нужна шляпа. Но мы же не пойдем на улицу? Впрочем, шляпа все равно нужна, я хочу примерить.

Шляпа нашлась — маленькая, элегантная, она нежно скользит в руках шелковистыми краями, а цветы, которыми она украшена, атласно отсвечивают в полоске света, падающего из окна. Я надеваю шляпу и понимаю, что надо идти за косметичкой — макияж просто необходим.

— Туфли тесноваты.

Влад уже напялил на себя смокинг, оказавшийся чуть свободнее в плечах, чем следовало, — но по длине в самый раз, даже штаны. Лакированные штиблеты, конечно, ему тесноваты — но скорее в ширину, чем в длину: тогдашнее поколение не носило кроссовок.

— Ничего, раздадутся. Кроссовки под смокинг — это трэш, я даже представить себе такого не могу.

Шляпная коробка тяжеловата — на дне обнаружились длинные черные перчатки, а под ними крохотный револьвер, который помещается в ладони.

Интересно, заряжен ли он?

Я кладу револьвер в сумочку как раз тогда, когда мой невольный (в чем я сомневаюсь!) компаньон справляется с завязыванием шнурков. За столько лет нахождения в шляпной коробке револьвер, скорее всего, в нерабочем состоянии, но я это сейчас никак не проверю, а вообще оружие, по-моему, замечательная вещь для одинокой девушки в подозрительной компании. Мой новый приятель мне подозрителен, и я ничего не могу с этим поделать. Я и так-то не особо доверяю людям, если честно, вообще никому не доверяю, но этот парень мне подозрителен втройне. И если бы не грядущая ночь, которую я должна провести в доме, где сам по себе играет рояль и скачут мячики, то лучше уж такая компания, чем никакой.

Но револьвер я спрячу, Владу не нужно знать, что я вооружена.

— Я чувствую себя глупо.

— С чего бы это? — Я открываю шкаф в глубине гардеробной. — Вот черт!

На полках выстроились футляры с повязками, украшенными перьями, и я снимаю шляпку. Мне нужна золотистая повязка, украшенная цветами и пером, в серединках цветка блестят камешки.

— Нужен макияж.

А косметичка в спальне. Но быть того не может, чтобы вход в эту комнату был только из гостиной, такая тетка, какой была Линда, хотела бы иметь доступ к своим шмоткам круглосуточно, а это значит... Ну, вот шкафчик у стены пустой, например. Сиротливо висит шелковый халат цвета топленого молока, отороченный мехом норки.

Это примитивно.

Стенка подается вперед, я оказываюсь в узком коридорчике, вдоль которого видны отверстия в самых разных местах. Это не что иное, как дырки для подглядывания —

в каждой комнате есть такие, в моей тоже. Линда была в курсе разговоров и досуга своих гостей. Интересно, зачем ей это понадобилось, если не для шантажа?

Потому что даже очень хорошей шлюхе не платят столько, чтоб она обзавелась таким домом и такими шмотками.

Ну, вот и вылез из мешка толстый наглый кот и напрудил мертвой Линде полные тапки.

И теперь я думаю, что если дамочку и отравили, то вряд ли за то, что она с кем-то там трахалась — шантаж гораздо более уважительная причина для убийства. Люди определенного статуса отчего-то склонны скрывать свои грязные тайны, и самое смешное как раз то, что именно у таких людей грязных тайн больше всего. Наверное, это связано с тем, что когда отпадает насущная проблема постоянно думать о физическом выживании, а никаких интересов вне физиологических процессов у человека нет, он пускается во все тяжкие. Это так характерно для кальмаров с отмершим мозгом — находить удовольствие лишь в использовании своих тел.

Но кальмары, например, не бывают извращенцами.

— Вот это да!

Я и забыла о своем компаньоне. Зато он идет за мной как пришитый, его лакированные штиблеты, даром что узкие, не скрипят, как можно было бы ожидать. Влад протиснулся за мной в этот коридорчик, причем еще немного, и он станет нарушать мое личное пространство. Я даже не уверена, что он уже сейчас его не нарушает.

— Здесь должна быть дверь.

Линда должна была выходить сюда из своей спальни, ведь тут столько интересного, да и к шмоткам доступ, опять же. Я ощупываю панель и нахожу щель. Панель отходит в сторону, и я оказываюсь в спальне, где лежит мой рюкзак. В большом овальном зеркале, стоящем у двери в резной раме, я выгляжу отлично, и мой спутник в смокинге смотрится неплохо. Мы оба словно вышли из какого-то фильма о бандитах Чикаго и сухом законе.

— Ты мне так и не сказал, есть у тебя Интернет или нет.

— Есть. — Влад подает мне свой телефон. — Ищи, что тебе нужно.

Ну, конечно, мне теперь интересно насчет Линды Ньюпорт. Вот ее фильмография — негусто, роли второстепенные, но фотографий много. И реально выходит так, что я каким-то непостижимым образом слегка на нее похожа, но на самом деле на свете много похожих людей.

— Начинала она как дублерша для Хеди Ламарр, но снимали ее в этом качестве эпизодически — она оказалась гораздо красивее оригинала, но далеко не так талантлива. Позже пыталась добиться самостоятельных ролей, но оказалось, что в качестве любовницы она умеет добиться гораздо большего, чем как актриса. В общем, шлюшка. — Влад покосился на меня. — Но очень красивая, конечно.

— Но что-то было в ней еще, если ей дарили все это, — заметила я.

— А в итоге отравили. — Влад засмеялся. — Прямо в этом доме.

— Ну, значит, ей повезло, она не состарилась.

— Почему ты так на нее похожа?

— На свете полно похожих между собой людей. Даже в обычном троллейбусе ты найдешь двоих, похожих между собой как родственники.

Я всех людей делю на типажи, которые соотношу с известными личностями — просто для удобства, у меня плохая память на лица. А так у меня в блокноте записано: Саша, Алек Болдуин — и уже могу вспомнить внешность этого самого Саши. В общем, мне так удобнее.

Но есть люди, для которых пока нет типажа.

Так, например, Людмила, которая привезла меня сюда, — она вообще ни на кого не похожа, а уж на женщину она не похожа и вовсе, так что пока она болтается как есть, но я уж точно не забуду ее лицо, такое сложно забыть. И вот этот тип тоже пока не классифицирован, но я подумаю над этим. Он был бы похож на Марка Шеппарда, правда, Марк коренастый брахицефал, а этот ярко выраженный долихоцефал, но глаза и брови очень похожи, так что остановлюсь пока на Шеппарде.

— Отличная спальня.

Сама знаю, что отличная.

— Ты давай поищи насчет Линды, мне любопытно. А я пока накрашусь, и мы потанцуем, там внизу я видела патефон.

Я наношу макияж, вспоминая тот, что на портрете. Раз уж я в таком доме, на мне горностай и бриллианты, а внизу есть большой танцевальный зал, мы сейчас устроим вечеринку, и пусть призраки присоединяются, почему нет.

— Ты очень на нее похожа.

— Еще десять раз мне это скажи, чтоб я не забыла.

Я и сама вижу, что похожа, но это ничего не значит. Я далека от всей этой мистической чуши, далека настолько, что считаю психом любого, кто всерьез задвигает о потустороннем мире и призраках. Я считаю, что мы живем и умираем, все, следующий лэвел. Никакого Мира Реки, райских кущей и тростниковых полей, и это к лучшему, я думаю.

Хотя, если вдуматься, для индивида это катастрофически.

Ну, вот взять хотя бы Линду и ее хахалей: не так давно это все было, века не прошло, по меркам истории, это пустяк, а ведь никто даже имен их уже не помнит. Кипели страсти, рвались нервы и сердца, взрывались мозги и газетные заголовки, людям казалось, что все происходящее так важно, что важнее нет ничего на свете, но вот прошло несколько десятков лет, и никто не помнит ни их имен, ни лиц, ни причин их страданий и радостей, потому что у каждого полным-полно своих проблем, которые важнее всего на свете. Никому нет дела до покойников, с жиру бесившихся много лет назад, когда жизнь была куда как проще. И после нас будет то же самое, а потому — граждане, оплачиваем проезд и проходим по салону, все это уже когда-то было и будет тысячу раз. Мы просто персонажи одной огромной игры. Вот чувак, которого сажали на кол, — это да, проникновенно во всех отношениях, любой — безликий и безымянный, все равно очень ощутимо отрезвляет мысль, что по сравнению с ним ты самый что ни на есть отъявленный счастливчик, а убитая шлюха и ее кавалеры — вообще не тема для сочувствия. Ушли и ушли, ничего хорошего они не сделали.

И как раз именно тут мы подходим к мысли о бессмертии.

Вот Маринка прожила короткую жизнь, но ее улыбка для меня до сих пор — свет во тьме. Ну, то есть в мировом масштабе моя сестренка ничего не сделала, да и что она могла-то? Но для меня она всегда была последним, что я знаю настоящего в жизни. И любой гражданин, если претендует на звание Другого Кальмара и хочет, чтоб его помнило как можно больше людей, а потомки узнавали на портретах, должен сделать что-то большее, чем просто трахнуть кучу сограждан, а потом шантажировать их данным обстоятельством.

Хотя, возможно, я к бедняжке Линде несправедлива — но я точно не потеряю сон из-за этого.

— Что там в новостной ленте?

— Ищут свидетельницу убийства Валерии Городницкой.

— На кой она им? — Я открываю шкатулку и вываливаю содержимое на кровать. Ага, славный браслет, и колечко в тему... — Вообще нет ничего более скучного, чем искать свидетелей убийства.

— Почему?

— Да потому что никто не хочет быть замешанным в такое. — Пальцы у Линды были тоньше моих, это теперь понятно, а вот запястья как раз. — Ну, как я выгляжу?

— Потрясающе. — Влад изучающе смотрит на меня. — Правда, просто потрясающе. Как жаль, что... Ладно, неважно. Так отчего это полиция не найдет свидетелей?

— Сам посуди: кто в здравом уме захочет ввязываться в такое грязное дело, когда, того и гляди, из свидетелей перекочуешь на скамейку запасных на роль главного злодея? Ну, или сам убийца решит, что нечего свидетелю ошиваться на белом свете, или заказчик, например, сочтет неправильным наличие свидетеля. Нет, свидетель даже на свадьбе иногда выступает в роли громоотвода, а уж свидетель убийства и вообще не жилец, если ты понимаешь, о чем я тебе толкую.

— Ну, там была вторая женщина, которая может опознать убийцу.

— Ага, пусть они ее поищут. — Мне надоел этот скользкий разговор. — Тем более что убийцу она могла и не рассмотреть, а вот убийца ее рассмотрел точно. Так что он ищет ее на всех парах — и рано или поздно найдет.

И тогда я дорого продам свою жизнь. Это Валерия, бедолага, умерла от неожиданности, а я-то в курсе, что на свете есть чувак, который хочет прервать мое бренное существование. Но дело в том, что в данном вопросе у него нет права голоса.

Ни у кого нет права голоса в этом вопросе, кроме меня самой.

Вот Бурковский этого так и не смог понять. Он вообще считал, что просто погулять меня отпустил, когда решил ослабить контроль и позволить мне жить своей жизнью. Вы спросите, почему я не ушла из его дома раньше? Я тоже часто задаю себе этот вопрос, а ответ прост: я привыкла там жить и даже как бы подзабыла, что привыкать ни к чему нельзя.

Просто я не люблю ничего менять, вот что.

А тут, понимаете, вернулся Янек. Он редко приезжал из своего Итона, у него там друзья, интересы, девицы — иногда я заглядывала к нему на страничку в соцсети, просто из интереса. Янек путешествовал по миру, катался на лыжах, нырял с аквалангом. Мы иногда приезжали туда, где был он, Бурковский с матерью нарадоваться не могли, до того ждали этих встреч, а я с ним просто здоровалась. Несколько раз он звал меня провести время с его компанией, но я представить себе не могла, зачем бы мне это могло понадобиться.

Учитывая, что по музеям и магазинам я люблю ходить в одиночку.

А тут, извольте видеть, вернулся Янек — догрыз, блин, гранит зарубежной науки, получил диплом и степень и вернулся зачем-то в наш Александровск. Выглядел при этом вполне по-европейски, даже стрижка его, как всегда, идеальная, была творением рук английского парикмахера.

Он собирался пожить дома и решить, что делать дальше.

Я так и не поняла этой его идеи, но дело в том, что в целом мне было плевать на Янека с пожарной каланчи, как и на всю их семейку. Вот так приехал он из аэропорта, и они его ждали, готовились как-то, даже мне что-то говорили насчет семейного обеда, но я в тот день была жутко занята, а потому просто уехала по делам и вернулась под утро. Я и думать забыла, что Янек возвращается, у меня как раз тогда была куча дел, тяжелый день, плавно перешедший в не менее тяжелую ночь, но я заработала денег, и это компенсировало мои моральные судороги от вида блюющих малолеток, перебравших пива.

Деньги многое могут компенсировать.

И вот я возвращаюсь домой, мертвая и довольная, сняв туфли на каблуках, а это очень приятно, почти как деньги, только бесплатно. Я открываю дверь, ощущая при этом, что пропахла табаком, травкой и еще черт знает чем, и вообще мне нужно под душ — а в гостиной сидит Янек. Сидит и пялится в свой телефон, и очень похоже на то, что ждал он именно меня.

Мне это не понравилось вообще.

— Привет, сестренка.

Он всегда так меня называл, и меня всегда это бесило. Я не была ему сестрой, я была Маринкиной сестрой, и даже если Маринки нет, это ничего не значит.

А ведь он знал о Маринке, он подслушивал разговор матери с Бурковским, как и я. Но он не понимал главного: он для меня никто, как и мать, как и Бурковский. Он отчего-то думал, что мы семья, только ни хрена мы не были семьей, это они втроем были семьей, а я нет, а он не хотел этого понимать никак.

И бесил меня ужасно, постоянно влезая в мое личное пространство.

И вот он сидел и смотрел на меня в полумраке гостиной, а я стояла в дверях босиком, с кучей наличных в сумочке, с туфлями в руках, и мне было нечего ему сказать вообще. Обрадовалась ли я его приезду или огорчилась? Да я вообще о нем забыла, и если бы он не торчал среди ночи в гостиной, то и не вспомнила бы, как они все суетились накануне.

Но он был там, и я тоже.

— Привет.

Я хотела только одного: запихнуть шмотки в стиральную машину, принять душ и свалиться в постель. Но у Янека, по ходу, были другие планы, и он, как и его папаша, никогда не принимал в расчет чужие планы и желания. Он привык, что мир вращается вокруг него, вокруг его собственных каких-то хотелок, ему даже в голову не приходило, что кто-то может не рваться болтать с ним, возвратившись после долгого утомительного рабочего дня.

Он вообще не понимал, что это — работать.

Нет, не поймите меня неправильно, я благодарна Бурковскому за то, что он взял нас в свой дом, сумел организовать жизнь матери так, что она выглядела почти человекообразной и оставила меня в покое. И за то, что его отношение ко мне было всегда достаточно ровным и достаточно дружелюбным, чтобы не портить мне остатки нервной системы. В общем, не сочтите, что я неблагодарная. Но я всегда знала, что этот дом — его дом и деньги — его. И если я не встану на ноги, то со временем стану полностью зависеть от Бурковского, а это значит, что его решения относительно меня будут иметь силу, а у меня не будет выбора.

И я сделала все, чтобы этого не случилось.

Это не нравилось Бурковскому — он привык все и всех контролировать, а я крайне редко пользовалась кредиткой, которую он мне выдал, и это не нравилось матери, потому что она постоянно чувствовала себя виноватой за то, что Бурковский взял ее с таким неудобным «прицепом», и постоянно перегревалась, что я не выказываю должной «благодарности» за оказанные мне благодеяния. Но все дело в том, что мне было вообще плевать на то, что этим двоим не нравилось.

Но оказывается, и Янеку не нравилось то, как я живу.

Вот с этого все и началось — с того утреннего разговора. Он ведь неспроста сидел в гостиной, дожидаясь меня, у него был собственный план, который не предусматривал, правда, моего согласия на участие в мероприятиях, а я уже говорила, как отношусь к такой невыразимой легкости бытия.

Только для семейки Бурковских это оказалось почему-то открытием.

Янек отложил телефон и поднялся с кресла. Меньше всего мне хотелось, чтобы он подходил ко мне достаточно близко, чтобы учуять запах, исходящий от моей одежды и волос, — запах тинейджерской вечеринки, которую мне заказали избалованные щенки. Но Янек всегда делал совершенно не то, что нужно, вот и на этот раз он подошел ко мне совсем близко, и уж от него-то пахло отлично.

— В клубе была?

Он никак в толк взять не мог, что я сама и есть клуб, что нанять меня для организации каких-то суперских тусовочных прыгалок хотят слишком многие. Может быть, потому, что сама я не веселюсь на них, я вообще не понимаю, почему это кому-то весело, но я всегда точно знаю, *что именно* будет весело тем или иным людям.

Вот просто знаю, и все.

— Ага, в клубе.

Объяснять ему что-то у меня нет ни малейшего желания, да и с чего бы.

— А мы тебя ждали к обеду. — Янек рассматривает меня сквозь утренние сумерки. — Мать расстроилась, звонила тебе.

— Я была занята.

Я видела, что она мне звонила, но я была, блин, занята. Я устраивала вечеринку с пуансеттиями, клоунами и эльфами, хотя пуансеттии летом — это реально глупо, это же не Рождество, но если клиент платит за пуансеттии — он получает пуансеттии. Я нашла на одном складе несколько ящиков искусственных, оставшихся с рождественских распродаж, и купила их задешево, а счет выставила ого-го!

В общем, это бизнес, ничего личного.

А Янек постоянно тянет меня в личное — что-то там ноет о семье, о том, что мать, видите ли, расстроилась моим отсутствием на семейном поедании стейков. Но я-то знаю, что вот даже умри я сейчас, она и не почешется, разве что для приличия скорчит постную рожу. А расстроилась она из-за того, что я снова показала себя неблагодарной, ведь меня взяли в дом, кормили-поили-одевали, дали образование и бла-бла-бла. Как будто мне это было нужно. Как будто это что-то меняет в том, что она сотворила когда-то.

Ничего уже не исправить.

И они все просто живут — ну, вот как это говорят обычно те, кто разводит руками чужое горе: ты просто живи дальше. Только никто не объясняет, как жить дальше, когда сбылись твои самые жуткие страхи, а после этого ты один на один с жизнью, а тебе чуть больше восьми лет.

Я выросла, но и только.

— Ты начала курить?

Янек иронично смотрит на меня, и я вижу, как вертятся шарики в его башке: вот он весь из себя отмытый, приехал из заморских стран, из какой-то Лиги Плюща, блин, приверженец здорового образа жизни и семейных ценностей, а тут я — в одежде, провонявшей дымом от табака, травы и спайсов, одета в самые что ни на есть суперские шмотки, с туфлями в руках. Он, видимо, решил, что я всю ночь развлекалась в клубе, вместо того чтобы чинно обедать с семьей в честь его приезда. Самое смешное в этом то, что они все так думали.

Они понятия не имели, что все это моя работа.

— Ага, и траву тоже. Ты решил меня повоспитывать?

Он все такой же наглый сукин сын, да и с чего ему меняться.

— Пропахла клубом.

— И устала как собака. — Я очень хочу в душ, ей-богу. И спать. — Давай потом побеседуем, сейчас я просто хочу нырнуть в душ и уснуть. Тяжелая ночь.

Мне бы тогда притвориться кем-то другим и поулыбаться Янеку, словно он клиент, но это был просто Янек, и я не представляла, насколько он изменился. А мне нужно было пересчитать наличные и подготовить их для банковского сейфа. Ну, это кроме того, что я отчаянно нуждалась в помывке и отдыхе, чтобы точить лясы с Янеком.

Я не восприняла его всерьез.

— Ясно. — Янек откровенно рассматривал меня. — А что у тебя в сумочке?

— Наркотики и наличка. — Ну, что мне ему, идиоту, рассказывать, если он считает меня Блудницей Вавилонской? — И деньги от занятий проституцией и сводничеством.

Я не знаю, как так вышло, что люди, которые считаются моей семьей, ничего обо мне не знают. Я, конечно, не из тех, кто любит говорить по душам, но справедливости ради надо сказать, что годы игры в молчанку с матерью, которая обвиняла меня в том, что я осталась в живых, не слишком способствуют душевным разговорам и созданию семейной атмосферы в том смысле, какой вкладывает в это реклама, — дом, собака, улыбчивые дети, которых вымыли отличным детским мылом, мама с папой, с белозубыми улыбками от суперновой зубной пасты с фтором, читающие детям, накормленным самыми лучшими хлопьями и йогуртом, сказки на ночь.

Вот потому все произошло так, как произошло.

Я понятия не имела, что наш разговор с Янеком будет иметь такие разрушительные последствия, иначе я бы успела сгруппироваться. Но я была усталой, грязной и сонной и просто пошла к себе, унося с собой туфли, сумочку с наличкой и запах чужой вечеринки. А Янек остался в гостиной, и пока я спала, он решил спасти меня от меня самой.

Тупой наглый ублюдок.

И вот теперь я торчу в чужом доме, где творится какая-то чертовщина, и ввязалась я в это дерьмо лишь потому, что сбежала из дома Бурковского в чем была, не взяв с собой документов, ключей и денег. И доступа к сейфу у меня нет именно потому, и хотя управляющий банком знает меня, правила есть правила.

Иногда жизнь просто дерьмо.

— Ты слышишь?

— Слышу — что?

В доме как будто чьи-то голоса, смех, и если это не явление из разряда невесть откуда выкатившегося мячика, то дом не так пуст, как думает Людмила. А я стою, разряженная в пух и прах, и черт меня подери, если я хочу снять все это великолепие, чтобы кто-то чего-то лишнего не подумал.

Пусть думают что хотят.

А потому я просто запру спальню изнутри, а сама посмотрю, что и как. Вряд ли кто-то знает о тайных ходах вдоль комнат, если даже плана дома ни у кого нет, а дом куплен только-только.

— Ты запираешь дверь?

— Ну да. — Я снова рассматриваю себя в зеркало. Эти соболя я потребую в счет гонорара, Линде они уже не нужны. — Кто бы это ни был, меня не предупредили об их приходе, а тут полно материальных ценностей, пропадет что — с меня же и спросят.

— Тоже верно. — Влад завозился нервно. — У меня там сумка с инструментами осталась...

— Кусачки, кабель и отвертка? Не думаю, что кто-то на все это позарится.

Голоса зазвучали отчетливей, переместились куда-то вправо, и я думаю, что компания ввалилась в гостиную — туда, где портрет. Если есть проход, я бы посмотрела, кто пожаловал в гости.

В глубине дома снова зазвучал рояль.

10

В то утро я даже не успела толком выспаться, как в комнату ввалилась мать и принялась бегать из угла в угол, шарить по моим ящикам, толкать меня и орать. Я в толк взять не могла, чего она хочет и с чего вдруг взбеленилась — обычно она вообще не замечала моего присутствия, а тут такое пристрастное внимание! Но когда еще и Бурковский почтил мою комнату своим присутствием, я поняла, что стряслось что-то странное. Он вообще-то никогда не заходил ко мне, уважал мое личное пространство, а тут нарисовался, да с таким обеспокоенным видом!

В компании с каким-то чуваком.

Я сидела на кровати в разобранном виде и пыталась понять, чего эта гоп-компания от меня хочет. Мать голосила, что я неисправима и вообще неблагодарная — это все, что ее волновало, собственно. Бурковский пытался остановить ее излияния и вместе с тем твердо, но слегка виновато сказал:

— Детка, это для твоей же пользы.

Что именно было для моей же пользы, я узнала чуть попозже. Чувак, который зашел в комнату вместе с Бурковскими, оказался каким-то там экспертом. Он осмотрел мои конечности, заглянул в нос и зачем-то — под язык, взял у меня кровь и тут же провел анализ на наркотики.

Но это было зря, я принципиально не употребляю наркотиков.

— Ничего. — Чувак непонимающе глянул на Бурковского. — Возможно, пассивное курение, но это и все, она ничего не употребляла ни накануне ночью, ни двумя месяцами раньше. Можно взять на анализ прядь волос, чтобы определить, употребляла ли она ранее, но с огромной долей вероятности я могу сказать, что не употребляет вообще, и алкоголя в том числе.

И тут до меня дошло.

Это Янек, кретин и сын идиота, принял всерьез мои слова о наркотиках и прочих вещах. Похоже, он как был тупым говнюком, так и остался, и никакой Итон этого не исправил. И пока я спала, он принес Бурковскому благую весть, что я — торговка наркотиками, наркоманка, сутенерша и прочая, прочая, прочая.

И теперь они пришли спасать свой уютный мирок от меня.

Я и раньше знала, что всем им как кость в горле. Да и они мне нравились не сильно, если вы понимаете, о чем я говорю. Просто когда я была маленькой, мне было некуда идти и я была вынуждена жить с ними и терпеть их лицемерие, а потом они слишком мало меня стесняли — ну, не хочу я идти на какие-то «семейные» мероприятия, так и не иду, тем более что им без меня гораздо лучше, так зачем изображать что-то, чего нет?

Лгать имеет смысл, если это сулит прибыль, а так-то зачем?

Но дело в том, что я их тоже стесняла слишком мало. Ну, жила в их доме, делов-то. С некоторых пор я даже зарабатывала сама на себя, и то, что иногда ради приличия покупала на деньги Бурковского шмотки, для меня было неважно — с тем же успехом могла бы и не брать. Но Бурковскому нравилось думать, что он заботится обо мне, а я не разубеждала его, незачем было.

И теперь весь их образ жизни оказывался под угрозой — ну, как они думали.

Я никогда не говорила, чем зарабатываю на жизнь, я просто думала, что они и так это знают, что им кто-то сказал, ведь мои услуги заказывали люди вполне их круга. А они, оказывается, ничего не знали, думали, что я просто самозабвенная тусовщица и на уме у меня лишь вечеринки и тряпки. Отчасти это так и было, но там, где надо было ставить плюс, был поставлен минус: да, на уме у меня были вечеринки и тряпки, но не в том смысле, который вкладывали Бурковские в это понятие. Тусовки и шмотки — это был мой заработок, а они этого не знали просто потому, что не интересовались, я же не скрывала как-то специально свои занятия, просто им это было неинтересно.

Ну, теперь вы понимаете, как счастливы мы были вместе.

И когда «эксперт» принялся обыскивать мою комнату, я достала одежду, собрала со столика снятые перед сном украшения и ушла в ванную одеваться. Эта самая одежда и была на мне потом почти неделю, и если бы я знала, как все получится, то прихватила бы документы и остальное, но, заходя в ванную с ворохом шмоток и немногочисленными цацками, я понятия не имела, что выйду оттуда бездомной и нищей.

Это из разряда подстилания соломки.

Пока я одевалась, они обшаривали мою комнату. «Эксперт», конечно, не нашел мой тайник с деньгами, но, когда я вернулась в спальню, содержимое моей сумочки было вывернуто на стол, и Бурковский рассматривал его, недоуменно вертя в руках шокер.

— Зачем это тебе?

— Собак отпугивать. — Я начала злиться, и эта злость искала выхода. — Что вы ищете?

— Детка, дело в том, что я давно должен был поинтересоваться, где и с кем ты пропадаешь и как проводишь свое время, но я и подумать не мог, что... Впрочем, все лучше, чем мы думали, наркотиков ты не употребляешь. Как насчет торговли?

Это он к «эксперту» обратился, а тот опрыскивал мои вещи каким-то спреем.

— Следов на вещах нет. — «Эксперт» вздохнул. — Судя по комнате, по вещам, которые здесь находятся, — ничто не указывает на те занятия, в которых вы подозреваете свою дочь. Если нечто такое и есть, то уж точно не здесь. А с чего вообще возникло подозрение, что девушка причастна к... ну, к такой деятельности?

— Она сама призналась своему брату сегодня утром.

Я молча складывала в сумочку свои вещи, думая о том, что пришло время вылетать из этого гнезда. Просто я хотела уйти на своих условиях, но это не получилось. Зато я окончательно убедилась, что живу среди дебилов.

— Здесь ничего нет. — «Эксперт» принялся укладывать свои инструменты в чемоданчик. — Обычная комната девушки, которая много работает и мало отдыхает.

— Работает?!

Бурковский воззрился на «эксперта» в удивлении.

— Конечно. — Мужик вздохнул. — Вот ее расписание — записная книжка, которую я нашел в сумочке, говорит о том, что расписание очень плотное. Похоже, она организовывает праздники, куча визиток поставщиков цветов, воздушных шариков и прочей мишуры для вечеринок. Дисконтные карты нескольких магазинов, торгующих спиртными и безалкогольными напитками в розницу и мелкооптовыми партиями. В телефоне номера клиентов и координаты хозяев помещений, фотографии наиболее удачных вариантов оформления залов, тортов, сервировок. Девушка давно и всерьез занимается этим бизнесом, причем без помощников. Откуда взялась версия с наркотиками, я не знаю, но, по моему мнению, тут произошла какая-то ошибка.

Ну, хоть кто-то в этом дурдоме оказался Другим Кальмаром.

Я в упор смотрела на Бурковского, который даже в лице изменился. Я вам и раньше говорила, что он не сволочной мужик, просто привык всем рулить, но в тот момент я была очень зла и на него, и на мать тоже, и на кретина Янека, так что я не собиралась облегчать никому из них жизнь, сказав что-то типа: «Ну, ничего, ошиблись, с кем не бывает!» — они заварили эту кашу, теперь пусть попробуют расхлебать. И хотя я всегда знала, что нужно прятать свои настоящие эмоции, но в тот момент я была *слишком* зла.

Девушка имеет право иногда выплеснуть раздражение.

«Эксперт» ушел, а мы с Бурковским остались, и мать притаилась в кресле. Для полного счастья не хватало только Янека, и все семейство в сборе. Но дело в том, что я не знала, что им говорить, вообще не знала. Они унизили меня, поставили в идиотскую ситуацию, влезли в мои дела, распотрошили мои личные записи и копались в моих вещах — якобы для моего же блага, но дело в том, что это не так. Они плевать хотели на мое благо, они просто хотели защитить свою жизнь от меня.

Потому что если бы Бурковского интересовало мое благо, он бы просто спросил у меня.

Но он сделал то, что сделал, — грубо, безжалостно, без колебаний и сомнений сломал то внутреннее равновесие, которое я выстраивала долгие годы. Его интересовал лишь результат, то есть ему во что бы то ни стало нужно было решить проблему, и он привык решать проблемы, шагая напролом. А что я при этом чувствую, его не интересовало вовсе. Вот и судите сами о том, что я для него значила. Для всех для них. И все эти разговоры о якобы семье — просто разговоры.

Ну, и с чего бы ему со мной церемониться?

Мать смотрела на Бурковского не отрываясь. Она всегда говорила то, что от нее ожидалось, просто ей нужно было видеть Бурковского, чтобы понять, что ей говорить и как реагировать, а сейчас она не понимала, потому что Бурковский выглядел немного виноватым. А она не умела чувствовать себя виноватой, у нее всегда были виноваты другие — не важно, в чем. Да во всем!

— Зенек...

— Ладно. — Бурковский остановился и в упор посмотрел на меня. — Ладно...

Он тоже не знал, что говорить, и лучше бы ему тогда было промолчать, но он не мог промолчать, он считал, что должен объясниться, и я тоже так считала, хотя мне все было ясно. Он понятия не имел, что я зарабатываю на себя, он знать не знал, что я за человек, чем занимаюсь, как мыслю. Ему это никогда не было интересно. Он просто приютил меня в своем доме, потому что у него, по сути, не было иного выхода, как приютил бы бездомную кошку, и это был его дом. И Янека, и матери. Это был *их* дом, а моим он не стал, у меня была просто комната, которая условно считалась моей, но сегодня мне дали понять, что ничего моего здесь нет. Ну, я поняла, не дура. Я и раньше это понимала.

— Я знаю, что ты сейчас злишься.

Да уж конечно, я злюсь. А с чего бы мне и не злиться? Учитывая обстоятельства — кто бы не злился? Но я ничего не стану говорить, потому что ему сейчас надо, чтобы я отбила его пасс и уж тогда он сориентируется. А без этого ему никак, он не знает, как со мной говорить, и не знал никогда.

Никто из них не знает.

— Послушай, все это неправильно. И твой брат, возможно, неверно истолковал твой сарказм. Я могу допустить также, что перегнул палку, но ты должна меня понять: все просто так совпало. И мы с матерью не знали, чем на самом деле ты занимаешься... Конечно, это непростительно, и тем не менее ты могла бы и сказать, я бы помог тебе, и...

— Мне не нужна была помощь.

Даже когда была нужна, я не обращалась к Бурковскому — просто потому, что не хотела и дальше быть обузой. Хватит того, что я для матери обуза, если не материального плана, то с эмоциональной точки зрения ей было бы лучше, если бы меня не было.

Но дело в том, что я не хотела, чтобы ей было лучше.

— Я понимаю. — Бурковский вздохнул. — Я был занят, выстраивать отношения у меня не было времени, и вчера мы тебя ждали к обеду, а ты не появилась, а причины я не знал... Мы не знали. А потом ты приходишь под утро, между делом заявляешь, что торгуешь наркотиками и...

Мне резко надоел этот идиотский разговор, вся суть которого свелась бы к одному предложению: извини, я идиот и мой сын идиот, но сказать такое Бурковский не мог, а потому смотрел на меня выжидающе, словно ждал подсказки, что сказать, чтобы не признаваться в собственной глупости.

И это я должна была каким-то образом помочь ему не произносить вполне очевидную фразу.

Но помогать ему я не собиралась.

— Это я виноват.

Янек наконец возник в дверях, весь из себя такой благородный-благородный, словно это не он настучал на меня, в итоге выставив папашу полным идиотом. В комнате сразу стало тесно от такого наплыва прекрасных, но тщетных порывов и огромной кучи воняющего итонскими застенками благородства. Несмотря на то что комната большая, выдержать присутствие всего семейства Бурковских ей было сложно, как и мне. Нанятый «эксперт», конечно, не знал, откуда ноги растут у скандала, потому искренне удивлялся, как такой пердимонокль мог возникнуть в столь благородном семействе, но я-то знала, и Янек знал, что я знаю. Он и в детстве постоянно доносил на меня папаше.

Некоторые вещи не меняются.

— Я должен был понять шутку, но было утро, я устал, и все не выглядело шуткой.

— А, так мне нужно было к своей речи прицепить смайл.

И он тоже ждал, что я скажу: да ладно, ребята, все прекрасно, со всяким может случиться, и тогда, по их мнению, мир был бы восстановлен, все зарыдают от счастья и пойдут завтракать. И дальше будет как было, прекрасно и привычно. Только они сегодня сделали все, чтобы разрушить даже то, что уже было. А оно было если не прекрасно, то по крайней мере более-менее терпимо. Так уж вышло, что я не стала частью их семьи и даже частью жизни не стала, как и они для меня, — но мы научились сосуществовать, не напрягая друг друга, и оно катилось по накатанной, пока не вышло то, что вышло. И сразу стало понятно, кто я для них.

Никто.

Самое смешное, что мы все это понимали, и они трое знали, что я это понимаю. Но Бурковский во что бы то ни стало хотел сохранить статус-кво, и мне было интересно, как у него это получится без моей помощи, я принципиально не собиралась шевелить плавниками.

— Я должен был понять, что ты шутишь, но я отвык от твоей манеры общения, мы давно не виделись, и ты стала такой... самостоятельной.

Я всегда была самостоятельной, у меня не было выбора.

— Чего вы перед ней извиняетесь?

Это мать наконец оскалила зубы. Столько лет терпела, и вот прорвался фурункул. Я знала, что когда-нибудь это случится, и мне всегда было любопытно, как это будет, но тогда мне было нужно выйти из ситуации с определенной долей моральной победы, и мать прорвало очень некстати.

Если что-то одно идет наперекосяк, то остальное тоже подтянется, беда не ходит одна.

— Она же в грош никого из нас не ставит! — Мать выпрямилась в кресле, зло глядя на меня. — Ее взяли в дом, кормили, одевали, дали образование, к ней относились как к родной, а она вечно рожу кривила — все ей не так. Брат приехал, и то не смогла поговорить по-людски, довела до такого позора, чужой человек решил, что мы звери какие-то, замучили бедную девочку, обвинив невесть в чем.

Янек мне не брат, мы даже не родственники. Это Маринка была мне сестрой, и это их вечное подчеркивание несуществующего родства типа «отец», «брат» меня всегда бесило, потому что моим отцом был психопат Билецкий, а сестрой — самая милая и светлая девочка из всех, кого я знала. Только ее я любила за всю свою жизнь, только она освещала тьму, в которой я жила по вине родителей, и когда Маринки не стало, сделать вид, что ее вовсе не было, — подлость. И постоянно подсовывать мне этот эрзац «семьи» в надежде, что я забуду Маринку, было очень тупо. Но она этого не понимает. Мать, в смысле. Она же, типа, нашла в себе силы жить дальше.

Она, типа, жертва, ага.

А я нет, я не жертва и никогда не была жертвой. И не собираюсь начинать. Так что, если она решила именно сейчас на меня окрыситься, — значит, так тому и быть.

Зачем-то ей это надо, именно сейчас, она всегда была расчетливой дрянью и если решила ударить в этот момент — значит, уверена в успехе предприятия. И я ей в этом помогу. Потому что только так я навсегда избавлюсь от контроля Бурковского.

Но сделаю это по-своему.

— Маша...

— Зенек, я не намерена больше терпеть ее в доме. — Мать обернулась ко мне: — Ты хотела самостоятельности? Она есть у тебя, дверь вон там. Или ты живешь, как живет наша семья, или убирайся сию секунду, дрянь, и больше не возвращайся.

— Мама, перестань! Это я виноват.

— Нет, сынок, ты не виноват. — Мать заострилась, как новый карандаш. — Зачем-то ей все это понадобилось, ничего она просто так не делает, даже если кажется, что все случайно, ничего не случайно. Она все просчитывает, она вот так же когда-то просчитала, что Билецкий убьет нас всех, — и сбежала, и...

— Маша! — Бурковский смотрит на мать изумленно. — Это совсем уж...

— Просчитала! Она никогда не была ребенком, Зенек. Она все всегда просчитывала, и сейчас так же. Зачем-то ей понадобился этот скандал, и она все подстроила, как и тогда.

А, так она решила зайти с козырей? Ну так это напрасно, потому что козырной туз всегда был у меня.

— Ты убила Маринку. — Я давно хотела ей это сказать. — В тот вечер я хотела забрать ее с собой, но ты не позволила. Сказала: не трогай, она уже хочет спать. Как будто она могла бы спать, когда папаша принялся бы куролесить. Но ты не дала мне ее забрать, ты хотела ею прикрыться от папаши, и теперь ее нет. Из-за тебя нет. И если ты надеялась, что за давностью лет я об этом позабыла, то ты спятила сильнее, чем я думала.

— Ты знала, что он это сделает.

— Знала. — Я стояла напротив матери, глядя прямо ей в глаза. — И ты это тоже знала, но продолжала забирать из милиции свои заявления, пока они не перестали вообще приезжать на твои вызовы. Ты отлично знала, к чему все идет, но сама покупала ему чекушки. Только дело в том, что у тебя был выбор — остаться с ним или нет, ты была взрослая, а у меня выбора не было, ты мне его не дала, и Маринке тоже. Мы были детьми и полностью зависели от твоих решений, а ты позволяла ему превращать нашу жизнь в ад.

— А моя жизнь не была адом?! Как насчет моей жизни?

— Ты сама этот ад выбрала, но не я и не Маринка. Ты сто раз могла уйти от него, но не ушла, продолжала «сохранять отца детям», как ты говорила соседкам, а на самом деле тебе было нужно, чтобы он был только твой! Даже пьяный, дурной, обоссаный — но твой! И это в итоге стоило Маринке жизни — да и мне тоже, но жертва у нас отчего-то именно ты. Тебя никто не заставлял жить с ним, терпеть колотушки и прочее, а меня — заставляли. Ты могла что-то изменить, и Маринка осталась бы жива, а я не могла, я зависела от твоего выбора, мы обе зависели от твоих решений, а ты выбрала не нас, а его, потому что у тебя между ног чесалось. Так что даже не заикайся насчет той ночи, потому что это ты во всем виновата! Ты одна! И ты жива, а лучше бы он тебя прикончил, а Маринка осталась бы! И если ты думаешь, что я забыла, как было на самом деле, то ты просчиталась. Ты виновата в том, что погибла моя сестра!

Она с размаху хлестнула меня по лицу — ну, это всегда аргумент, когда аргументов больше нет. И она думала, что я стерплю это, да не на ту напала. Я врезала ей с разворота по скуле так, что рука онемела, и она рухнула на пол, и никто не успел ее подхватить. Потому что никому в голову не пришло, что я могу дать сдачи. Они совсем не знали меня, никто из них. Они понятия не имели, что я никому не позволяю себя бить. А еще мне давно этого хотелось — впечатать ее вечно несчастную маску хрупкой и ранимой жертвы домашнего насилия ей же в лицо.

В ее настоящее лицо, а не в то, которое она надевает для Бурковского.

Бурковские бросились к ней, а я взяла свою сумку и вышла — понимая, что поступаю глупо, что нужно забрать документы и деньги из тайника, но дело в том, что в тот момент ничто на свете не заставило бы меня остаться. Ценность денег и документов не перевесила моего желания уйти и больше никогда не видеть этот цирк уродов, в котором я была не самым скучным персонажем, к слову.

Вот потому я сейчас в этом доме, в платье покойницы Линды, а рядом потеет в смокинге странный чувак по имени Влад, и насчет него меня гложут смутные сомнения. Меня вообще гложут сомнения насчет всего, что происходит сейчас, слишком много нестыковок я вижу, но в данный момент меня интересует компания, ввалившаяся в дом, когда мне сказали, что здесь никого нет и не будет.

Самое смешное, что я не записала телефон Людмилы.

— Они пошли в комнату рядом с залом для приемов.

Я и сама слышу, что все потопали туда. Мне любопытно, кто почтил нас своим присутствием, и даже вопрос скачущего мячика меня сейчас интересует гораздо меньше. Но зато я могу пройти по скрытому ходу и посмотреть, что за люди.

А я всегда была любопытна.

— Мы что, так и будем тут сидеть?

— Нет, конечно. — Он решил, что я стану прятаться. —

Мы поглядим, кто там. Но выходить на свет я бы не стала — мало ли, кто там.

У меня зазвонил телефон, и я нашарила его в сумочке рядом с револьвером.

— Ну, как дела?

Это голос Людмилы, и я рада ее звонку.

— Пока никак. — Я должна сохранять небрежный тон. — Вот только пять минут назад сюда ввалилась какая-то компания, а вы говорили, что дом пуст.

— Какая компания?!

— Не знаю. Я заперлась в спальне и как раз собиралась вам звонить.

— Ясно. — Людмила тяжело вздохнула. — Сиди и не высовывайся, я сейчас приеду.

Вот теперь я получила определенную свободу маневра. Людмила в курсе ситуации, а это значит, что до ее приезда я могу пойти и поглядеть, кто ко мне нагрянул.

— Идем.

Я подтолкнула парня к отодвинутой панели. Мы сейчас пройдем в большую комнату и посмотрим, а потом я решу, как быть. Или приедет Людмила и восстановит статус-кво, но мне пока интереснее, чтобы компания осталась. Можно нехило повеселиться, изображая привидение.

— Но разве мы не...

— Нет, мы не выйдем к ним. — Жаль, что боги не послали мне более сообразительного спутника. — Мы посмотрим, что за люди и что они станут делать, а потом решим, что делать нам. Тем более сейчас приедет тетка, которая меня наняла, и испортит нам все веселье.

— Но...

— Не спорь со мной, терпеть не могу, когда по ерунде спорят. Тебе-то какая разница, сидеть здесь или выйти? Или ты куда-то торопишься? Тогда, конечно, другое дело.

— Я не тороплюсь, просто странно все это.

— Не ной, просто давай повеселимся.

Веселье, граждане, совсем не в том, чтоб обдолбаться наркотой или напиться до синих чебурашек, а потом потрахаться. Такое веселье для дегенератов. Обдолбаться, конвульсивно дергаться под орущую музыку, намазаться светящейся фигней и пить алкоголь из мензурок и колб, а потом трахаться невесть с кем, облевав друг друга в итоге и словив какой-то постельной заразы, — это фигня, спускающая в унитаз остатки мозгов. Вот вы никогда не думали, откуда вокруг столько тупых? Так я вам скажу: это органика, которая поколениями по пьяни размножается. В результате получаются дебилы, которым таблицу умножения осилить никак, они всю жизнь пишут с ужасающими ошибками, не могут собственного языка осилить без «епта», не то что иностранного. Но они идеальные клиенты питейных заведений, и ими очень просто управлять, потому что в силу своей необразованности они верят в любую фигню, да хоть в рептилоидов, главное — чтобы это по телевизору им вещали тревожным голосом да ролик подходящий на Ютюбе запилили, и они поверят и потом станут с умным видом доказывать ересь, услышанную в каком-то ролике, а проверить эту информацию им и в голову не приходит, да они и не смогли бы, даже если бы вдруг захотели. Тупость и ограниченность возвели в культ, и это весьма дальновидно с точки зрения тех, кто стрижет стадо.

И стадо стало огромным, но для меня это неплохо.

Потому что настоящее веселье — руководить этой органикой, заставлять ее делать то, что нужно тебе. Потому что они все равно даже не поймут сути происходящего, и они — пища для таких, как я. Кто постиг дзен и понял, как это работает, тот извлекает из этого выгоду.

Но кроме выгоды, есть и иные соображения, и тенденция в целом мне очень не нравится. Общество, состоящее из тупых, не имеет будущего.

Конечно, хищников всегда меньше, чем пищи, в этом и заключается принцип баланса, но дело в том, что все эти смешные богатые детки мнят себя хищниками, вот умора. Впрочем, им я это никогда не говорю. Это плохо для бизнеса.

— Идем.

Я осторожно ступаю по узкому коридору, но странным образом умудряюсь не задеть стены и практически не смотрю под ноги. У меня возникло странное ощущение, что я здесь уже была когда-то... Или мне что-то такое снилось. Давно, еще в детстве.

Два отверстия как раз напротив бильярдного стола, стоящего посреди большой комнаты. Ну, понятно, это бильярдная, в таком доме может не быть библиотеки, но бильярдная обязательно есть. Мы здесь еще не были, но меня другое интересует: каким образом эти отверстия не видны тем, кто находится в комнате. Они как раз на уровне моих глаз, и мне любопытно, как они выглядят со стороны комнаты. Неужели никто не видит дырок в стене?

На низеньком столике расположилась батарея бутылок и банок с пивом, несколько бутылок шампанского, а на креслах и диванах расселись незваные гости: Алекс Городницкий, какая-то незнакомая девица неопрятного вида, в жутких ботинках и балахоне, сшитом из неплохого черного бархата, но с ботинками это смотрится ужасно. Рядом с ними — парочка даунов, в которых я узнала недавних моих клиентов: Лиана Шептовская, дочь хозяина сети пиццерий, и ее приятель Пауль. Нет, так-то он Павлик Морозов — ей-богу, не вру, но все называют его Пауль. Хотя на немца он ни разу не похож: конопатый, с круглой рыхлой мордой, косящим левым глазом и носом-картошкой. Но его папаша банчит нефтью, и денег там реально много, несмотря на то что папаша давно бросил расплывшуюся старую жену и теперь женат на какой-то модели, но Пауля он не забывает, регулярно подбрасывает ему денежки. Ну, и это понятно, Пауль — практически его точная копия.

Когда-то я училась вместе с ними в школе, в параллельных классах, но с тех пор мы встречались только на тусовках, и это благо: я их обоих терпеть не могу еще с тех времен. Лиана капризная и взбалмошная, у нее настроение меняется каждые пять минут, а Пауль — закомплексованный неудачник, который без папиных денег был бы никем, даже меньше, чем никем. Но эти двое спелись еще в школе, и я никогда не понимала, что делает красотка Лиана рядом с косоглазым рыхлым Паулем.

Есть еще кто-то, кого я не вижу.

— Музыки не будет, здесь нет аппаратуры.

Этот голос я знаю отлично.

Янек, сукин сын. Ну, это же надо! Нигде нет от него покоя.

11

— Кто что будет пить?

Лиана освободилась от липкой хватки Пауля и, пританцовывая, направилась к Янеку. Ну, тут понятно: денег у Бурковского вряд ли меньше, чем у папаши Пауля, зато Янек с эстетической точки зрения вариант гораздо более выигрышный, к тому же его европейский шик на девиц действует убийственно. Вряд ли это нравится Паулю, но он виду не показывает — впрочем, насколько я знаю, это рыхлое косоглазое ничтожество не обладает характером, оно смолчит, а потом нагадит исподтишка. Такие персонажи обычно бывают серийными убийцами в пафосном кино — ну, знаете, эти фильмы о компании приятелей, которые где-то решили оттянуться, а потом принимаются умирать один за другим, а кто их убивает, неизвестно. А на финише оказывается, что в живых остаются девственница и сам убийца, какой-нибудь задрот, на которого никто и внимания не обращал, настолько он был пустым местом. И девственница его убивает каким-то зверским способом, обычно просто несчастный случай — толкнула, а он упал на что-то металлическое и острое, которое там было частью интерьера, вот просто упал и накололся, как насекомое. Или рухнул с крыши небоскреба, тоже очень художественно смотрится.

Так что у Пауля есть все данные сыграть роль такого убийцы.

— Я буду шампанское.

Лиана потянулась к Янеку всем телом, и он, ухмыльнувшись, наполнил бокал. Бокалы эти они взяли в стеклянной горке, которую я видела в зале для приемов — там, где камин, а значит, кто-то из них здесь бывал раньше, если так быстро нашли горку с посудой.

Эта горка просто мечта: наполненная настоящим стеклом и хрусталем того времени, она отмыта от пыли и сверкает боками и гранями. Для меня это неотразимо, и хотя я не слишком фанатею от посуды, чтобы перегреваться вокруг нее, но по роду деятельности я в посуде разбираюсь. И если они по пьяни кокнут эти бокалы, мне будет очень жаль.

— Шикарная хата, Алекс. — Пауль растопырился на диване, как жаба. — Это чье?

— Отец купил для Валерии. — Алекс презрительно поморщился. — Ввалил в это нереальную кучу бабла, он же вообще никогда ни в чем ей не отказывал. Она планировала здесь отметить его юбилей. Тут есть бальный зал, потом поглядим, Валерия хвасталась, что никто из нас такого никогда не видел. Ну а теперь-то празднование отменяется, конечно, — отец совсем скис, а дом-то стоит. Вот я и решил, что неплохо было бы мне на него поглядеть.

— Здесь есть что-то. — Девица в балахоне съежилась в кресле. — Лешик, нам не надо здесь оставаться ночью, здесь есть что-то недоброе.

— Да ладно, Гутька, это просто дом.

Гутька? Странное имя. Или кличка? Девицу эту я раньше в глаза не видела и даже имени ее не слыхала, если это имя, но...

Августа Городницкая, младшая дочка старика Городницкого. Девочка, с которой, как говорили, *что-то не так*. Что с ней может быть не так, кроме ужасной манеры одеваться, я без понятия. Интересно, почему она оказалась в этой компании? Почему Янек оказался здесь? И почему они все здесь и именно сейчас?

— Это не просто дом. — Девушка раскачивается в кресле, закрыв глаза. — Здесь произошло убийство... Молодая, очень красивая женщина в роскошном платье... Столько зла здесь происходило...

Она поднялась и пошла вдоль стен, рассматривая картины и фотографии, на которые я взглянула лишь мельком. Я собиралась рассмотреть все попозже, но теперь об этом речи нет, разве что явится Людмила и выдворит гопкомпанию восвояси.

Значит, дом принадлежал Валерии? Вот, значит, о каком чудном месте она мне говорила, и теперь я с ней согласна, зал для приемов подошел бы идеально, особенно если учесть местный колорит. Здесь я могла бы устроить самый грандиозный праздник из всех, что я когда-либо устраивала, и угораздило же Валерию умереть непосредственно до него! Ну, да теперь что толковать.

— Алекс, зачем ты притащил ее сюда? — Лиана недовольно нахмурилась, глядя вслед Августе. — Она все веселье нам испортит.

— Не говори о ней так, будто ее здесь нет. — Алекс исподлобья зыркнул на Лиану. — Я хочу, чтобы моя сестра больше времени проводила вне дома, и небольшая уютная компания — хорошее начало.

— Но она пугает меня.

— Она всех пугает. — Алекс вздохнул. — Накануне гибели Валерии она сказала ей, что видит смерть, Лерка испугалась и разозлилась, нажаловалась отцу... В общем, получилась некрасивая ссора. Она многое видит, потому не выходит из дома, не хочет ничего видеть. Но сегодня мы потусим здесь, просто я подумал: старый дом, старые друзья...

— Ладно. — Лиана провела ногтем по кромке бокала. — Просто мне и правда здесь немного не по себе. Может, это потому, что зачем-то сохранили всю обстановку? И посмотри, там пепельница стоит, в ней окурки сигар, уже окаменевшие. Как будто дом просто закрыли и ушли и все осталось как было.

— Так и есть. — Алекс гордо выпятил грудь. — Я просмотрел все документы, этот особняк был под юрисдикцией американского посольства. А фактически после войны, когда дом был построен, здесь проживала якобы актриса Линда Ньюпорт, но потом оказалось, что это было что-то вроде загородного клуба, где собирались дипломаты и чиновники высшего ранга, чтобы весело провести время. Дом для неформальной тусовки, там позади, согласно плану участка, есть крытый бассейн и даже поле для гольфа.

— Что значит — «якобы актриса»? — Янек достал свой телефон и принялся искать в Интернете. — Да, фильмография не впечатляет, но сама дама...

— Покажи! — Лиана заглянула Янеку через плечо и удивленно округлила глаза. — Да ладно!

— Сам в шоке. — Янек задумчиво листает страницы. — Глазам своим не верю.

— Что там такое? — Пауль тоже поднялся. — Покажите! Ох ты ж блин! Это ж вылитая Адель. Лиана, ты это видишь? Ну, точно — Аделина, собственной персоной!

Я так понимаю, они нашли фотографии Линды. Не так уж я на нее и похожа, если судить по портрету над камином.

Как вы понимаете, зовут меня никак не Света. Но я предупреждала, что у меня была копия чужих документов, а очень сложно найти ксерокопию паспорта с похожей фотографией и нужным именем одновременно. Впрочем, и само имя не слишком типичное. Мать говорила, что его мне дал папаша — он тогда еще не пил и радовался моему рождению.

— Здесь сказано, что Линда Ньюпорт была убита в этом самом доме. Вроде как отравлена. — Янек задумчиво разглядывает фотографии. — Да, сходство просто удивительное. А история темная... Якобы отравили ее в тесной компании, а кто — непонятно. А вот еще: у нее была дочь по имени Лулу Белл, на момент смерти Линды ей было пять лет, и в тот вечер она была в доме, тут же находилась нянька, престарелая незамужняя тетка Линды по имени Дженнифер Линн Ньюпорт, родная сестра отца актрисы. Здесь пишут, что девочку больше не видели, няньку нашли мертвой во дворе, причина смерти не установлена. Также в тот вечер была убита кухонная прислуга — чернокожая Люси Уоллес и молодая горничная, племянница Люси, тоже чернокожая — восемнадцатилетняя Мисси Тайнен, и тоже причины смерти не установлены. Еще был застрелен какой-то сотрудник нашего дипломатического корпуса по фамилии Дымов. Вот как раз тут прямо сказано — застрелен, но расследовалось ли это дело, неясно. В общем, я так понимаю, все спустили на тормозах, потому что не хотели скандала. Трупы, видимо, по-тихому убрали, а дом оставили как есть.

— Ужас какой! — Лиана поежилась. — Окурки сигар вон там, смотрите... Может, это они курили в тот вечер? Ну, убитые... А куда делся ребенок, страшно даже подумать... Лулу Белл, кукольное имя. Девочка на фотографии такая милая. Ужасно все это, конечно.

— Они все еще здесь. — Голос Августы звучит загробными нотками, и мне становится смешно. — Они не смогли уйти, потому что за их кровь никто не поплатился. Нам не нужно быть здесь, они злятся. Это их дом, нам нужно отсюда уйти.

— Гутька, прекращай ломать комедию! — Алекс зло покосился на сестру. — Здесь никто не оценит твоего актерского таланта. Это Лерку ты могла пугать сколько хотела, она велась, добрая душа, а мы — аудитория неблагодарная. Ребята, здесь есть выпивка, и я предлагаю выпить.

— Судя по имеющейся информации, здешние убийства расследовались службой безопасности посольства, но поскольку был убит также сотрудник нашего посольства, некий Владимир Дымов, то были задействованы силы госбезопасности.

— Но насколько глубоко они копали и что они по итогу выяснили, теперь уже никто не узнает.

— Так-таки и не узнает? — Янек ухмыльнулся. — Некоторые архивы были уже открыты, а к некоторым можно найти доступ, если есть желание.

— Да ну! — Алекс покачал головой. — Какой доступ к таким архивам?

— А спорим, я достану то, что тогда нарыли наши бравые разведчики? — Янек откровенно потешается. — Через час у меня будет эта информация полностью, со всеми фотографиями и протоколами.

— Спорим! — Алекс азартен, и мы все это знаем. — А на что спорим?

— А что ты ставишь? — Янек насмешливо прищурился. — Это должно быть что-то забавное.

— Хорошо. — Алекс скорчил мину. — Ладно. Если через час у тебя будет информация по тому старому делу, я отдам тебе свой мотоцикл.

— «Харлей», который ты купил недавно?

— Да. — Алекс презрительно хмыкнул. — А если нет — я женюсь на твоей сестре, а ты обеспечишь мне это любым способом. Идет?

— Идет. — Янек засмеялся. — Но вот даже умозрительно: ну, женишься ты на ней, например. Ты считаешь, она переменится? Да она тебя скорее убьет, чем ты станешь ею рулить.

— Поглядим потом.

Я слушаю этот ненормальный разговор, пребывая в абсолютном шоке. Только что Янек поставил на кон меня. Конечно, нет ни единого шанса, что он в случае проигрыша сумеет выполнить условия пари, — и он это отлично знает, а это означает, что он каким-то образом имеет доступ к секретной информации. И я хочу знать, как это у него получается, потому что если это так, то дело приобретает очень забавный оттенок.

— Вот сайт, где рассказывается об убийстве Линды Ньюпорт. На этом сайте собраны все нераскрытые преступления, и это убийство тут обсуждается очень живо. — Янек листает страницы сайта. — Тут говорится о том, что, согласно завещанию самой Линды, вся ее собственность после ее смерти принадлежит ее дочери Лулу Белл или ее наследникам, так что ее недвижимость и счета заморожены государственными исполнителями, поскольку

Лулу Белл Ньюпорт до сих пор считается пропавшей без вести. И поскольку судьба ее неизвестна, то пока с ее рождения не исполнится сто лет, это имущество не может быть передано в казну. Если же Лулу Белл умрет, не оставив наследников, и это будет доказано, имущество актрисы должно быть распродано, а деньги перечислены нескольким больницам, список прилагается. Одной из этих больниц является больница Бельвью. Строго говоря, это сумасшедший дом, где умерла мать Линды — Симона Ньюпорт, она утверждала, что слышит голоса мертвых, когда включает душ или когда дует ветер. Из-за этого она отказалась мыться и выходить на улицу. В общем, семейка та еще. Отцом Линды был цирковой артист Джек Ньюпорт, Симона тоже выросла в семье циркового артиста — ее родителями значатся Саймон и Мари Дейли, никаких иных сведений о них не сохранилось, кроме пары фотографий, но они нечеткие. Видимо, так родители Линды и познакомились, и когда Линде было девять лет, ее отца нашли мертвым, причиной смерти назвали сердечный приступ.

— Банально. — Лиана округлила глаза. — Зачем люди все это выясняли?

— Ну, когда ищут информацию, то выясняют что могут. — Янек покачал головой. — После смерти отца Линды ее мать, и до этого случая достаточно странная, стала слышать голоса, вела себя как сумасшедшая, и к ним переехала родная сестра отца, Дженнифер Линн Ньюпорт, старая дева. Она и вырастила Линду, и все годы присматривала за Симоной, а когда Линда начала делать карьеру, появились деньги, чтобы лечить мать, но было поздно, Симона слишком далеко погрузилась в свой мир. Когда Линда забеременела, то поместила мамашу в Бельвью, где та благополучно скончалась примерно через год после рождения внучки, которую она так и не увидела, но она вряд ли что-то осознавала. А Дженнифер Линн стала заботиться о Лулу Белл, пока и не нашла свою смерть вот в этом самом доме, вместе с остальными, кто здесь был. А девочку так и не нашли... Надо же, куда она могла подеваться? Кстати, на здешнем участке есть кладбище, где и похоронены все участники тех событий.

— Боже мой! — Августа в ужасе закрыла уши ладонями. — Они все здесь, вот почему!

— Уймись, это просто кучка праха. — Пауль презрительно сощурился. — Интересно только, почему их похоронили здесь, а не на местном кладбище, раз уж не хотели увозить на родину?

— Эта земля была собственностью посольства — и соответственно, родной страны убитых, вот их и похоронили на родной земле. — Янек покачал головой. — Юридически это так. Алекс, ты видел документы, на плане есть кладбище?

— Нет, конечно, откуда? — Алекс пожал плечами. — Думаю, и Валерия о нем не знала, а тем более отец. Но, судя по документам, участок довольно обширный, успеем посмотреть.

Лиана тоже уже что-то нашла и самозабвенно читала. Она профессиональная сплетница, и ей всегда мало пищи для сплетен, она в постоянном поиске. А еще я точно знаю, что они с Паулем торчки. Понятия не имею, когда именно они присели на кокс, когда в прошлом году я устраивала день рождения Лианиного мопса Джея, она еще не употребляла, а с некоторых пор я заметила, что Лиана подсела, а теперь вижу, что Пауль подсел тоже. Думаю, это он присадил Лиану на порошок.

Наркота — зло, граждане, это однозначно.

И если судить по оживлению, с каким Лиана набросилась на информацию о Линде Ньюпорт, как огонь набрасывается на сухую солому, она недавно закинулась. Тем не менее я все равно не понимаю, почему ее так заинтересовала ситуация почти столетней давности — похоже, свежих сплетен в последнее время мало.

— И в этом доме все осталось так, как было в момент убийства?!

— Ну, как видишь, трупы все-таки вынесли. — Пауль роется на полке у бильярдного стола. — Интересно, где мел? Я бы шары покатал.

— Мел израсходовали, когда обводили трупы. — Алекс издал сухой смешок. — Нужно выпить и осмотреться. Когда я узнал об этом доме от Валерии, то очень хотел посмотреть, но она запретила — типа, ремонт, и вообще сюрприз, но она говорила, что зал для приемов здесь просто великолепный. Валерия хотела, чтобы Адель все тут для нее организовала, собиралась ей звонить. Но слухи о том, что Адель поссорилась с семьей и куда-то пропала, нас обоих очень огорчили, особенно Валерия переживала — из-за праздника, понятное дело... Так что у вас там произошло, Янек?

Янек покачал головой, что-то сосредоточенно набирая в телефоне. Он принял пари, и на кону стоит его репутация, потому что мне все еще любопытно, каким образом он бы заставлял меня выйти замуж за Алекса. А никаким. И ему это прекрасно известно. Как говорится в бессмертном фильме — нет у вас метода на Костю Сапрыкина, ага. А значит, что-то он мутит.

— Зачем твой отец купил этот дом? Он что, не знал об убийствах? — Лиана настороженно огляделась по сторонам, словно ожидая, что вот сейчас откуда-то выпрыгнет призрак Линды Ньюпорт. — Я бы ни за что не хотела жить в таком месте, здесь жутко. Еще и кладбище где-то на участке...

Лиана зябко повела плечами. Впечатлительная натура, ничего не поделаешь, да еще кокаин здорово обостряет нервные реакции.

— Лерка рассказала, что прочитала в Интернете о продаже этого дома и загорелась. — Алекс презрительно хмыкнул. — Она вообще увлекалась всеми этими голливудскими историями, о Мэрлин Монро собирала информацию и даже купила на аукционе ее туфли, бешеных денег стоили. А тут, как видите, целый дом, фактически в первозданном виде — наполненный мебелью и шмотками, вы представляете себе размер соблазна? Ну, отцу, я так думаю, барахло было без надобности, он смотрел на дом и место, а потому был не против, тут место хорошее, дом тоже, ну вот и купил ей. Но оказалось, за то время, что дом стоял пустым, все трубы и проводка пришли в негодность, так что пришлось сделать небольшой ремонт, Лерка жаловалась, что едва нашла фирму, которая умеет ремонтировать исторические здания. Я и сам узнал об этой покупке буквально за две недели до смерти Валерии. Но я не думаю, что отец знал о захоронениях на участке, судя по фотографиям, которые я нашел среди бумаг Валерии, восточная сторона заросла совсем, туда просто не успели добраться с благоустройством.

— Я бы ни за что...

— А я вот не удивляюсь, Лерка была повернута на старых штуках, ей это доставляло удовольствие. Правда, она говорила, что ночевала тут всего один раз — они с отцом приехали поиграть в гольф, но больше не приезжали. Но и не меняли ничего, Валерия принципиально хотела оставить все как есть — и теперь, увидев все это, я с ней склонен согласиться, хоть ее уже и нет, в этом доме есть своя прелесть. Теперь я вижу, что этот дом — отличная покупка, и раз Валерии больше нет, то я собираюсь попросить этот дом у отца, будем здесь устраивать тусовки, я думаю, он будет не против. Я найму штат прислуги, почистим бассейн, отремонтируем поле для гольфа, сделаем теннисный корт. Но сейчас здесь никого нет, кроме нас, в этом вся прелесть, понимаешь? Отлично потусим, потом можем лечь спать — спальни наверху вполне функциональные, ванные комнаты немного модернизировали, так что все будет отлично.

— Так твой папаша не знает, что мы здесь?

— Ему не до меня, Ли. — Алекс покачал головой. — Вообще не до нас и ни до чего. После смерти Валерии он не в себе, он же любил ее, вот что самое смешное. Ведь пустая была бабенка и замуж вышла только ради денег, и даже отец это понимал — а вот любил, странно так. Он маму так не любил, как любил Лерку. В общем, с тех пор он в кусках, так что я не стал спрашивать разрешения, нашел у Валерии в столе ключи — и вот мы здесь. Вреда-то от этого никому никакого нет.

— Ясно. — Лиана снова потянулась к Янеку. — Но в доме все-таки кто-то есть, кроме нас, я слышала, что играет рояль.

— Да плевать! — Пауль грузно поднялся и потопал к стойке с напитками. — Я пивка бахну для начала. Янек, приятель, а куда все-таки подевалась твоя красотка-сестра?

Наступила неловкая пауза, и я замерла. Интересно, что станет говорить Янек.

— Я слышал, Алекс ухаживал за ней. — Янек тонко улыбнулся, обернувшись и в упор взглянув на Алекса. — И теперь готов даже на ней жениться. Или нет?

— Ну почему же — нет? — Алекс пожал плечами. — Хотя я бы не назвал это «ухаживал», слово старомодное... Но, возможно, отражает суть. Сестрица твоя, как справедливо заметил камрад Пауль, красотка — мало того, она невероятная красотка, но вот беда: недотрога ужасная и такая деловая всегда, занята, торопится. Твой папаша ее что, совсем в черном теле держал, что девчонка работала день и ночь?

— Я не жил дома.

— Ага. — Алекс ухмыльнулся. — В том-то и дело. Родного сына в Итон, а падчерице и местного института хватит.

— Но она сама не захотела...

— А у нее что, кто-то спрашивал? — Алекс взял со стойки бутылку вина и налил себе бокал. — Парень, твоя сестрица — та еще штучка, там помимо внешности и мозги прилагаются, а уж характер... Но дело в том, что вы все вели себя в отношении нее как свиньи. Извини за прямоту, но это правда. Так ты не в курсе, куда она подевалась?

— Нет. — Ухмылка сползла с лица Янека. — На наши звонки она не отвечает.

— Следователь сказал, что Валерия звонила ей в день смерти — думаю, собиралась нанять ее для организации праздника. — Алекс отпил вина и оглянулся, ища взглядом Августу. — Возможно, Адель видела убийцу, свидетельница говорит, что Валерия была в том дворе с какой-то девушкой, они катались на карусели и разговаривали, а потом вместе пошли в сторону арки, когда убийца набросился на них. Думаю, если это и вправду была наша пропажа, то она могла бы рассказать, что видела. Но они с Валерией никогда не были подругами, с чего бы им вместе на карусели кружить среди ночи? И если это была она, то...

— То вполне возможно, что Адель тоже убили. — Пауль вздохнул. — Свидетели убийств долго не живут, а если она видела убийство Валерии, то убийца мог догнать ее и грохнуть.

— Но тела не нашли. — Янеку заметно неприятна эта тема. И я молча радуюсь. — Я не знаю, где моя сестра, но уверен, что она жива и здорова. Просто у нас в семье непростые отношения, но они не касаются никого, кроме нас.

— Но вы подали в розыск? Ведь она пропала!

— Нет. — Янек отстранился от Лианы, которая, похоже, собралась обвиться вокруг него. — Я не думаю, что должен объяснять причины этого, но в розыск мы не подавали. Была небольшая семейная ссора, Аделина вспылила и ушла, но я уверен, что со временем она остынет и вернется домой.

Ага, когда ад замерзнет. И слово-то какое нашел — остынет! Как будто мы повздорили из-за цвета обоев.

Нет, мы просто сказали друг другу то, что думали долгие годы, и сделали то, что давно хотели, а после этого нам больше нечего было ни сказать друг другу, ни даже думать о том, что есть какая-то перспектива для общения. Так что я бы на месте Янека не сильно рассчитывала на то, что когда-нибудь эти обстоятельства изменятся.

— Так мы будем веселиться или нет? — Лиана капризно надула накачанные гелем губы. — Янек, лучше расскажи что-нибудь интересное. Или давайте устроим настоящую голливудскую вечеринку! Очень жаль, что здесь нет твоей сестры, вот кто умел устроить веселье... Упс, прости, я больше не буду о ней упоминать, понимаю, что это для тебя больная тема.

Пока мальчики пикировались, Лиана, похоже, самостоятельно выглушила бутылку шампанского, и сейчас все, что было на ее небольшом жестком диске, вываливалось в паблик.

— Послушайте, а если ей позвонить? — Лиана выудила из сумочки здоровенный телефон в переливающемся стразами чехле и победно взмахнула им в воздухе. — Я просто наберу ее и приглашу сюда, и она устроит нам вечеринку.

— Попробуй позвонить. — Алекс насмешливо смотрит на Лиану. — Я звонил много раз, она выключила телефон.

— Да ну вас! — Лиана старательно просматривает контакты. — Валерия же ей как-то дозвонилась в день своей смерти? А значит, трубу она берет, просто не на все звонки отвечает. Как же я ее забивала?.. На «А» — нет, на «П» — праздник! У нее огромный талант организовывать праздники и вообще всякие мероприятия. Думаю, что и зарабатывает она очень много, потому что ее расценки всегда были кусачие, но оно того стоило… Ага, вот, точно — «ПРАЗДНИК». Сейчас…

Я понимаю, что сейчас было бы весело ответить, а потому я отвечу, только жаль, что для этого мне придется покинуть свой пост и я не увижу их лиц.

Но зато услышу все, что они будут говорить потом.

Телефон завибрировал у меня в руке, и я приняла вызов.

— Привет, дорогая. — Пьяный голос Лианы меня изрядно повеселил. — Узнала меня?

— Как я могу тебя не узнать? — Мне смешно, и я не сдерживаюсь. — Привет, рада слышать.

— Послушай, мы тут… Да что такое, прекрати!..

Голос Лианы оборвался, и в трубке послышался голос Янека:

— Только не бросай трубку.

— Чего тебе?

С ним я не собираюсь быть любезной, еще чего!

— Послушай, я знаю, что ты сердишься. И я виноват, и…

Я молча отключила телефон и на цыпочках пробежала к своему наблюдательному пункту. Все это время мой спутник хранил молчание, и на какое-то время я даже забыла о нем, настолько тихо он стоял, даже дыхания не было слышно — он просто не знал, что происходит, но сейчас до него начало что-то доходить, потому что на его лице я читаю вопрос, а потому жестом приказываю молчать.

Успеем поболтать, а сейчас отличное время повеселиться так, как я понимаю веселье.

12

— Зачем ты влез? — Лиана яростно смотрит на Янека. — Сиди теперь, помирай от скуки. Алекс, зачем ты нас сюда притащил? Даже музыки нет! И ты тоже хорош, зачем-то влез, я бы с ней договорилась, она бы приехала, и говорил бы с ней до посинения, а теперь она подумает, что я с тобой заодно. Уж не знаю, что у вас там дома произошло, и не мое это дело, но отбирать телефон у меня ты права не имел. Тем более что это было глупо.

— Согласен. — Янек вздохнул. — Я на какой-то момент абсолютно голову потерял, когда она ответила тебе. Мы все эти дни искали ее, отец нанял людей, и они искали, и почти нашли — она одно время снимала квартиру, но проворонили ее, идиоты. Отец продолжает ее искать, задействованы очень серьезные люди, но она просто пропала, и все, а тут вдруг, извольте видеть, ты позвонила — и она сразу ответила.

— Ну, судя по голосу, она в полном порядке. — Лиана снова потянулась к шампанскому. — Просто Адель, видимо, не хотела с тобой разговаривать, а я с ней не ссорилась. Правда, теперь я не знаю, ответит ли она снова, если я ей позвоню, а все ты!

— Что ж, будем развлекаться сами. — Алекс долил себе вина и огляделся. — Вот патефон, интересно, он работает? Глядите, пластинки какие — не винил, а еще те, бьющиеся. А это что?

Наклонившись под стойку, он выудил объемистую полированную коробку красноватого цвета, с золотой пластинкой на крышке, заглянул в нее.

— Когда-то это были хорошие сигары, — заметил Янек. — А сейчас...

— Я предлагаю найти зал для приемов. — Алекс поднялся. — Валерия уверяла, что это нечто грандиозное, и я уверен, что так оно и есть. А дом осмотрим позже.

— Отлично, так и сделаем. — Лиана достала из бара еще одну бутылку шампанского. — Только шипучку возьму, шипучка отменная.

Они поднялись и вышли из комнаты, а мы с Владом остались стоять там, где стояли. И я спиной ощущаю, что у моего спутника есть ко мне вопросы.

— Значит, Аделина?

— Не начинай.

— Нет, имя Света не подходило тебе, как породистой кошке с родословной не идет имя Мурка. — Влад провел пальцем по моей шее. — А что стряслось у тебя с семьей?

— У меня нет семьи, так что ничего не стряслось.

— А как же...

— Заткнись.

Я не намерена обсуждать с ним все эти дела, да и нечего обсуждать.

— Давай-ка перейдем дальше и поглядим, что они там делают.

— Так ты их знаешь?

— Ну, ты ведь и сам это уже понял.

Мы очень близко друг к другу, и меня напрягает такая близость. Я не люблю ни с кем быть настолько рядом и очень не люблю, когда ко мне прикасаются.

— Тебя тревожит, что здесь так тесно?

— Не люблю, когда меня трогают.

Наши глаза встретились. В полумраке тесного коридора я вполне могу смотреть ему в глаза, сквозь тьму все виднее. Тьма отбрасывает фальшь, во тьме видно только настоящее.

— Совсем? А как же... Ну, отношения там, секс...

— Никак.

Я больше не намерена продолжать этот скользкий разговор. Искренность беззащитна, а я не люблю ощущать беззащитность, это слишком дорого обходится по итогу.

Осторожно ступая, мы пошли по коридору, по пути отмечая, как хитро пригнаны панели.

— Когда делали ремонт, не могли не видеть эти ходы, — сменил тему Влад.

— Могли и не видеть, тут ни труб, ни проводки нет.

— Ну, тоже верно.

Надеюсь, мы идем достаточно тихо и компания в зале нас не слышит.

Они сгрудились около камина, и я отлично знаю, на что они смотрят.

— Прекрасный портрет.

Они смотрят на портрет Линды, а я вдруг потеряла интерес к происходящему, тем более что откуда-то потянуло сквозняком и у меня замерзли ноги.

— Холодно... — Я поплотнее запахнулась в соболя. — Откуда-то сквозит.

Я говорю это очень тихо, но мы стоим слишком близко друг к другу, и я ощущаю запах кожи Влада.

— Ага, откуда-то тянет. Может...

Его рука приобняла меня, словно защищая от холода, и я сжалась. Не люблю, когда меня трогают, ну вот что тут было неясно?

В гостиную тяжелой поступью вошла Людмила.

Вот уж кто выглядит в этой гостиной инородным предметом, так это она.

Даже современная компания молодняка, и те более уместны здесь, нежели она. В каких-то серых мужских брюках и мужских кошмарных башмаках, в коричневой длинной футболке, тоже выглядящей как мужская, с квадратным обветренным лицом, она ввалилась в эту утонченную гостиную и выглядит при этом еще более гротескно, чем обычно. Не понимаю, зачем она так коротко стрижется? Но с другой стороны — с такой внешностью локоны ей тоже не подойдут.

Вся проблема толстяков в том, что им не идет ничего.

В любом прикиде, с любой прической, с макияжем или без они выглядят просто толстяками, а хуже всего это смотрится на пляже, где оплывшие, как индейки, тетки в монументальных купальниках и смешных панамках натирают себя кремом для загара. Зачем? Какой в этом смысл, если они все равно выглядят уродливыми целлюлитными жабами, хоть в загаре, хоть так? Да просто жрите на полведра меньше, и будет вам счастье!

И вот Людмила ввалилась на вечеринку в своем экзотическом прикиде, и я мысленно начала примерять на нее разные наряды, и по всему получалось, что никаких нарядов ей носить невозможно, а я в этом разбираюсь. Ей не подходит никакая одежда из всего, что создано цивилизованным человеком, хотя в куске мамонтовой шкуры она, пожалуй, смотрелась бы вполне органично — жаль только, что мамонты давно вымерли, а Людмила так сильно опоздала.

Нет, вы не подумайте, что я чокнутая снобка — избави меня, боже, осуждать сограждан за их слабости или недостатки, неблагодарное это дело. Конечно, люди изменились с течением времени, но изменились не слишком и не в самом главном. По-прежнему одни люди убивают других из любви к Богу, и это очень странный мотив. «А, ты не любишь моего бога, который завещал любить ближних как себя и вообще крутой могущественный чувак? Н-н-на тебе в дыню, и покойся, блин, с миром, земля тебе стекловатой, чтоб знал, что такое смирение, благость и любовь к ближнему».

И по-прежнему люди убивают друг друга просто так, или из плохого настроения, или из-за денег, а чаще вообще по пьяной лавочке. И хотя в целом ситуация улучшилась, по крайней мере, там, где есть цивилизация, но средняя температура по больнице осталась прежней, как ни крути, потому что базовые потребности тоже остались прежними и тяга среднестатистического человека к уничтожению себе подобных и не слишком подобных все так же высока. Я думаю, если за нами, например, наблюдает какой-то внеземной разум — с целью решить, годимся мы для контакта или нет, то мы ему кажемся сборищем дикарей. Какой там контакт с кем-то, мы и между собой-то диалога наладить не в состоянии, чтобы не передраться.

— Ой, тетя Люда! — Августа повернула к Людмиле тревожный взгляд. — Вы побудете с нами?

— Нет. — Людмила недовольно смотрит на собравшихся. — Алеша, нужно поговорить.

Нет, я не пойду слушать, что говорит Людмила Алексу. Он покорно идет за Людмилой, которая на остальных собравшихся даже не взглянула.

— Гутик, а кто это? — Лиана любопытна, как всякая сплетница. — Жуткая тетка...

— Это тетя Люда, сводная сестра нашей покойной мамы. — Августа, не отрываясь, смотрит на портрет Линды. — Наверное, она Лешку будет ругать за то, что мы сюда, не спросясь, явились. Она еще здесь...

Последнюю фразу девчонка прошептала, но все услышали, даже я.

— Кто — здесь?

— Эта женщина... — Августа сжала кулачки, прижав их к тому месту, где у большинства женщин размещается грудь. — Она была здесь все время и сейчас здесь. Не ушла, как все уходят...

— Жуть какая! — Лиана испуганно оглянулась. — Давайте уйдем отсюда.

— Не слушай ты ее! — Пауль неодобрительно покосился в сторону Августы, что не идет на пользу его внешности. — Она сумасшедшая, несет что-то непонятное, насмотрелась ужастиков и привлекает к себе внимание. Янек, дружище, ну хоть ты поддержи меня. Зачем нагнетать жуть, не понимаю!

— Это настоящий портрет Линды Ньюпорт. — Янек рассматривает портрет очень внимательно. — Судя по всему, портрет выполнен с натуры.

— И она очень похожа на твою сестру. — Пауль засмеялся. — Только у этой дамы в глазах огонь и обещание, а твоя сестрица недотрога и очень деловая девка, но лицо, волосы, фигура — все практически идентично.

Значит, Людмила в близком родстве с Городницким, даже если и через детей — сестра матери, хоть и сводная, а все равно, шутка ли! Вот откуда золотая кредитка и прочее. И с таким счастьем она сидит на пыльном складе и занимается... Ну, я точно не знаю, чем занимается Людмила, но ее там все слушаются. Даже директор, которого я видела как-то раз, и то в компании Людмилы. Они стояли на крыльце и о чем-то говорили, и мне еще тогда показалось странным, что директор вроде как признает Людмилу если не главной, то равной себе по статусу.

Я умею читать язык тела, и тогда мне это просто бросилось в глаза, но я моментально забыла... Ну, не то чтоб забыла, поймите меня правильно, я никогда ничего не забываю, я запоминаю и засовываю информацию куда-то в дальний ящик памяти, а когда приходит время, просто достаю это и пускаю в дело. Но память — это не ящик, это жесткий диск огромной емкости, нужно просто им пользоваться, а не глушить разную дрянь, убивая клетки мозга. Да, блин, я жутко презираю тех, кто употребляет разную шнягу!

— Откуда ты знаешь, тут она или нет? — Янек мягко смотрит на Августу. — Ты ее здесь видишь? Ты видишь призраков?

— Иногда вижу, но чаще ощущаю. — Августа обхватила себя тощими руками за плечи. — С самого детства... Отец меня даже лечить пробовал, но потом один очень хороший врач объяснил ему, что некоторые вещи нужно просто принять. А потом появилась Валерия, и отцу стало не до нас. Для меня данное обстоятельство оказалось благом, так что я теперь даже выхожу иногда. С некоторых пор я научилась блокировать свое видение, но здесь это все очень сильно ощущается.

— Бред!

— Подожди, Пауль. — Янек жестом усадил косоглазого обратно в кресло. — То есть ты думаешь, что можешь слышать мертвых?

— Да, похоже на то. — Августа улыбнулась. — И я знаю, о ком ты хочешь меня спросить — о своей матери. Давай это отложим. Потому что здесь и без нее достаточно тех, кто хочет поговорить.

Они отошли от портрета и двинулись вдоль стены, движения их вдруг обрели странную идентичность. Они сели на что-то, что находится прямо под отверстием в стене, через которое я наблюдаю за комнатой. Помнится, вдоль стены там стоят диваны. Я вижу только их головы, но мне достаточно, потому что я теперь отлично слышу их разговор, а говорят они очень тихо.

— Ты видишь еще кого-то? Ну, с кем тут поговорить, в смысле. Кто-то здесь есть еще?

— Например, маленькая девочка в белой ночной рубашечке и с розовыми бантиками. — Августа смотрит куда-то в сторону. — Она здесь с того момента, как мы вошли. Она ничего не говорит, но очень внимательно смотрит... И я не думаю, что она была здесь раньше. Она пришла за кем-то, кто находится здесь.

— Девочка? — Янек заметно обеспокоился. — Черноволосая, кудрявая, с очень синими глазами?

— Да. — Августа оживилась. — Ты тоже видишь ее?

— Сейчас — нет, но раньше видел, и я знаю, кто это и за кем она ходит вслед уже много лет. — Янек отстранился от Августы и огляделся. — Она и сейчас здесь?

— Была здесь. — Августа вздохнула. — Но когда мы начали о ней говорить, она ушла.

У меня просто земля из-под ног уплыла. Черноволосая кудрявая девочка в рубашечке с розовыми бантиками.

Маринка.

Что Янек имел в виду, когда говорил, что она ходит уже много лет? Маринка умерла, ушла в свет — а я осталась во тьме, и... Но как он знал?! Как они все знали? Или же это все — какая-то ловушка, мистификация... Но они не знают, что я здесь. Или знают? Но тогда зачем все это понадобилось?

Когда мысли толпятся в голове и я стараюсь думать их все одновременно, то иногда зависаю. И сейчас мне хочется уйти, сбежать и подумать в тишине, но я не могу уйти, я должна понять, что происходит.

— Давайте уйдем отсюда. — Лиана уже протрезвела, и ей тоже не нравится происходящее. — Пауль, поедем в «Виллу Оливу», я проголодалась.

— Мы столик не заказали заранее, а там вечером не протолкнешься, придется ездить по всему городу, искать нормальное место, чтоб просто пожрать, и закончится это макдаком, а здесь должна быть еда, нужно проверить холодильник. — Пауль задумчиво нахмурился. — А ведь мы можем устроить спиритический сеанс!

— Что?!

Лиана оживилась и снова превратилась в прежнюю неуемную тусовщицу.

— Сама подумай: наша подруга Августа — сильный медиум, это же понятно. — Пауль деловито отхлебнул пива из банки. — Устроим спиритический сеанс и позадаем духам вопросы. У тебя нет вопросов, на которые бы ты хотела получить ответы?

— Ну... есть. — Лиана, пританцовывая, подходит к сидящим на диване. — Янек, тут Пауль предложил устроить спиритический сеанс, раз уж Августа у нас под рукой оказалась, а ты что думаешь на этот счет?

— Я думаю, что это глупая и опасная затея. — Янек покачал головой. — С некоторыми вещами лучше не шутить и вообще оставить их там, где они есть.

Он поднялся и снова пошел к камину, Августа посеменила за ним, как приклеенная. Наверное, она не привыкла к тому, что, когда она принимается нести свой бред, кто-то воспринимает ее всерьез.

Августа уставилась на портрет Линды, словно он притягивает ее — хотя если хоть часть из того, о чем она тут болтала, правда, то вполне может быть, что и притягивает. Я же слышу голоса и музыку в шуме воды и ветра, так почему бы Августе не видеть призраков? Кстати, мамаша Линды, оказывается, тоже слышала аналогичные звуки при сходных обстоятельствах, а окончила свои деньки в сумасшедшем доме. Именно потому я предпочитаю вставлять в уши затычки, когда принимаю душ, а при сильном ветре надеваю наушники. Грань между живым и мертвым гораздо более тонкая, чем принято считать, но в одном я согласна с Янеком: некоторые вещи лучше не трогать без крайней нужды, а уж тем более — просто так, из праздного любопытства.

— Пауль, давай вернемся в бильярдную, принесем еще выпивки, она там точно должна быть. — Линда поднялась и направилась к выходу. — Идешь? Меня этот дом немного пугает теперь.

— Давай. — Пауль грузно поднялся и потащился за Линдой. — Может, там и коньячок есть...

Они вышли, и какое-то время слышны их голоса, а я думаю о том, что нужно уходить из этого дома, что-то скверное здесь затевается.

— Я хочу домой. — Августа взяла Янека за руку. — Здесь... холодно.

— Можем уйти, я отвезу тебя.

— Дома тоже плохо. — Августа вздохнула. — И раньше было плохо, а после смерти Леры стало совсем ужасно. Отец... Он всегда очень жестоко к нам относился, а теперь стал вообще как зверь, я боюсь его, он меня ненавидит. Скрывает это, но я же чувствую. Раньше хоть Лера могла его сдерживать... А еще Андрей куда-то пропал...

— Андрей?

— Ага, Андрей Дымов, личный охранник отца, он с ним был все годы. Да ты его видел, уверена — большой такой, молчаливый тип. — Августа вздохнула. — Отец очень ему доверял... А когда не стало Леры, Андрей вдруг исчез, и когда я спросила у отца, куда он подевался, он так на меня посмотрел...

Августа поежилась, словно от холода. Для меня ее откровения открытием не стали, честно говоря. Я всегда знала, что Городницкий — сродни моему папаше, ни дна ему ни покрышки, полный психопат. Только у папаши денег не было, и его хоть иногда менты в отделении метелили, чтоб он немного в себя приходил, а Городницкий может куролесить, как ему вздумается.

— Она и правда очень похожа на твою сестру.

Что за хрень? Я могу поклясться, что никогда раньше не видела Августу. Старшую дочь Городницкого — Янину и Алекса знаю давно, а эта девица всегда была в тени, в наших увеселениях не участвовала, и я впервые вижу ее.

— Ты тоже с ней знакома?

— Лично — нет. — Августа вздохнула. — Я не люблю шумные праздники. Но иногда я за ними наблюдала, а потому и Аделину видела, и с Алексом, и с Лерой тоже. Красивая, но такая, знаешь... Очень холодная. Улыбается, но улыбка эта снаружи, а внутри словно пружина взведенная, внутри она улыбаться не умеет. Ты совсем другой.

— Мы все разные, что ж. — Янек вздохнул. — Так что, вызываем такси и едем по домам?

— Нет... Дома плохо. Видишь, у камина девочка стоит? — Августа сжала руку Янека. — Я боюсь ее.

— Не бойся. — Янек покачал головой. — Она никому вреда не причиняет, просто уйти не может, потому что по ней много лет горюет ее сестра и никак не может избыть свое горе и отпустить.

— Ты тоже видишь их? — Августа шепчет, но я слышу. — Я думала, что такая одна.

— Некоторых вижу. Просто я никогда никому об этом не говорил. Никто не поймет. Когда ты поняла, что другие не видят того, что видишь ты?

— Рано. — Августа грустно улыбнулась. — Когда мама умерла, я видела ее около гроба. Мне было мало лет, на кладбище меня не взяли, я осталась с нянькой, и мама осталась тоже, я с ней продолжала разговаривать, она что-то отвечала, а нянька нажаловалась отцу. В общем, лет до двенадцати меня пытались от этого лечить, а потом у отца появилась Лера, и меня оставили в покое. А ты?..

— Я видел всегда, но рано понял, что, кроме меня, никто больше их не видит. Я рассказал маме, а она мне поверила, но сказала, что говорить об этом не надо никогда и никому. Потом ее не стало, и я на время перестал видеть, я заставил себя не видеть это, и у меня получилось. Но потом отец женился на моей мачехе, и с ней вместе в наш дом пришла моя сестра. А за ней — и эта девочка. Я хотел не видеть ее, но не мог, она появлялась везде. Никто, кроме меня, не знал, что она пребывает в нашем доме, — ну а я, естественно, молчал и наблюдал, пока не понял, кто она и за кем ходит.

— Мы какие-то уроды, да?

— С точки зрения обычного человека — да. — Янек засмеялся. — Но мы ведь не обычные люди? Так что нам до мнения тех, кто обделен зрением и чувствами?

— А ты своей сестре говорил о той девочке?

— Нет. — Янек покачал головой. — Ее боль от потери и без того слишком велика, а мы так и не стали друзьями, чтобы поговорить об этом. Но если эта девочка здесь, то...

— То твоя сестра тоже здесь. — Августа тихо засмеялась. — Вот ты ее и нашел.

Они переглянулись, и мне совсем не понравилось то, что я увидела. Такие улыбки бывают у людей, которые... В общем, это как в фильмах ужасов об одержимых.

Вот что я проглядела.

— На кухне полно закусок. — Алекс вернулся в зал с большим блюдом в руках. — Мы можем неплохо перекусить. Что приуныли? Сейчас заведем музыку и потанцуем. А где все?

Но Лиана и Пауль уже вкатили в зал небольшой столик, заставленный бутылками.

— Отлично, здесь имеется еда. — Пауль потер руки. — А ты хотела уезжать. Потусим и здесь, нужно только музыку найти.

Я как-то сразу потеряла интерес к компании и отступила в коридор, снова попутно вспомнив, что я сейчас не одна.

— Уходим.

Влад молча потащился за мной, поскрипывая штиблетами.

— Что будем делать?

— Сейчас узнаю. — Я достала телефон и набрала номер Людмилы. — Черт, не отвечает. Ладно, что-нибудь придумаем.

Я отодвинула панель и вошла в спальню, уже совсем темную. Нашарив на стене выключатель, я щелкнула им, и свет полился отовсюду: люстра, боковые светильники... Нет, мне столько света не нужно.

Телефон Людмилы по-прежнему не отвечал.

— Что, не отвечает?

— Нет. — Я отключила люстру, оставив только небольшие светильники. — Не отвечает.

Я не могу уйти, потому что мне нужны документы. Я должна или достать свои документы из тайника, или остаться здесь, но дело в том, что оба варианта — так себе.

Я открыла спальню и толкнула дверь, но дверь не открывалась.

— Дай я попробую.

Влад толкнул дверь, потом сильнее — она подалась, но что-то держало ее со стороны коридора. Мы навалились на дверь вдвоем, и она открылась.

На полу, прямо под дверью, лежала Людмила. То, что она мертва, яснее ясного — из ее горла торчит рукоять кухонного ножа.

13

— Ну абзац! — Влад попятился. — Теперь мы замешаны в убийстве.

Уж эти мне современные рыцари с кусачками наперевес! С другой стороны, мы действительно оба оказались замешанными в убийстве, мы, собственно, обнаружили труп. И в телефоне Людмилы есть мои неотвеченные вызовы. В крайнем случае я снова могу вытащить сим-карту и спрятаться, но дело в том, что есть свидетель, который видел меня здесь, и хотя мы оба — алиби друг для друга, это ничего не меняет, — когда приедет полиция, в два счета выяснится, кто я и откуда.

А потом явится Бурковский. А уж Янеку так я и вовсе не хочу попадаться на глаза.

— А ведь по всему выходит, что грохнул эту тетку ее племяш. — Влад задумчиво смотрит на труп. — Их долго не было, о чем шел разговор — неизвестно, а поскольку парень пришел с блюдом, наполненным закусками, это значит, что он был на кухне, потому что нож в горле тетки из тамошнего набора. Второй у тебя в сумочке, а до этого ты его за поясом прятала.

Сукин сын, он заметил мои манипуляции с ножом!

Учитывая это и Янека с его умением видеть то, чего нет, я, похоже, не имею права называться Другим Кальмаром, не так уж я умна, как думаю о себе, если сумела проглядеть такое.

Это сильно пошатнуло мою самооценку, но она все-таки устояла.

— Ты решила, что я маньяк?

— Не то чтоб я так решила, но я не могла быть уверена, что это не так.

Я соображаю, что же делать с трупом. Будь я тут одна, то по-тихому слиняла бы, никто из компании меня не видел. Но сейчас это плохая идея, есть нежелательный свидетель. Вот почему-то любой свидетель — нежелательный, кроме, возможно, свидетеля на свадьбе, но в общем и целом граждане предпочитают обтяпывать свои дела в одиночестве, и я не исключение.

Вот и для того парня с ножом, который оприходовал Валерию, я — свидетель.

Ну, это так, чтоб не расслабляться.

А Влад — свидетель моего здесь пребывания. Если б не убийство, это не имело бы никакого значения, но неожиданный труп со следами насильственной смерти практически всегда сильно меняет положение дел. Сейчас присутствие Влада для меня — катастрофа. И дело даже не в том, что я не знаю, как он себя поведет — скорее всего, я смогла бы убедить его свалить отсюда по-тихому, оставив компанию внизу расхлебывать кровавую кашу, дело в том, что нельзя позволять, чтобы собственная жизнь зависела от чьей-то истерики или каприза.

Если делаете нечто скверное, то не нужно, чтоб об этом знал кто-то, кроме вас.

— Нужно звонить в полицию.

— Это ни к чему. — Я возвращаюсь в комнату и снова запираюсь на ключ. — Людмилу убил либо Алекс, либо Лиана или Пауль, либо же еще кто-то, кто находится в доме и кого мы не видели. Ты же слышал рояль, мячик этот...

— Значит, ты слышала!

— Я думала, ты заметил, что я не глухая. — Его тупость начинает меня бесить. — Конечно, слышала. Людмила говорила, что в доме неладно, и здесь-таки неладно, провалиться мне на этом месте. Но не призрак убил Людмилу, это сделал человек. А потому нужно обыскать дом снова, заглянуть во все закоулки, но найти неучтенного гостя.

— Ты собираешься объявить компании внизу, что здесь труп?

— Да. — Я хмыкнула, представив себе их лица. — Но я не скажу им, что мы наблюдали за ними, и ты будешь молчать. Эта тетка — родственница самого Городницкого.

— Того, у которого жену зарезали?

— Именно. — Я поправляю макияж и думаю о платьях и шубках в гардеробной Линды. — Единственный наш шанс выбраться из этой истории подобру-поздорову — это выяснить, кто убил Людмилу. Это не я, и не ты, и не те двое, что оставались в комнате. И выбор так себе, собственно.

— Думаешь, в доме все-таки есть кто-то еще?

— Призраки убивают ножами только в кино. — Я вспомнила остановившийся взгляд Людмилы и поморщилась. — Да, в доме кто-то есть. Кишка у Алекса тонка — убить, да еще вот так. У Лианы и Пауля нет никаких причин убивать Людмилу, они ее, скорее всего, даже не знали. А значит, есть кто-то еще.

Я прошлась по комнате, размышляя о куче разных вещей.

Если сейчас убедить парня уйти, он уйдет — напугать его как следует, пусть хватает свой ящик с кусачками и валит. Тогда он точно не скажет, что знает... Нет, плохая идея, он был в доме, и, когда полиция примется за него как следует, он расскажет.

По идее, можно его убить, но это уже на какой-то совсем крайний случай.

— Идем.

Я собираюсь объявить честной компании, что все они под подозрением. О том, что я за ними следила, умолчу и погляжу, как они примутся топить друг друга, а особенно Алекса, ведь он единственный, кто мог убить Людмилу, у него могла быть какая-то причина, и, по идее, все указывает на него. Но это было бы слишком просто, а я хочу, чтоб было весело — в моем понимании веселья.

Клянусь, это будет лучшая вечеринка из всех, что я делала. Потому что это — моя вечеринка.

— Пойдем через холл?

— Нет, через гардеробную. Они-то сейчас в зале для приемов. — Я толкнула панель, открывая проход. — Идем туда. Только имей в виду: не болтай лишнего, ты их не знаешь, это люди из определенного круга, и если мы проиграем, то в убийстве обвинят нас с тобой, а нам надо найти того, кто убил.

— Давай просто уйдем отсюда. — Влад серьезно смотрит на меня сквозь тьму. — Они нас не видели, да и никто не видел. Тихо уйдем, и все, а они пусть разбираются с убийством, полиция выяснит правду.

— Или не выяснит. — Он хочет испортить мне все веселье. — Я говорю, а ты как глухой! Это дети очень состоятельных родителей. Ни одного из них не обвинят, но обвинить кого-то надо будет, да? Считай до трех, кого они сделают виноватыми. Ты был в доме, об этом кто-то знал — твой босс, например. Его спросят, он скажет, а выяснить, что ты не ушел, а все это время находился в доме, — раз плюнуть. И у тебя спросят, отчего ты не ушел, и ты укажешь на меня.

— Не укажу.

— А как иначе ты объяснишь, что ты тут делал столько времени? Скажешь, эти люди спрашивать умеют. Они в любом случае на меня выйдут — просмотрят телефон Людмилы и выяснят, кому она звонила. Так что у нас с тобой выхода иного нет, как только найти настоящего убийцу, и времени у нас всего ничего.

Из множества моих талантов у меня есть один, который выручает меня всегда: я умею нравиться людям и умею их убеждать. Или это два отдельных таланта, но я обычно использую их в паре. Пожалуй, я смогу убедить аятоллу принять христианство, если это зачем-то мне понадобится, но пока мне достаточно начать свою игру и убедить всех играть по моим правилам.

Так я понимаю веселье.

Мы идем по узкому коридору между стенами, в гостиной пусто, голоса звучат из бального зала, как я и предполагала. Пока Алекс объяснялся с Людмилой, а Янек с Августой менялись призраками, практичные скептики Пауль и Лиана обнаружили кучу выпивки и, судя по всему, собираются споить всю компанию. И сейчас я намерена к ним присоединиться, тем более что выгляжу я обалденно, манто из горностая словно для меня сшито.

— Главное — не болтай, говорить буду я. — Влад в смокинге выглядит немного нелепо, но сойдет. — Ты по незнанию или непониманию можешь испортить мне игру, и тогда мы оба пропали.

— У тебя есть план?

Есть ли у меня план? Нет, плана у меня нет, но есть огромное желание поиграть.

— Что-то не слышно музыки, затихли они там. — Влад пытается что-то рассмотреть сквозь отверстие в стене. — Интересно, эта панель тоже движется?

— Тихо.

Они сидят вокруг стола, и я понимаю, что идея Пауля о спиритическом сеансе была поддержана в массах.

Янек смотрится очень комично, и я вообще не понимаю, как он оказался в этой компании. Ну, некоторым Итон не впрок, если человек дебил, то это навсегда.

— Что они…

— Эти кретины продавили Августу на спиритический сеанс. — Если она и правда настоящий медиум, дело может закончиться плачевно. — Думаю, технологию процесса только что подсмотрели в Интернете.

— Нужно их остановить.

— Зачем? — Мне сейчас в голову пришла смешная затея. — Нет, подождем.

Что они там бубнят, нам не слышно, зал очень большой, и портрет Линды Ньюпорт прямо над столом, где устроилась компания. Насколько я помню, на этом круглом столике громоздились кофейные чашки. Сейчас чашки переставлены на барную стойку, а столик заняли наши праздношатайки.

Господи, это просто смешно!

Тем более что чашки они поставили непрочно — видимо, второпях, и две из них только что упали и рассыпались золотисто-белыми осколками, и в тишине, переполненной дремучими предрассудками, это прозвучало очень громко, очень внушительно и потусторонне, словно в комнате и правда есть призрак, который рассердился и решил сгоряча побить посуду. Если это так, то это мой папаша Билецкий, уж он-то колотил посуду в промышленных масштабах, пока мать не купила металлические тарелки и кружки.

Лиана испуганно взвизгнула — видимо, как раз ей пришла в голову мысль о рассерженном призраке.

От наркоты мозги растекаются, вот что.

— Начнем? — Паулю явно не терпится. — Здесь сказано, что нужно взяться за руки, образуя таким образом непрерывный круг.

— Любой круг непрерывный. — Янек достал из кармана пискнувший телефон. — А вот и требуемая информация. Дружище Алекс, не видать тебе Аделины, как своих ушей.

— Что?!

— Пришла информация, забыл уже? А мы спорили, все свидетели. Так что ты остаешься без мотоцикла и без жены, но я считаю, что это для тебя в обоих случаях отличная сделка, только оценишь ты этот подарок судьбы позже.

Все рассмеялись, на Алекса жалко было смотреть.

А мне вот любопытно, как бы ему удалось жениться на мне и прожить достаточно долго для того, чтобы хоть как-то оценить масштабы разрушений, которые я бы принесла в его жалкую жизнь.

— Так мы сейчас узнаем, кто совершил здесь убийства? — Лиана оживленно подскочила. — Янек, что там? Не тяни!

— Боюсь, не узнаем. — Янек принялся листать страницы. — Итак, готовы? Убийства были совершены восьмого сентября одна тысяча девятьсот пятьдесят четвертого года. В числе убитых Владимир Дымов, пресс-атташе советского посольства в Испании, на момент убийства находился в отпуске и как оказался в этом доме, неизвестно... Так, а это отчеты о вскрытии. Линда Ньюпорт была отравлена ядом растительного происхождения, название растения вам ничего не скажет, в этой местности оно все равно не растет. Дымов был застрелен из револьвера очень маленького калибра, предположительно самой Линдой Ньюпорт — возможно, именно его она в свои последние минуты жизни подозревала в отравлении. Остальные были отравлены точно таким же ядом, просто его концентрация у всех разная, следователь предположил, что яд содержался в апельсиновом соке, который всегда подавался в этом доме. Но, возможно, яд был в кубиках льда, которые бросали в сок — именно потому у всех оказалась разная концентрация.

— Тогда почему на том сайте написано, что причина смерти прислуги неизвестна?

— Не будь ребенком, Лиана! — Янек даже поморщился от глупости вопроса. — Этой информации у владельцев сайта быть не могло, так что написали, что посчитали нужным, ну и чтоб интерес публики подогреть, одно дело — отравление, а совсем другое — неизвестная причина. Тут можно предполагать все, что душа пожелает, вот и ты попалась на эту удочку.

— Как у Шекспира — никто не выжил. — Алекс, похоже, смирился с потерей мотоцикла. — Все всех убили, куча бессмысленных трупов.

— Но в доме была еще маленькая девочка, Лулу Белл Ньюпорт, и если ее не обнаружили в доме — значит, кто-то увел или увез ее отсюда. Она не могла уйти сама и затеряться — маленькая девочка, говорящая только на английском языке, мигом привлекла бы внимание. — Лиана решила не сдаваться. — Так куда она подевалась, если ее тело не было найдено?

— Да куда угодно! Убийца мог забрать ее с собой и убить в другом месте, хотя смысла я в этом не вижу, но мне и обстоятельства не в полной мере известны. Кстати, девочка была единственной, кто точно не пил этот злополучный апельсиновый сок — у нее была аллергия на цитрусовые. — Янек пролистал присланные страницы дальше. — Тут куча информации по каждому из погибших. Линду одно время подозревали в шпионаже в пользу ЦРУ, но это были только подозрения, тогда подозревали всех иностранцев. В этом доме бывали очень важные люди — таких веселых вечеринок больше нигде не устраивали, Линда умела веселиться.

— Прямо как Адель. — Лиана потянулась. — Янек, так, может, ваша с Аделиной мать и есть пропавшая Лулу Белл?

— Мать родилась в семьдесят четвертом году, а Лулу Белл, согласно документам, — в сорок девятом. Родители нашей матери погибли, когда ей исполнилось три, их фотографии сохранились, ничего общего ни с Лулу Белл, ни с Линдой. Мать с момента их гибели воспитывалась у бабушки, которая умерла еще до рождения Аделины — мать рано вышла замуж, и ее бабушка умерла в тот же год, так что — нет, мимо. Но сыщикам приходило в голову, что отцом девочки мог быть кто-то из дипломатов или сотрудников того или иного посольства, в том числе и нашего. И были выявлены несколько совпадений: в то время, когда предположительно была зачата Лулу Белл, Линда находилась на съемках фильма во Франции. У нее была небольшая роль в проходном фильме, о котором забыли сразу же, как закончили снимать, но жила она не в отеле, как все актеры, а в замке Бриенн, недалеко от Дижона. Не путать с Шато Бриенн, замок Бриенн был построен гораздо позже и принадлежал младшей ветви рода де Бриенн, полностью вымершего еще в девятнадцатом столетии, но младшая его ветвь на то время еще сохранилась. Неподалеку от Дижона происходили съемки, а Линда жила в замке. Его владелец, маркиз де Бриенн, в свое время не стал дожидаться боевых действий, а только запахло жареным — уехал жить в Швейцарию, но после войны тут же вернулся, заявил права на свою собственность и очень быстро отстроил то, что было разрушено. Хотя замок почти не пострадал от военных действий, в нем располагался штаб — сначала немецкий, потом — войск союзников. Как он познакомился с Линдой, неизвестно, и тем не менее она жила в замке Бриенн, а это небывалое дело, маркиз слыл жутким снобом. А еще во Франции на тот момент пребывал и Владимир Дымов.

— Значит, отцом девочки был или этот маркиз, или Дымов? Его-то фотографии есть?

— Нет, Ли, маркиз не мог быть отцом девочки, на момент зачатия Лулу Белл ему было уже семьдесят два года. — Янек ухмыльнулся. — Так что вряд ли он имеет к этому отношение. А вот и фотография самого маркиза в молодости. Не находите сходства?

Общий возглас удивления прокатился по комнате, и мне ужасно любопытно знать, что же там такое.

— Линда Ньюпорт была его дочерью, тут к гадалке не ходи! — Лиана подпрыгивает от нетерпения. — Ну одно лицо, парень был когда-то очень хорош.

— Дочерью не дочерью, но родственниками они точно были. — Янек покачал головой. — Правда, мать Линды, по имеющейся информации, никогда не была во Франции, а маркиз де Бриенн не бывал в Штатах. Но это не значит, что сходство случайное. Думаю, если копнуть семейную историю, то понять, кем Линда приходилась маркизу, мы сможем. Но уверен: они тогда знали о своем родстве, иначе старику де Бриенну не было резона принимать в своем замке ветреную скандальную старлетку, он на пушечный выстрел не подпустил бы ее к своему родовому гнезду, тем более — беременную незаконнорожденным ребенком. А ведь Лулу Белл родилась в замке Бриенн, там провела первые годы жизни под присмотром Дженнифер Линн и двух гувернанток — Дженнифер Линн к тому времени уже состарилась, где ей было в одиночку справиться с маленькой девочкой. Но старый маркиз умер, не оставив завещания, и Линда, видимо, не смогла или не захотела доказывать их родство, так что была вынуждена уехать, забрав дочь и тетку с собой. Она была плохой матерью, но ребенок был ей нужен, девочка служила ей идеальным прикрытием.

— Прикрытием — для чего? — Пауль покачал головой. — Дикая история.

— Прикрытием для каких-то дел, о которых в этом отчете упоминается лишь вскользь, какими-то цифровыми кодами. Не было времени на расшифровку, но, судя по имеющимся данным, Линда все-таки занималась шпионажем, только вот конкретного хозяина у нее не было, она шпионила за презренный металл — для любого, кто платил. И вот тут мы вплотную подходим к версии с Владимиром Дымовым. В деле отчего-то нет его фотографии, но есть кое-какая информация. Дымов занимал в нашем дипломатическом корпусе не слишком заметную должность, но это не мешало ему разъезжать по Европе беспрепятственно. Думаю, он работал на разведку и Линда попала в поле его зрения не случайно. На момент предположительного зачатия Лулу Белл — а это примерно октябрь сорок восьмого года — Дымову было сорок два, он был женат на переводчице, тоже работающей на наш дипкорпус, детей у них не было. Что их связывало с Линдой, когда и при каких обстоятельствах они познакомились, я пока не пойму, но я не все еще тут прочитал, так что продолжение следует. Но, по моему мнению, Дымов годится на роль отца малышки Лулу Белл. Хотя вряд ли это имело для него значение, даже когда Линда приехала в этот тогда еще совсем новый дом со своим ребенком. Почему Линда не заявила свои права на наследство? Возможно, не захотела затеваться с судами, чтобы не привлекать лишнего внимания. Хотя это странно, для актрисы любое внимание важно... В общем, темная история, ребята.

— А потом ее убили здесь, и всех, кто был в доме, тоже. — Августа шепчет это, но слышат все. — Эта женщина увела ребенка, женщина отравила всех...

А револьвер оказался в шляпной коробке, и либо это был не тот револьвер, из которого убили Дымова, либо кто-то другой спрятал его там. Лично я склонна думать, что если в доме был револьвер, из которого застрелили Дымова, то малыш в моей сумочке — сам по себе, потому что револьвер, найденный с трупом, наверняка изъяли. Но если его не нашли? Быть того не может, шляпная коробка — ненадежный тайник, а дом, я думаю, тщательно обыскивали. И еще вопрос — почему Дымов был застрелен, а не отравлен, как все? А самое главное — Линда его застрелила или тот, кто еще был в доме, но о ком не упоминается в отчете?

— Женщина? — Алекс смотрит на сестру тяжелым неприязненным взглядом. — Какая женщина?

— Маленькая, худая, в синем платье.

— С таким же успехом можно заявить, что это были марсиане или кто угодно. — Лиана презрительно фыркнула. — Детка, хватит пороть чушь. Янек, а к чему они тогда пришли все-таки?

— Похоже, что ни к чему, как и их коллеги из службы безопасности посольства. Смерть Линды Ньюпорт никого не потрясла, не вызвала общественного резонанса или международного скандала, а потому дело закрыли. Смерть прислуги вообще не сочли чем-то важным — кого тогда волновали смерти каких-то негритянок? Возможно, что-то есть у ЦРУ, но эти архивы, как вы понимаете, охраняются гораздо лучше. А впрочем, вот еще... У маркиза де Бриенна была сестра. Сводная сестра, по отцу, от первой жены, ее звали Клодина Мари де Бриенн. Когда ей было пятнадцать лет, она сбежала из замка с каким-то артистом бродячей труппы, и след ее потерялся. С фокусником, что вообще унизительно для благородного семейства. Девушка оставила записку, где объясняла свой поступок тем, что семья не примет ни ее любовь, ни ее дитя — то есть предположительно на момент своего побега Клодина была уже беременна, а если взять во внимание обстоятельства, то я уверен, что де Бриенны заставили бы ее избавиться от бастарда и выдали замуж по своему усмотрению. В деле имеется ее последнее фото, сделанное в самом начале прошлого века, — тогда модной темой была смена столетий и делали памятные фотографии, вот такое фото есть в деле. И теперь я подозреваю, что наши кагэбэшники все-таки выяснили, кем приходилась маркизу де Бриенну убитая Линда. Внучатой племянницей. Линда была внучкой той самой Клодины Мари — видимо, в семье хранилась какая-то вещь, которую Клодина Мари передала своей дочери, а та — Линде, или документы, которые подтверждали это родство, а более того — внешность самой

Линды, которая говорила сама за себя. Ну конечно, все сходится! Дедом и бабкой Линды были цирковые артисты, матерью Симоны Ньюпорт значится некая Мари Дейли — и даже на этих нечетких снимках видно сходство, это Клодина Мари де Бриенн, и я...

Мне вот другое интересно — похоже, никому из собравшихся это в голову не пришло, а вот мне пришло, еще как! А именно: я хочу знать, откуда Янек добыл эту информацию, каким образом он получил доступ к засекреченным архивам и чему вообще его учили в том Итоне?

Потому что, похоже, тут не только я — Другой Кальмар.

— То есть каким-то образом твоя сестра Адель — маркиза? Ну, если принять за основу нашу версию?

— Похоже, что так. Если, конечно, все так, как мы думаем. — Янек покачал головой. — Но дело в том, что Адель внешне похожа на своего отца.

Если он сейчас выложит этим сплетникам подноготную моего папаши, я его реально придушу.

— А ее отец — он был кем?

— Насколько я знаю, никем. Работал на стройке. — Похоже, Янеку хватило ума не болтать лишнего. — О нем я у матери не спрашивал, Аделина же и вообще мне бы голову откусила, вздумай я спросить. Знаю только, что он был сиротой, как и мать Аделины, но вырос в детском доме. Его мать, судя по оставшимся документам, умерла родами, и он сам умер молодым, когда Аделине и девяти лет не было.

— А имя матери в документах есть?

— Нет. — Янек вздохнул. — Но, судя по годам, а отец Аделины родился в шестьдесят седьмом году, — Лулу Белл Ньюпорт вполне могла быть его матерью. Если предположить, что она оставалась жива все те годы, когда ее искали. Знать бы, как все это вышло...

— Теперь уже никто не расскажет, все мертвы. — Шепот Августы как шелест листвы по камню. — Все сходилось на этой женщине, Линде, но она давно мертва и похоронена. Никто не оплакивал ее, никого не осталось, а девочка была слишком мала, чтобы понимать, что происходит, она вряд ли помнила...

Мне вдруг ужасно надоело торчать в пыльном коридоре, и зловещий шепот Августы совпал с моим решением обнаружить себя. Я кивнула Владу, и мы направились в сторону коридора, ища отодвигающуюся панель. Как я и ожидала, такая панель нашлась — почти у самого входа в зал — и при нажатии на рычажок у стыка бесшумно скользнула в сторону, мы шагнули в зал, панель с едва слышным шелестом встала на место. Как открыть ее со стороны комнаты, я без понятия, но это можно понять и потом, а сейчас гулкий полутемный зал навалился на нас давно скучающей пустотой.

Здесь слишком давно никого не было, а тьма тоже иногда скучает.

14

Сказать, что наше появление было неожиданным, — это ничего не сказать. Думаю, упавшие чашки были просто артподготовкой, а мы попали как раз на тот момент, когда по сценарию должен задрожать стол, а в медиума вселиться демон.

Но демон не вселился, а появилась я, и не факт, что это лучше.

Лиана снова истерично взвизгнула и полезла под стол, косой глаз Пауля окончательно потерял ориентацию в пространстве, Алекс икнул и уставился на нас — я бы сказала, что как на привидения, но дело в том, что я фактически и была для них в данный момент именно привидением.

И только Янек смекнул, что к чему.

— Это она, она! — Пауль тычет в меня трясущимся пальцем. — Черт, вот же черт!

— Прекрати истерику. — Я не собираюсь и дальше оставаться в роли призрака, мне достаточно было просто все это увидеть и оценить. — Тебе спьяну ужасы мерещатся.

Янек молча смотрит на меня, и я знаю, о чем он думает. Ему зачем-то нужно снова начать выяснять со мной отношения, но на людях он этого делать не станет, воспитание не позволит. Хотя в нем я уже один раз ошиблась, если это правда насчет призраков, и если правда, то в чем еще я ошиблась?

Но сейчас об этом думать глупо, наверху остывает труп Людмилы, и он — не может ждать. Иногда трупы бывают очень нетерпеливыми, и у нас как раз такой случай.

— Как ты здесь?..

— Тебе не все равно? — Мало кто раздражает меня так, как этот прилизанный напыщенный сукин сын. — Выглядите вы как сборище кретинов.

Мне сейчас совершенно ничего от них не нужно, да и вряд ли понадобится: Лиана скоро сторчится, ее пристрастие к кокаину будет расти, на эту дорожку просто встать, да сойти никак. Пауль, скорее всего, сильно удивится, когда проверит состояние своего сердца, полоумная Августа закончит свои деньки в дурке, а Алекс, я думаю, тупо сядет за убийство. Так что я вполне могу списать эту компашку в убыток.

Остается Янек, но тут особый случай.

Еще одна чашка упала со стойки, и я решила исправить дело. Терпеть не могу, когда зря пропадают хорошие вещи. Как-то я читала, что бережное отношение к вещам — признак нищеты и что вещи не должны довлеть над человеком, отчасти это правда. Но одно дело — трястись над вещами, превращаясь в смешного и жалкого скрягу, а совсем другое — от нечего делать портить вещи, которые могут еще сгодиться.

— Я не понимаю...

Лиана выползла из-под стола и смотрит на меня растерянно. Знайте, наркотики реально зло, от них мозги перестают работать, причем практически сразу. Это потом уже подтягиваются ништяки в виде дрожания конечностей, ломки, нервных рваных движений и разрушившихся тканей носа — для тех, кто нюхает, или огромные зияющие ямы на теле — бонус для торчков. Это потом отказывает печень, и прочий праздник жизни начинается напоследок, когда смерть уже как избавление. Но сначала умирает мозг. Он вроде бы как-то работает, и тело не сразу ощущает нарушения в башке, но потом в какой-то момент оказывается, что оперативная память сужается до размера памяти рыбки-гуппи, например. И что нового ничего уже усвоить невозможно, а хуже всего — и не хочется, мир схлопывается в точке белой дорожки, и все помыслы начинают вертеться вокруг: где взять, у кого купить, почему толкача нет на привычном месте, почему сегодня порошок сильно разбавлен непонятно чем. В общем, все начинает вертеться вокруг наркоты, так это еще Лиана избавлена от необходимости искать деньги, а если эта проблема есть, то тут уж и тюрьма совсем рядом, а из тюрьмы торчки выходят полными развалинами, если вообще выходят.

В общем, если хотите прожить недолго и мерзко, употребляйте наркоту, граждане.

Лиана пока в самом начале этого пути. Она еще не успела плотно подсесть, просто балуется, но ее мозг уже не тот и никогда не будет прежним. Она и раньше не была самым острым ножом в ящике, если вы понимаете, о чем я говорю, но сейчас уже очень заметно, что ее контакты и пиксели понесли урон. А вот когда после пары лет употребления хрящи ее носа пошабашат, это вообще будет смешно. Ну, и личико уже не будет таким смазливым, она превратится в мешок с костями. Это неизбежно, как цунами у берегов Японии.

Поймите меня правильно, я никого не учу жить. Я вообще далека от того, чтобы заботиться о ближних, и квасная мораль мне претит, но я так часто видела, как люди собственными руками превращают себя в куски визжащей от боли органики, что иногда под настроение просто пытаюсь понять, зачем они это с собой делают. Нет, лично вы можете убивать себя каким угодно способом, просто не говорите потом, что я вас не предупредила.

Но это в любом случае собственный выбор, и в случае с Лианой я умываю руки.

— Это не призрак. — Янек в упор смотрит на меня. — Это моя сестра.

— Я тебе не сестра.

Терпеть не могу это псевдородство. Миллион раз говорила!

Алекс каким-то образом оказался рядом со мной и пытается улыбнуться, но я же видела его испуг. Все эти люди, несмотря на образование и технический прогресс, верят в чертовщину, призраков, потусторонний мир и остальное в том же роде. И если бы у меня сейчас была машина времени, я забросила бы их в Средневековье, где все они отлично прижились бы.

Всему на свете есть объяснение, даже если кажется, что нет.

Августа сидит молча, словно к чему-то прислушиваясь. У девчонки явно проблемы с психикой, и теперь я понимаю, почему Городницкий не горел желанием, чтобы она показывалась на людях. Хотя с какого-то момента ему вообще стало наплевать на своих детей от прежней жены, потому что у него появилась новая блестящая игрушка — Валерия.

Только теперь Валерии не стало, причем убили ее самым зверским способом.

— Отлично выглядишь. — Алекс провел пальцем по горностаевому манто. — Куда пропала? На звонки не отвечаешь, я искал тебя...

Я уже говорила, что Алекс пытается приударить за мной? Говорила, сто пудов. Он по-своему неплох — если вам нравятся высокие жидкокостные юнцы в распахнутых на хилой груди ярких рубашках, теряющие рассудок при виде карт, игровых автоматов, рулетки и бог весть чего еще, с чем можно поиграть.

Мне такие не нравятся.

— У нас проблема. — Я понимаю, что надо брать быка за рога, пока ситуация не переменилась. — И ее придется решить самостоятельно, без папочек.

— Что? — Лиана наконец сообразила, что к чему. — Боже, Адель! Ну и напугала ты нас! Отлично выглядишь, кстати, эти меха просто отпад, где достала?

— Здесь полно этого добра. — Лиана разделяет мою страсть к шмоткам. — Потом покажу.

— Ты видела этот портрет? — Глаза Лианы возбужденно блестят. — Ты невероятно похожа на эту даму, так странно, правда? Я даже приняла тебя за нее, в этом наряде ты реально похожа на нее. Но знаешь, что мы выяснили? Эта дама, возможно, была твоей прабабушкой! А ты — маркиза.

— Хватит нести чушь!

Выяснили они, как же. Не хочу сейчас это обсуждать, я потом все сама выясню и уж тогда буду точно знать, кто кому Вася в этом хаосе из генов и диких интриг.

— Да почему же — чушь? — Лиана обиженно надулась. — Янек, покажи ей! Боже, когда ты вдруг появилась, я чуть не описалась!

Августа смотрит на меня, раскачиваясь. Да, умерла мать, девчонка осталась одна, с авторитарным и жестоким папашей, которому было плевать на детей, вот и привлекала к себе внимание как могла, рассказывая небылицы о духах и призраках. А вот зачем Янек ей подыгрывал, я не знаю. Но зачем-то ему это было нужно. В одном я уверена: эти двое не убивали Людмилу. И я не убивала, и Влад, который молчит и пялится, как и велено.

— Проблема? — Пауль исподлобья смотрит на меня, видимо, все еще не веря, что я — это я, а не призрак. — Какая проблема?

— Я рада, что ты спросил. — Хоть кто-то задает вопросы по существу. — Проблема довольно неприятная: наверху лежит труп.

— Труп?! — Алекс вытаращился очень естественно. — Какой труп?

— Правильнее было бы спросить — чей, но это тоже неправильно. Труп уже ничей, тело когда-то было квадратной бабой по имени Людмила. Сейчас это кусок разлагающейся органики, и вот незадача, убита она совсем недавно, и убита кем-то из вас. — Я обвела взглядом сборище недоумков и откровенно ухмыльнулась. — И нам нужно узнать, кто это сделал, иначе неприятностей не оберемся все, и ничей папаша тут не поможет, чтоб вы понимали.

— Этого не может быть. — Алекс нахмурился. — Если это шутка, то неудачная.

— Взгляни сам, она там.

Конечно, они все захотели посмотреть. Как им не захотеть?

Они мне просто не поверили — все, кроме одного. Но поглядеть пошли все.

Кроме Августы. Она осталась в кресле, демонстративно скрестив руки на груди. Ну, на том месте, где должна быть грудь.

— Пусть сидит. — Алекс недобро покосился на сестру. — Телефон я у нее забрал, так что беды не натворит, пускай сидит тут одна, если хочет.

— Я не одна и никогда не бываю одна. — Августа презрительно поджала губы. — Если ты чего-то не понимаешь, то это не означает, что...

— Ну, конечно.

В фильмах трупы, случается, исчезают — но нет. Людмила исправно лежала там, где мы ее оставили, и нож по-прежнему деловито торчал из ее горла.

— Этого не может быть! — Алекс выглядит потрясенным, но это запросто может быть игра, слишком хорошо все они умеют лгать. — Мы поговорили, она ушла, я пошел на кухню искать еду... Что она делала наверху? Кто мог это сделать?

— Кто угодно. — Я испытываю огромное желание ткнуть в него пальцем, но справедливость требует дать ему шанс. — О чем вы говорили?

— Говорила в основном она. — Алексу явно неуютно рядом с трупом. — Давайте спустимся вниз... Мы поссорились сначала. Она что-то говорила о том, что я не должен здесь быть, а уж тем более приводить компанию, что отец этого не одобрит и что дом занят, а мы мешаем. Я сказал, что мы потусим пару часов и уйдем, и она сказала, что это неприемлемо, но помешать мне она не могла, ясное дело. Сказала, что пожалуется отцу, но это не важно, я ушел на кухню...

— Взял нож и грохнул назойливую тетку, которая могла навлечь на тебя неприятности. — Я в упор смотрю на Алекса. — У тебя была причина, согласись.

— Ну бред же! — Алекс растерянно смотрит на меня. — Не думаешь же ты, что я мог...

— Она права, это причина. — Пауль задумчиво смотрит на Алекса. — Вы поссорились, ты сгоряча убил ее, так бывает, ничего страшного. Алекс, дружище, хороший адвокат спишет все на аффект, и все.

Нет, сгоряча — это подручными средствами, а тут нож взяли специально, он не лежал на виду, причем не схватили впопыхах какой попало тесак, а как раз нужного размера ножик.

— Погоди, ты что! — Алекс испуганно смотрит на нас. — Я не убивал ее!

— Конечно, ты не нарочно. — Лиана потрепала Алекса по руке. — Просто иногда все эти родительские наставления ужасно достают, просто бесят. Не иди туда, не говори того, не делай так, а только вот так, найди себе занятие... Иногда хочется просто взять и всех убить, я тебя понимаю.

— Да вы что, все спятили?! Я не делал этого!

Алекс понимает, что земля горит у него под ногами, и самое смешное, что я склонна ему поверить. Почему — мое дело, но Алекс, скорее всего, не убийца. А игра требует, чтобы кто-то стал главным подозреваемым, и тогда настоящий убийца, расслабившись, может себя выдать.

Или нет.

— Что ж, мы ее так и оставим? — Пауль заметно нервничает в присутствии трупа. — Нужно хотя бы прикрыть чем-то...

— Я сейчас папе позвоню. — Лиана роется в сумочке в поисках телефона. — Я на столе оставила телефон, нужно вернуться, я мигом...

Янек ухватил ее за руку прежде, чем она ринулась к лестнице.

— Ничей папа тут сейчас не поможет. — Он старается не смотреть на труп, и я понимаю почему — его мир не предусматривает никаких неучтенных трупов. — Мы все окажемся под подозрением, а что сотворит при этом хозяин дома... Алекс, твой отец хорошо относился к убитой?

— Да. — Алекс увял. — Он всегда говорил, что Людмила единственный человек, которому он полностью доверяет. А сейчас, после смерти Валерии... В общем, я не знаю, что он сгоряча наворотит.

Городницкий реально больной на голову ублюдок, и все присутствующие это знают. А если он пришлет сюда своего громилу... Если, конечно, Кинг-Конг еще жив, учитывая, что Городницкий мог пронюхать о его забавах с Валерией.

Ведь если поняла я, мог и еще кто-то понять. Возможно, есть на свете, кроме меня, еще какой-нибудь Другой Кальмар. Или они просто были неосторожны и кто-то увидел и донес Городницкому, но в любом случае рогатым мужем ему быть точно не понравилось.

— Тогда у нас вариантов немного. — Янек хмуро смотрит на труп. — Либо эту даму убил кто-то из нас, либо в доме, кроме нас, есть кто-то еще. Кстати, Адель, представь нам своего спутника.

Я снова забыла о том, что Влад здесь, у этого парня есть поразительная способность исчезать с радара, находясь при этом рядом. Я думаю, если бы я вдруг собралась замуж, он мог бы стать для меня идеальным мужем, настолько мало он заметен, несмотря на свою вполне приглядную внешность.

Гендерные роли меняются, как видите.

— Адель — красивое имя. Французское.

Влад вспомнил, что умеет говорить, а я вспомнила, что он вообще тут находится. Он слышал то же, что и я, — но сделал какие-то свои выводы.

— Ну да. — Янек смотрит на меня с непроницаемой миной. — Моя сестра Аделина Билецкая. И что бы она ни рассказала обо мне, это не совсем правда.

— Она ничего о тебе не рассказывала.

— Вот как? — Янек покачал головой. — И о своей семье тоже? Так я и думал. Моя сестра...

— Я тебе не сестра! И у меня нет семьи.

— Ну, да. — Янек ухмыльнулся. — Ты всегда это говорила.

— Потому что это правда.

Мы с Янеком сверлим друг друга яростными взглядами, но я в эти гляделки умею играть лучше, тем более что труп на полу меня волнует куда меньше, чем остальных.

— Нужно сейчас решить, что будем делать. — Влад выступает вперед, оттесняя меня от Янека и остальных. — Мы с... Аделиной все время были вместе.

— Звучит двусмысленно. — Лиана хихикнула, на крыльях ее носа видны следы белого порошка — так и есть, уже нюхнула. — Никогда не слыхала, чтоб она вообще была с кем-то вместе. Такая ледышка-недотрога, доящая безмозглых мажоров... Впрочем, вечеринки она умеет устраивать отменные, тут не отнять. Что ж, гены пальцем не раздавишь.

Лиана засмеялась и обняла Пауля. Думаю, только под коксом она способна воспринимать его как объект для объятий, до того у него неприятная рожа и каркас, напоминающий мешок с навозом.

— Итак, вы были вдвоем с Адель. — Янек хмыкнул. — Возможно, вы вдвоем и убили эту тетку, но тут я склонен думать все-таки, что вы двое не убивали. Предлагаю спуститься вниз и спокойно проанализировать, кто где был, чтобы потом говорить полиции одно и то же.

— Да, полиция... — Алекс встрепенулся. — Мы должны вызвать полицию!

— Вызовем. — Янек кивнул в сторону лестницы, ведущей в холл. — Но только тогда, когда все будем говорить одно и то же, а для этого нам надо выяснить, кто где находился в момент убийства.

— Чтоб это выяснить, нужно знать, когда именно случился этот неприятный инцидент. — Если Янек собирается строить из себя Эркюля Пуаро, я не против, но правила тут мои. — Как это определить?

— А когда вы нашли тело?

— Недавно. — Влад вздохнул. — И к тому времени, я думаю, она уже была мертва некоторое время, потому что, когда мы сюда пришли и обнаружили ее...

Тут он ступил на очень тонкий лед, и я бы не хотела, чтобы он рассказал о потайных ходах и о том, что мы наблюдали за компанией, развлекаясь их глупыми выходками, и подслушали все разговоры. Ну, почти все.

— То есть я хочу сказать, что мы никого не встретили поднимаясь и не слышали — а если бы убита она была сразу, как мы ее нашли, то...

— Да понятно, вы бы увидели убийцу либо услышали что-то.

— Ага. — Я искоса наблюдаю за Янеком, который вдруг напустил на себя такую важность. — Но мы никого не видели и ничего не слышали, просто поднялись сюда, а тут — это.

— Тогда я все-таки предлагаю всем спуститься вниз, там мы поговорим о случившемся и решим, что делать в данной ситуации.

Возражений ни у кого не нашлось — всем неуютно рядом с трупом, тем более что Людмила и при жизни не была милашкой, а труп из нее и вовсе получился так, на слабую троечку.

В зале Августа прислушивается к миру вокруг. Если она не врет насчет своих способностей видеть всякую потустороннюю хрень, то ей несладко живется, я думаю. Но у меня пока нет мнения насчет лжет она или нет, а вот то, что Янек лжет, мне ясно.

Потому что он не видел Маринку нигде, кроме как на фотографии, которая у меня сохранилась, и там она как раз в белой рубашечке с розовыми бантиками. Но дело в том, что умерла Маринка не в этой рубашечке, и зачем Янек все это измыслил, я не знаю, а самое главное — Августе такие подробности были не нужны, ей можно было что угодно рассказать, и она кивала бы головой — да, да! Но я думаю, что он рассказывал все это не ради полоумной девчонки, не знающей, как привлечь к себе внимание.

А значит, он знал, что я здесь. Но как?

Я не хочу думать, что он и правда все эти годы видел Маринку, которая бродила за мной в виде призрака, все это вообще на голову не натянешь, но другого объяснения у меня нет, а ведь еще Конан Дойл устами своего героя сказал, что если все версии, кроме одной, отброшены и осталась одна невероятная, то та, последняя, и есть правда. Цитата, конечно, не дословная, я вообще не люблю никаких цитат, главное — понять суть сказанного. Куча бед случается на свете оттого, что люди не понимают друг друга.

Вернее, не слышат то, что спрятано за словами.

— Все-таки я не понимаю, почему бы нам не позвонить в полицию. — Лиана зябко ежится, потому что в зале сейчас довольно холодно. — Что мы можем сделать в данной ситуации?

— Кто-то из вас убил эту тетку. — Я смотрю на них и думаю, что любой из них мог это сделать. — Нож вошел в горло жертвы, крови вытекло изрядно, и на убийце теоретически тоже должна быть кровь. Предлагаю осмотреть одежду всех присутствующих.

— И так понятно, что ни на ком из нас нет крови. — Алекс раздраженно продемонстрировал белизну своей рубашки. — Кто-то еще был в доме, иного объяснения нет.

— Леша, ты выглядишь ужасно!

Это Августа вышла из ступора.

— Кто-то убил тетю Люду. — Алекс сел рядом с сестрой и взял ее за руку. — Она там, наверху... С ножом в горле.

— Это снова случилось!

Августа вскочила и принялась ходить взад-вперед. Вид у нее при этом очень нездоровый, и я думаю, что психушка была бы для нее отличным местом, и только по недосмотру Городницкого девчонка на свободе — с таким-то счастьем.

— Что значит — снова? — Алекс обеспокоенно смотрит на сестру. — Ты Валерию имеешь в виду?

— Нет. — Августа смотрит на нас, и в ее глазах танцует безумие. — Нет... Эта женщина...

Ее взгляд остановился на портрете Линды, а потом медленно переполз на меня, и мне совсем не нравится то, что я вижу.

— Хватит пороть чушь!

— Ты — как она. — Августе не хватает только слюны, текущей из пасти. — Ты холодная, жестокая, способная на все, что угодно, ради того, что считаешь важным. Ты совсем как она, можно подумать, что это она вернулась, чтобы наказать своих убийц, но почему убили тетю Люду? И почему ее нет здесь? Они все возвращаются, особенно те, кого убили, и Валерия вернулась, я видела ее в доме, и...

— Алекс, заткни ее! — Меня начинает злить малолетняя идиотка. — Хватит потакать ее сумасшествию. По ней психушка плачет.

— Ты такая же, как она! — Августа разве что пальцем в меня не тычет. — И на тебе ее платье, и эти драгоценности тоже ее.

— Ага. — Я засмеялась. — Не надо быть медиумом, чтобы это понять. Здесь отличная гардеробная.

— Ты... Эта девочка в рубашечке... Она ходит за тобой! — Августа прижала к щекам ладони, уставившись на меня. — Она твоя сестра!

Обычно я не агрессивна и не нападаю на людей, которых впервые вижу, но сейчас мне захотелось пристрелить Августу, огромным усилием воли я подавила в себе этот позыв, и даже рука не дернулась в сторону сумочки, где притаился револьвер.

Правда, я все еще не знаю, работает ли он.

— Алекс, твоей сестре место в дурдоме.

Думаю, Кассандра слыхала подобные слова по сто раз на дню.

15

У каждого из нас есть семья, даже если мы ее знать не хотим, и даже если и правда не знаем — она есть. Во всяком случае, набор генов мы наследуем совершенно определенно. Кто-то знает о своей семье все, а кто-то вообще ничего, но семья — это как раз то, что влияет на нас всю нашу жизнь, хотим мы того или нет, — как и отсутствие семьи.

Но многие ли могут сказать, что знают о своей семье все?

Как правило, мы в курсе насчет родителей, бабушек-дедушек и, возможно, прабабушек и прадедушек, но дальше покрыто мраком. Войны, революции, нищета, разрушения — все это уничтожает фотографии, если таковые даже были, уничтожает архивы, а самое главное — разрушает семьи, разлучает людей, разрывает родственные связи. А еще если учесть, что многие семьи не вели записей ввиду неграмотности и отсутствия нужной культуры, а еще были специально уничтоженные записи тех, кто отрекся от своих семей, спасаясь от репрессий, то картина получается печальная. А ведь семья — это корни, истоки, если выражаться пафосно, а если попросту, то семья — самое первое впечатление любого человека. Именно в семье он ощущает свою общность с людьми, которым он нужен. Это первая модель отношений и поведения, которые человек впитывает, это подсознание, которое влияет потом на всю оставшуюся жизнь.

Если вы думаете, что маленькие дети ничего не понимают, то это не совсем так. Они-то, может, и не понимают так, как понимают взрослые, но они видят и воспринимают. А потом вдруг из милого малыша — бац! — и вырастает Джек-потрошитель. Или Иисус. И сразу становится ясно, чьи родители манкировали своими родительскими обязанностями.

Так что я — негативный персонаж, как вы уже, наверное, поняли.

Но если, например, все, что я сегодня узнала о Линде и ее семейной истории, окажется правдой, если Лулу Белл Ньюпорт каким-то невероятным образом окажется моей бабкой, недостающим звеном, то... А что это меняет? А ничего. Просто наборы генов, которые я унаследовала, обретают очертания, и я не знаю, хорошо ли это. А если принять во внимание личность папаши, а теперь и Линды — то скорее плохо.

Но в любом случае неведение — хуже.

Когда я была ребенком, все время думала: вот если бы у меня была хоть какая-нибудь завалящая бабушка, мне не пришлось бы ночами прятаться в темном подвале, пережидая папашины пьяные концерты. Я бы могла переночевать у нее, и наутро меня бы ждала порция овсянки и чашка чая с печеньем — ведь так обычно и поступали все знакомые мне бабушки, они баловали своих внуков родителям вопреки. Но бабушек у меня не было.

У нас вообще не было живых родственников.

Когда я была маленькая — ну, совсем маленькая, то вопросов на этот счет не задавала. А лет в пять, наблюдая за детьми и взрослыми в нашем дворе, спросила у матери насчет родственников, и она просто сказала, что никого нет. У нас был старый альбом, и там были собраны фотографии родственников матери, она даже рассказала, кто там есть кто, — но все дело в том, что все эти люди были мертвы задолго до моего рождения, уж так неудачно сошлись звезды. И я разглядывала их лица, находя фамильное сходство с матерью и понимая, что я сама вообще на них ни капли не похожа.

А у папаши даже альбома не было.

Только несколько фотографий из интерната, где он все время хмуро смотрит из-под длинной челки. И только на одной фотографии, где ему года полтора, где он сидит в кроватке, прижимая к себе игрушечного пластмассового зайца, он выглядел человеком — с доверчивыми и грустными человеческими глазами, круглыми и синими, как у Маринки и как у меня. А более поздние фотографии, их немного, но уже видно, что он очень хорош собой — но что ему от этого было пользы, когда он был просто никем? Лишенный корней, он вырос в злобного мизантропа. И я не думаю, что здесь полностью виноват интернат, мало ли людей выходят из интернатов и живут более-менее нормальной жизнью, стараясь дать своим детям то, чего сами были лишены в детстве, — семью, любовь, ощущение безопасности, представления о добре и зле? Но с папашей просто было что-то не так. Какой-то ген попался ущербный, и вместо нормального человека вылезло нечто жуткое и подавило в нем все, что было нормального.

Я вообще не помню его трезвым.

На единственной свадебной фотографии, которая была у нас дома, у отца хмурый настороженный взгляд — мать там счастливая, а он — нет, и я представить не могу ситуацию, в которой он был бы счастлив. Он не умел быть счастливым — та сущность, что жила в нем, не умела видеть свет. Но и тьма не приняла его.

Он словно был слепоглухонемым, и все, что вызывало в нем эмоции, — это возможность причинять боль.

Мне было шесть лет, он сидел в сквере за нашим домом, как обычно, мрачно пьяный, в обнимку с такой же пьяной бабой — он не шел домой просто потому, что не мог идти, до того был пьян. Но в голове у него бродили какие-то мысли и все еще искали выход.

Я увидела его там абсолютно случайно.

И я остановилась на безопасном расстоянии и смотрела на него. Я думала тогда, что вот у Наташки отец инженер, каждый вечер он гуляет с ней в парке, ходит с ней в кино, покупает ей неожиданные игрушки. У Женьки из первого парадного отец учитель, и она жутко этим гордится.

А у меня папаша никто. Меньше, чем никто.

А он что-то пьяно варнякал, его такая же пьяная спутница уже не подавала признаков интеллектуальной деятельности, хотя папаша что-то пытался ей рассказывать.

И тут он заметил меня.

Я уже знала, что ему до меня не добраться, а протрезвев, он ни о чем не вспомнит. И потому я подобрала увесистый камень, чтоб огреть его по пьяной башке. Я ненавидела его в тот момент, ненавидела ужасно, потому что он устраивал нам с матерью ад на земле. Нет, я не мыслила тогда такими категориями, но отлично знала: если он доберется до дома, то снова переколотит всю посуду, изобьет нас, а потом будет валяться в вонючей луже, а наутро пытаться дотянуться до кого-нибудь, чтобы ударить, без этого он не мог жить. И я сжимала в руке камень, прикидывая, как мне к нему подобраться, чтобы он меня не схватил.

А папаша смотрел на меня тяжелым взглядом и, казалось, все понимал.

А потом сказал, толкнув в бок свою собутыльницу, пытаясь прервать ее анабиоз:

— Смотри, это моя дочка.

Тетка пьяно кивнула, но вряд ли она меня видела. А папаша смотрел на меня, и глаза его горели яростным синим огнем.

— Видишь, какая маленькая стерва? — Папашу шатнуло в сторону, но он удержался. — Это моя. Красавица вырастет, видишь? Когда-нибудь она много беды кому-то наделает, такие всегда... Слышишь, Адель? Слышишь, я знаю... Ты всегда все слышишь. А ведь ты моя дочка, моя. И я тебя не бросил — вот смотришь волчонком, а ведь я не бросил тебя, хоть и мог... Твоя мать — тупое животное, но я не бросил ее из-за тебя, чтоб ты не маялась сиротой. А ты папу камнем хочешь... Эх, ты! А ведь я всегда с тобой, домой иду, потому что ты там...

А я всегда думала, что он идет домой нас избить.

И лучше бы он нас бросил, чем то, что он по итогу сделал. До сих пор так думаю, но вот сегодня отчего-то впервые задумалась: а ведь я могла тогда просто швырнуть камень ему в голову, и Маринка была бы жива. Мать тогда как раз была ею беременна, и Маринка родилась бы в доме, где нет пьяных драк, и мать была бы прежней. Никто бы ничего не узнал, никто бы даже не заподозрил меня тогда, и мы бы выросли нормальными людьми, у которых есть семья — которые, собственно, и есть семья друг для друга.

Но тогда я пожалела его.

Он сидел на той скамейке, пьяный и грязный, с всклокоченными кудрявыми волосами, и единственное, что мешало ему наброситься на меня с побоями, — это его состояние почти полной отключки, но он смотрел на меня и говорил: ты моя дочка, ты красавица, хоть и маленькая стерва, и я с тобой. Может, как раз тогда сквозь разрушенный алкоголем мозг прорывалось что-то, что еще было в папаше от человека — того маленького человека, который прижимал к себе игрушечного зайца. То, что еще оставалось от того пацана, что смотрел с фотографий из-под челки.

Потому что, когда он убил нас, в нем ничего уже не было, он был пуст, как скорлупа.

И с тех пор я стала тем, чем я есть сейчас.

Я смотрю из тьмы на свет точно так же, как тот убийца, который прятался в темноте и смотрел на нас с Валерией, как мы кружимся на карусели... Он стоял там и знал, что пройдет минута, десять минут, даже и час, и он убьет одну из нас или обеих. Интересно, что он чувствовал, когда смотрел на нас тогда? Ощущал ли он такое отчуждение от жизни, какое я ощущаю всегда?

Отчуждение от всего, что считается нормальным, — от рекламных родителей и детей, одетых в яркую одежду, выстиранную самыми безопасными ополаскивателями, потому что родители заботятся о здоровье своих детей, у которых зубы начищены пастой с дракончиком на тюбике. Отчуждение от улыбчивых семей, живущих в домиках, где есть хлопья и молоко в холодильнике, и солнечные апельсины в белой керамической миске на светлой чистой кухне, где собирается семья, и лохматая рыжая собака, и пляшущие игрушки из шоколадных сюрпризов.

Одиночество порой приобретает уродливые формы.

И когда я смотрю на других людей, я думаю не о том, что они делают, потому что поступки далеко не всегда определяют личность. Поступки часто продиктованы крайними обстоятельствами, когда человек переступает некую черту, потому что не видит иного выхода, но я думаю о той цене, которую каждый из них платит за скверные поступки. Так ли они ощущают себя во тьме, как я?

Потому что базовые понятия о добре и зле человек получает именно в семье, вот что.

А когда семьи нет, где учиться тому, что хорошо или плохо? Словами такому не научишь.

А потому мы все прячемся под масками, носить которые привыкаем очень рано, потому что без них мы уязвимы. Или слишком неприглядны. Или непригодны для жизни в обществе. И одежда — тоже маска, наиболее точно отражающая наше внутреннее «я».

И я в платье Линды и ее соболях сейчас выгляжу тем, кем и являюсь. Я оттородилась от всех этими соболями и платьем, и эту броню не пробить.

— Ты нашла гардеробную?! — Лиана подскочила. — И там...

— Километры платьев и шуб, туфель, шляп и прочих вещей, которые делают жизнь прекрасной. — Я погладила мех. — Пожалуй, эти меха я оставлю себе, как и платье. Прости, Линда, но как раз ты должна меня понять.

Я должна поддержать игру, подогреть аудиторию, пусть они все шороха боятся, и убийца выдаст себя — уж он-то знает, *что* сделал.

— А давайте устроим вечеринку! — Лиана пританцовывает в такт музыке, которую наигрывает в ее голове кокаин. — Там, я смотрю, и смокинги есть — вряд ли молодой человек пришел сюда в смокинге. Давайте устроим настоящую голливудскую вечеринку!

— Ты с ума сошла? — Алекс, кажется, ушам своим не верит. — Наверху труп лежит!

— Труп уже никуда не торопится. — Лиана капризно надула губы. — Потом просто вызовем полицию — скажем, что не видели ее. Кто заподозрит, что мы устроили тут вечеринку, зная о трупе? Никому такое и в голову не придет. Только Августу нужно заткнуть, и это твоя задача.

— В этом что-то есть. — Пауль реально выглядит как слоновья задница. — До такого абсурда никто не додумается, и мы станем алиби друг для друга. Какая разница, кто убил толстуху. Убил и убил — значит, была причина, мне без разницы.

— Это безумие! — Янек пытается вразумить компанию, но вряд ли у него выгорит. — Какая вечеринка? Один из вас убил эту даму наверху.

— Да плевать! — Лиана хихикнула. — Пауль прав, убил и убил, что ж теперь. От того, что мы сейчас позовем полицию и остаток ночи, а то и добрую часть утра проведем, общаясь с какими-то хамами, труп не воскреснет. А может, никто из нас ее и не убивал. Я-то уж точно этого не делала, Пауль почти все время был со мной — ну, разве что туалет мы поискали, а за то время никто бы не успел найти нож и прикончить эту толстую даму, а значит, в доме был еще кто-то, и сейчас этот «кто-то» вполне может прятаться здесь, хотя это вряд ли. Вот этот человек ее и кокнул, а мы не при делах. Дом большой, кто-то может здесь быть, кроме нас. Так что я за то, чтобы устроить костюмированную вечеринку с танцами! А потом вызовем полицию, я папе позвоню, он адвоката пришлет, и пусть адвокаты разбираются, потому что я точно эту толстуху пальцем не трогала, я ее сегодня впервые в жизни увидела, зачем бы мне понадобилось ее убивать? А кто убил — мне дела нет. Но место здесь отличное, переоденемся в винтажные шмотки и закатим вечеринку, Адель нам поможет. Кстати, Адель, а как ты сама оказалась в этом доме?

Это вопрос, который они должны были мне задать давно, в тот самый момент, как увидели меня, но додумалась до него только обдолбанная Лиана.

Я думала над тем, что скажу, когда у меня спросят, как я оказалась в этом доме и что я тут делаю, но так и не пришла к какому-то мнению, а потому решила, что сориентируюсь по ситуации. И вот она, ситуация, — а я до сих пор не решила, что мне говорить.

— Людмила наняла меня, чтобы разобраться с гардеробом прежней хозяйки. — Все знают, что лучше меня никто не разбирается в шмотках. — Я приехала сюда только сегодня, ближе к полудню, и все это время занималась гардеробом.

— Так это ты сказала ей, что мы тут? — Алекс капризно надул губы — кто-то когда-то сказал ему, что он похож на молодого Брэда Питта, и он поверил, теперь надувает губы для достоверности. — Зачем?

— Затем, что она меня заверила: дом пуст, никто не помешает. Здесь материальные ценности, пропадет что-то или сломается — кто будет виноват? А вы и рады стараться, вон сколько чашек переколотили!

— Это дом моего отца, переколотили — и ладно!

— Именно что отца, а не твой! — Это наш вечный спор с Алексом. — Ты какое имеешь отношение к его собственности?

Беда всех этих богатых деток как раз в том, что они не понимают ничего о праве собственности. Они считают, что если папа нажил деньги и недвижимость, то они автоматически имеют право на весь этот праздник, а ведь это не так. Да, папа оплачивает счета и позволяет вести определенный образ жизни, а завтра папа решит, что — баста, карапузики, кончилися танцы! И давай-ка, сын, вливайся в семейный бизнес. Или, например, иди в монастырь. Или что угодно, мало ли. И тут либо подчиниться, либо оказаться без денег, недвижимости и машины и без какого-то внятного умения, позволяющего прожить хоть как-то. И вот уже право собственности показывает свой оскал во всей красе.

Но Алекс этого не понимает.

— Она пришла в дом... позвонила тебе?

— Нет. — Мне даже лгать не приходится. — Видимо, она сразу направилась сюда, потому что я ее не видела. И, скорее всего, она не была рада видеть здесь вашу теплую компанию.

— Нет, не была. — Алекс покачал головой. — Но, в отличие от тебя, она понимала, что я сын своего отца и имею право здесь находиться.

— На самом деле — нет, не имеешь. — Янек вдруг решил принять мою сторону. — Дом не твой. Но это сейчас не важно. Давайте вспомним, как все было: вот мы все вместе — заходит эта дама, ты выходишь вместе с ней. Лиана и Пауль отправляются за выпивкой — куда еще вы ходили, кстати?

— Говорили же — туалет искали. Потом сразу вернулись сюда. — Пауль вздохнул. — Там в баре виски был и коньячок... В общем, поискали выпивку, интересно же попробовать. Ну, и загрузили столик всем, чем бог послал.

Я думаю, они выходили, чтобы понюхать кокса, именно эта одна, но пламенная страсть держит данную парочку вместе, а не взаимный постельный интерес... Нет, понятно, что Паулю интересна Лиана в таком ракурсе, а вот Лиане прыщавый косоглазый Пауль вряд ли нравится так, как он хотел бы.

Скорее всего, кокс достает Пауль, у Лианы своего толкача нет.

— Хорошо, Алекс пошел со своей теткой… Куда вы с ней пошли, Алекс? Где она тебя отчитывала?

— Она меня не… — Алекс запнулся. — Ладно, какая разница. Мы были на кухне… Вернее, там столовая, вот там мы и были. Потом вышли в холл, она захотела посмотреть, что мы делали в доме, и мы зашли в бильярдную, пробыли пару минут, потом я ушел, а она еще там оставалась.

— Ты ушел, потому что вы рассорились?

— Что за вопросы, Адель! — У Алекса кишка тонка послать меня подальше. — Я рассердился и наговорил ей… ну, всякого. И ушел.

— Понятно.

— Ничего тебе не понятно! — Алекс подскочил и взмахнул руками, словно собираясь взлететь. — Отец держал ее при себе, и, когда мамы не стало, она осталась. Отец поручал ей то одно, то другое, доверял ей, а она… Она думала, что может командовать мной! Только это не так, и сегодня я ей это наконец сказал.

Он зябко повел плечами — в зале и правда прохладно, откуда-то тянет сквозняком.

— И ты никого больше не видел?

— Нет, никого, — мрачно качает головой Алекс. — И когда я уходил, она оставалась там, где мы говорили, живая и здоровая. И я думаю, она собиралась поехать домой и наябедничать отцу.

— Может, она ему позвонила?

— Нет, Адель, ты не знала ее. — Алекс горько засмеялся. — Она бы не стала звонить, ей нужно было говорить с отцом с глазу на глаз, притвориться обеспокоенной, манипулировать… Нет, она бы не стала ему звонить.

— Понятно. — Янек покосился на меня. — Чувак, у всех есть проблемы в семье, поверь, это обычное дело. Ладно, проехали, идем дальше. Когда все ушли, мы с Августой оставались здесь, рассматривали портрет и беседовали. А где были вы, Адель? Ты все-таки как-то представишь нам своего спутника?

— Ну, я иногда представляю его в джакузи с пеной и с вином в бокалах на высоких ножках. — Я ухмыльнулась. — Это Влад, мой приятель. Он здесь Интернет подключал, когда я приехала. И решил немного помочь мне, у него оказалось свободное время.

— Вот как? — Янек прищурился. — Что ж, занятно.

— Ага.

— И потом ты решила принарядиться? Кто бы сомневался! Когда ты дорвалась до кучи шмоток, то не смогла устоять.

— А от меня и не требовалась подобная стойкость. Конечно, я кое-что примерила, это не запрещено условиями моей договоренности с работодателем, и пока вы не пришли, мы с Владом собирались устроить вечеринку — потанцевать, послушать старые пластинки и напиться.

— И что же вам помешало?

— Да вот вы и помешали — ввалились сюда, а теперь все испорчено, еще и труп образовался, как теперь все это разрулить, я не знаю.

Мы с Янеком вполне готовы подраться, и я прикидываю свои шансы. Пожалуй, я справлюсь, в Итоне его учили чему угодно, только не драке с такой, как я. И он знает, что не выстоит, не покалечив меня, а ему этого совсем не хочется.

— Мы везде искали тебя.

— Ага, особенно тупая корова все глаза проглядела!

— Мать не виновата в гибели твоей сестры.

— Виновата.

— И сколько времени тебе нужно, чтобы смириться с тем, что случилось тогда?

— Нет такого времени.

— Это безумие, Адель.

— Да пошел ты!

И это тоже наш вечный с ним спор.

Отчего-то все, кто претендует на какую-то близость со мной, пытаются меня переделать. Всем кажется, что я должна думать и поступать так, как они себе представляют, что я должна поступать или думать. И никому даже в голову не приходит, что мне плевать с пожарной каланчи и на их ожидания, и на них самих. Мне не важны отношения с ними, и я представить себе не могу, что стану прогибаться под любого из них просто потому, что они хотят каких-то отношений — дружеских, родственных или бог знает каких еще.

Когда-то мое послушание стоило жизни моей сестре, я много раз представляла себе, что было бы, если бы я тогда не послушала мать и унесла Маринку с собой. Папаша убил бы мать, но Маринка осталась бы жива. И — да, мы бы выросли в интернатах, и скорее всего — в разных, но *она была бы жива.* И у меня были бы воспоминания о такой матери, которую я помню до той ночи. А после я ожидала, что она если уж не будет прежней, то сможет утешить меня в моем горе, а она просто исчезла. С тех пор я ничего ни от кого не ожидаю — кроме того, в чем я уверена в силу собственных умозаключений.

Если нет отношений, нет и ожиданий. И разочарований тоже нет.

— Эй, вы о чем спорите сейчас? Хватит ругаться. — Лиана потянулась в кресле, как сытая кошка. — Адель, покажешь мне эту сказочную пещеру с сокровищами?

— А я поищу музыку. — Пауль тяжело поднялся. — Думаю, смокинга на меня не найдется, но я переживу. Алекс, неси жратву сюда, накроем поляну, пойла нам хватит, так что зажжем.

— Вы что, с ума сошли? — Августа прижала руки к щекам и в ужасе смотрит на всех. — Тетя Люда умерла, надо сообщить об этом, надо что-то делать!

— Сообщим. — Лиана потрепала девчонку по щеке. — Обязательно сообщим. Но потом. Сама подумай: все уже случилось. Ну, и что нам теперь делать? Ведь, кроме нас, тут никого нет — по крайней мере, мы никого больше не видели, а это значит, что ее убил кто-то из нас. Но кто? Мы с Паулем никогда раньше эту тетку не видели. Адель была со своим новым другом, и вряд ли он станет лгать ради нее. Возможно, дружище Алекс убил свою тетю, потому что они не сошлись во мнениях насчет нашего здесь пребывания... Но если это и так — ну, что ж, бывает. А ты и наш прекрасный друг Янек были здесь, вели неспешную беседу и рассматривали портрет актрисы, поразительно похожей на нашу Аделину. Кстати, природа этого сходства интересует меня теперь гораздо больше, чем труп, и у нас осталось только одно недостающее звено, связывающее отца Аделины и мертвую актрису, так что я предлагаю слегка оттянуться, а потом позвоним своим папам, и пусть они дальше сами рулят ситуацией. А мы займемся поисками Лулу Белл Ньюпорт и, возможно, даже выясним, куда же она подевалась той ночью.

— Это чудовищно. — Янек хмурится. — Цинизм какой!

— У тебя есть предложение получше? — Лиана тонко улыбнулась. — Янек, а ведь Адель права, нам нипочем нельзя сейчас сообщать об этом неприятном инциденте, потому что если в доме больше никого нет, то убийца среди нас. И нам лучше прямо сейчас выяснить, кто бы это мог быть, чтобы как-то выпутаться из этой грязной истории.

А просто взять и уйти мы не можем, проклятые электронные игрушки уже зафиксировали наше здесь присутствие. А прятать труп вместе с этой теплой компанией я совершенно не хочу. Я всегда знала, что Лиана просто прикидывается дурочкой, а вот для остальных концессионеров это оказалось открытием. Дело в том, что кокс действует на разных людей по-разному, но биохимия процесса для всех одна. И скоро Лиане нужно будет снова закинуться, и ее благодушие достаточно быстро сменится агрессией — так бывает со всеми торчками. Но бывает у них момент между этими двумя состояниями, когда мозг из последних сил пытается думать, а эмоциональные барьеры уже не те, вот тогда-то и лезет из них настоящее нутро, маска сползает, и удержать ее нет ни эмоциональных, ни интеллектуальных возможностей.

Нет ничего тайного, что не стало бы явным.

— Я думаю, мы вполне можем просто посидеть и подумать, как нам быть. — Влад наконец перестал изображать манекен. — А еще я бы поел чего-нибудь, здорово проголодался.

Я бы не стала ни есть, ни пить что-либо в этом доме, потому что здесь убийца, который вполне может решить, что вот, дескать, есть свидетели и они здесь лишние. Еду и напитки уже могли отравить, как отравили тогда Линде сок или лед, не важно — кто-то это сделал и ушел безнаказанным. Так что я просто воздержусь от совместной трапезы, голодать мне совсем не привыкать, потерплю, что ж. Диетологи утверждают, что практически вся еда — яд, но иногда она становится отравой в прямом смысле слова.

То, что нас не убивает, запросто может нас искалечить, и я не могу сказать, что из этого хуже.

— Девочки, давайте принарядимся. — Лиана засмеялась стеклянным смехом. — Гутька, идем с нами, сейчас Адель сделает из нас красоток. А вы, мальчики, пока накройте на стол и налейте еще шампанского.

Что ж, я хотела сделать вечеринку — похоже, что вот и она.

— Я... Нет, я не хочу. — Августа нервно сжимает руки. — Я не стану это надевать.

— Брось, идем, это же забавно! — Лиана потащила Августу из кресла. — Пора тебе превращаться в светскую даму, а наша Аделина умеет это делать лучше всех, и сегодня она с нами!

Лиана говорит это, но сама смотрит на Янека, и я не знаю почему. Не припоминаю, чтобы они раньше общались, хотя я могла и не знать. Янек никогда не посещал мероприятия, которые я устраиваю, Бурковский держал его в ежовых рукавицах, и я в толк взять не могу, как вышло, что сейчас Янек тут. Возможно, Бурковский решил, что мальчик вырос? Так у меня для него плохая новость: как только мальчик вышел погулять без няньки, он сразу же попал в дурную компанию и влип в дерьмо. Это как раз то, чего Бурковский боялся, когда дело касалось Янека. Вы спросите, почему его не волновало, что я попаду в дурную компанию? Нет, не потому, что я чужая ему.

Просто я сама — дурная компания.

16

— Ух ты!

Этот возглас Лианы я понимаю, как никто. Сама была в восторге, попав в эту невероятную гардеробную.

— Адель, это шикарно! — Лиана перебирает вешалки с вечерними платьями. — Боже мой, я хочу вот это. Как думаешь?

— Красный бархат, органза... Оно открытое, и если надеть его как есть, ты замерзнешь, в доме не слишком тепло, а если поверх платья надеть манто — потеряется красота лифа, отделанного кружевом и стеклярусом, а подол здесь простой. Попробуй вот это.

Лиана вполне оправдывает свое имя — она высокая, очень стройная, гибкая, ее кожа того интересного оттенка хороших сливок, что так мило смотрится у темных шатенок. Каштановые волосы Лианы тоже хороши и обрамляют симпатичное лицо, но пристрастие к кокаину обострило ее черты.

Наркотики никому не к лицу.

Я выбрала для Лианы платье глубокого бордового оттенка, классического покроя, ткань заткана золотыми цветами, в которых блестят стразы, и выглядит это шикарно. И если надеть манто, отороченное горностаем, а волосы распустить по плечам и с одной стороны приподнять гребнем... В общем, Лиана сейчас очень хороша.

— Туфли тесноваты.

— Оставайся в своих, платье длинное, обувь будет не видна, а удобная обувь — это важно. — Я достаю из шкафа золотистую сумочку. — Украшения здесь будут лишние, платье само по себе — украшение. Косметичка с тобой? Нужно немного ярче накраситься, только не так, как ты это делаешь обычно... Дай мне, я сама.

Голливудский макияж того времени представлял собой смесь наивности и вульгарности, но у Лианы лицо, на котором он не будет смотреться вульгарно. Она похожа на Джейн Уайман, что была когда-то одной из самых красивых актрис старого Голливуда, я и запомнила ее благодаря лучистым глазам, идеальной линии плеч и правильному овалу лица.

— Ты права, я выгляжу отлично, просто потрясающе! — Лиана смотрит на себя в зеркало и улыбается. — Послушай, Адель, откуда ты все это знаешь, умеешь и так далее?

Спросите у ветра, как он дует, или у рыбы — как она плавает.

— Это просто очевидно. — Я закрепляю гребень в ее волосах. — Все люди разделяются на типажи. По крайней мере, для меня. Ты никогда не замечала, как много похожих людей, даже если брать известных личностей? Кира Найтли и Натали Портман, Дайэнн Уист и Рене Зеллвегер, Гвинет Пэлтроу и Мередит Монро...

— Слушай, я понятия не имею, кто это. Монро... Разве она не Мерилин?

О боги, с кем я связалась и где мои вещи!

— Мерилин тоже Монро, но это распространенная фамилия. А я, собственно, о том лишь толкую, что всех на свете людей можно разделить на типажи. При этом я имею в виду только белых, и не потому, что я расистка, а потому, что для меня это вот так. И типажей на самом деле множество, не только как в глянцевых журналах «зима», «лето» и так далее, типаж — это прежде всего структура лица и особенности фигуры. И каждому идет что-то определенное, можно примерить то и это, если понимаешь типаж.

— А какой я типаж? — Лиана достала телефон. — Есть кто-то, на кого я похожа?

— Конечно. Ты — типаж Джейн Уайман.

Лиана принялась искать в Интернете фотографии актрисы и, отыскав, озадаченно посмотрела на меня.

— Я и правда очень похожа на нее!

— Ну, так а я тебе о чем говорю? Все люди похожи между собой, нужно просто уметь это увидеть.

— А к какому типажу относится, например, Янек?

— Сэм Хьюэн, это же очевидно. — Я наконец решила, как мне привести в порядок Августу. — Только в светлом варианте.

— Потрясающе! И правда, они похожи, словно родственники. — Лиана снова уставилась в телефон, а потом с удовольствием перевела взгляд на свое отражение в зеркале. — Знаешь, я сегодня очень нравлюсь себе.

— Это скоро изменится, если не перестанешь закидываться коксом.

Она отшатнулась от меня, словно я вручила ей живую змею.

Конечно, я ей не мать, и вообще я не склонна кого-то воспитывать или спасать от самих себя. Да я и не собиралась ничего говорить. Но дело в том, что сейчас, когда Лиана видит себя такой, любуется собой, осознание того, что все это она может потерять не из-за старости или увечья, а просто из-за своего пристрастия к наркоте, может отрезвить ее. Она находится на той стадии употребления, когда еще может остановиться сама, без специального лечения, и, возможно, попробует это сделать.

— Не понимаю, о чем ты говоришь.

— Когда превратишься в мешок с костями, а твой нос разрушится от постоянного употребления, тогда поймешь. — Я рассматриваю ряды платьев, думая о том, что одеть Августу будет гораздо сложнее. — Нет, я не собираюсь читать тебе мораль, ты можешь делать со своей жизнью все, что тебе вздумается, но при этом твоя внешность изменится необратимо, и очень скоро. Просто имей это в виду.

— Я не...

— Ты это папе своему расскажешь, он поверит, а я торчков за свою жизнь перевидала, как яблок на ветке, так что передо мной можешь не распинаться особо. Мое дело сказать тебе, чем ты рискуешь, чтоб это не стало для тебя неожиданностью. Если ты и дальше продолжишь закидываться коксом, то очень скоро в зеркале увидишь совершенно другую личность, и возврата уже не будет, внешность меняется необратимо. Так, что же тебе подобрать, Августа...

Девчонка снова медитирует, прислушиваясь к дому. С тех пор как компания обосновалась здесь, рояль наконец заткнулся, и я этому очень рада. Честно говоря, эти пассажи действовали мне на нервы. Возможно, призраки затаились и впали в ступор от современных нравов, но, судя по этому дому, здесь когда-то такие огни зажигались, что нам и не снилось. А сейчас дом пуст, все мертвы и то, что здесь кипело и горело — страсти, мысли, желания, ненависть, вожделение, — все это ушло без следа и стало неважным задолго до того, как умер последний участник тех событий. А призраки, возможно, остались. Что-то же могло остаться, кроме этих платьев?

И я думаю, что конкретно этих призраков будет очень трудно чем-то пронять.

Все дело в пропорции. В какой-то момент жизни люди просто обрастают связями, событиями, вокруг них кипит, как им кажется, какая-то значимая жизнь, и все это считается важным. Граждане даже убивают по каким-то, на их взгляд, веским причинам — им их жизни представляются чем-то, что будет всегда и останется в веках. А на самом деле нужно просто представить себе, что вам, например, оторвало ногу. Или вы внезапно ослепли. Ну, каким-то образом, случается же. Что из того, над чем вы перегреваетесь и ради чего предаете, подличаете или убиваете сейчас, будет вам важно после этого? Вдруг окажется, что процентов девяносто, а то и больше — событий, переживаний, людей — вообще ни к чему. А вот то, что останется, как раз и есть настоящее.

Дело в том, что пропорции настоящего и ненужного мы устанавливаем сами, и устанавливаем неправильно. Это как убиваться в очереди за последней моделью айфона, вываливая в Инстаграмах предложения «отсосу за новый айфон». Если вдуматься, то айфон — просто кусок пластика, который через год станет устаревшей моделью, но репутация уже погибла безвозвратно, а телефон можно купить другой. Есть вещи, восстановить которые невозможно, и это как раз самые важные вещи. Просто осознание их важности теряется под тоннами ерунды, навязанной нам рекламой, глянцевыми журналами, интернет-сообществом или собственной неспособностью расставить приоритеты, что является признаком хронической инфантильности и прогрессирующего идиотизма.

А пропорция нужного и ненужного часто определяет качество жизни.

Вот Августе, например, плевать на горы шмоток. Она одета в простое черное платье ниже колен, на ногах у нее уродливые не то ботинки, не то туфли, стрижка неопрятная, отросшие волосы торчат во все стороны — девица изо всех сил делает вид, что ей плевать на то, как она выглядит. Это другая крайность, и тоже нарушена пропорция, и если кажется, что она познала дзен, то это даже приблизительно не так.

Ей просто не хватало внимания.

Не думаю, что Валерия смогла заменить девочке мать, да она вряд ли пыталась, и тут не мне ее осуждать, когда Городницкий женился на ней, ей было ненамного больше лет, чем сейчас Августе. После того вечера, когда мы катались с Валерией на карусели во дворе, где она выросла, я часто думала о ней.

Мне было жаль, что она умерла вот так.

Но я думала о том, как она жила, и мне начинало казаться, что смерть ей к лицу. Потому что Городницкий — тот еще гад, и внешне не так чтоб симпатичный — крупный, какой-то квадратный, все в нем выглядит тяжелым: фигура, кулаки, взгляд, челюсть. А еще у него какая-то вечная истерика, он постоянно на взводе, и хотя внешне он этого никак не проявляет, я всегда чувствовала холостые обороты в его башке и всякий раз, видя его, думала: когда он взорвется, столько народу накроет осколками и взрывной волной. Мне никогда не нравилось его присутствие, я терпеть не могла отвечать на его вопросы и вообще проявлять по отношению к нему какую-то вежливость. И если я это делала, то просто затем, чтобы не вызвать его внимания ко мне, я не хотела, чтобы он ко мне присматривался.

А ведь Валерия не просто иногда виделась с ним, она жила в его доме, спала с ним.

Конечно, я не удивляюсь, что она не стала матерью Августе и даже другом не стала. Очень сложно дружить с девочкой, которая позиционирует себя как медиум и постоянно, причем в самый неподходящий момент, говорит разные неприятные вещи.

Ну, например, что ты вот, дескать, скоро умрешь.

И теперь это чудо природы сидит на пуфике, раскачиваясь из стороны в сторону, а я пытаюсь определить ее типаж. Как-то так случилось, что я не смотрела ей в лицо. Эти ее уродские не то ботинки, не то туфли — они реально травмировали меня, а вот сейчас она сидит на низком пуфике, подобрав под себя длинные тощие ноги, и я смотрю на нее и понимаю: из всех детей Городницкого Августа — самая красивая, она — типаж Мардж Хельгенбергер, но по-настоящему это станет заметно года через три-четыре.

Или сейчас, если я захочу.

Мне нужны все актеры, весь реквизит, а потому я вытащу Августу на свет, хочет она этого или нет. Тем более что идеальное платье я для нее уже нашла, оно сшито из нежно-зеленого атласа, этот оттенок напоминает мне цветение клена, платье очень простое, с расшитым широким поясом и отложным воротом, украшенным по краю той же вышивкой, оно чем-то похоже на средневековый наряд, какие изображают в псевдоисторических фильмах о рыцарях и дамах. К этому платью идеально подойдет накидка из золотистой норки. Правда, как одеть в это все Августу, не вызвав волну гражданских протестов, я пока не придумала, а уж что делать с вороньим гнездом на ее голове, для меня и вовсе загадка.

Но я что-нибудь придумаю.

— Ладно.

Это Августа с кем-то разговаривает. У нее, я думаю, есть воображаемый друг.

— Я сделаю, как ты скажешь, и буду слушаться ее... Но она очень странная.

Это она обо мне говорит. Со своим воображаемым другом. А странная здесь, значит, я.

— Тебя нужно причесать, сиди смирно.

Она подняла на меня взгляд — глаза светло-голубые, как у Алекса, но выражение их мне не нравится. Августа мне вообще не нравится, и тут я ничего не могу с собой поделать. Я бы предпочла, чтобы она оказалась убийцей и ее заперли где-нибудь в обитой войлоком палате, но я знаю, что убийца не она.

Просто я не люблю, когда у меня возникает такая стойкая антипатия к кому-то. Это плохо для бизнеса.

— Я не нравлюсь тебе.

Она тоже живет во тьме, просто в ее тьме есть еще кто-то, а я в своей одна. Но тьма — она и есть тьма.

— Нет, не нравишься.

Не думаю, что у меня есть причина лгать Августе. Мне ничего от нее не надо, но она — важная часть моей вечеринки, а потому я скажу ей правду. Она не нравится мне, потому что в ее глазах таится что-то очень недоброе, девчонка просто ходячая неприятность.

Впрочем, она сейчас в очень плохой компании.

— Я причешу тебя, сиди смирно.

Ее волосы густые и очень прямые, золотистого оттенка. Они недостаточно длинные, чтобы соорудить ей более-менее сносную прическу, и недостаточно короткие, чтобы просто причесать и оставить как есть. Но у меня тут целый арсенал разнообразных орудий пыток, и я собираюсь применить их все, пока не найду то, что подойдет.

— Ты уже знаешь, что я этого не делала.

— Предполагаю.

— Нет, ты точно знаешь. — Августа пытается поймать мой взгляд, но это сложно, если я сама не захочу. — Ай, больно же...

— Потому что иногда надо причесываться и делать это чаще, чем раз в год. — Я собираю волосы у нее на затылке и закрепляю резинкой. — Сиди смирно, будь добра.

— Лера говорила мне о тебе.

И пойди пойми, говорила ей Валерия обо мне, пока была жива, или Августа и правда видит призраков. Я допускаю, что она их может видеть, как и то, что призраки все-таки существуют. Или нечто, считающееся призраками.

Этот дом сводит меня с ума, вот что.

— Лиана, тебе придется поделиться косметикой.

— Не вопрос, угощайся.

Лиана рассматривает висящие на плечиках вещи, но я вижу, что мысли ее далеко. Не может быть, чтоб она так сильно прониклась моими словами, тут скорее причина в другом: ей нужна доза, но она решила попробовать ее пропустить, чтобы доказать мне и себе, что может бросить в любую минуту. По сути, это так и есть, ее зависимость психологическая, но настроение у нее испортилось, а это значит, что сейчас до нее доходит тот простой и очевидный факт, что она подсела.

Но я далека от мысли, что она вот так бросит, тем более что Пауль вряд ли ей это позволит.

— Как ты поняла?

Это она спрашивает о том, как я раскрыла ее маленькую грязную тайну.

— Тоже мне, бином Ньютона. — Я закрепила на затылке Августы большой гребень, украшенный жемчугом. — Я давно это знала. Меняется поведение, но самое главное — заостряются черты лица. Сначала это незаметно — вот как сейчас...

— Но ты заметила.

— Да. — Я пожала плечами. — Но не все так наблюдательны.

— Я не подсела. Я могу бросить в любой момент.

— Все вы так говорите. — Я принялась за лицо Августы. — А потом оказывается, что бросать просто не хочется. Лиана, я не собиралась тебе все это говорить, просто когда ты во все это оделась... В общем, мне вдруг стало жаль, что скоро это исчезнет.

— Я знаю многих, кто балуется, и ничего...

— Ничего — это когда ничего. Закрой глаза, Августа. — Я наношу тени на веки девчонки. — А у тебя процесс пошел. У всех это по-разному. Вот сейчас ты ощущаешь огромное желание снова закинуться, но хотя порошок у тебя есть, ты не нюхаешь его. Типа, вот бросила, и все. Но тебя не хватит даже до утра, потому что внизу Пауль, и он тебя продавит.

— Не продавит, если я не захочу.

— А ты захочешь, ты позволишь ему себя убедить. — Я наношу румяна и растушевываю их на скулах Августы. — Дело в том, дорогая, что ты не понимаешь одного: все, что с тобой происходит, — это твоя зона ответственности. А еще ты маешься дурью, в прямом и переносном смысле слова, вот и подсела.

— Я не подсела!

— Ага. — Мне даже смешно от этой наивности. — Тогда

почему тебе так хочется достать из сумочки пузырек и снова закинуться?

— Ты... — Лиана нервно сглотнула. — Ты это сама сейчас придумала.

— Ну конечно. — Я по очереди открываю тюбики помады. — Ага, вот эта... Смотри сама, это же твоя жизнь и внешность твоя. Кстати, я все хотела спросить — что ты делаешь вместе с Паулем?

Я сегодня видела, как она вьется вокруг Янека.

Впрочем, вокруг Янека всегда был целый вихрь поклонниц, почитательниц и обожательниц, девицы слетаются на него, как обезумевшие бабочки на свет неоновой лампы. Даже в школе так было, меня данное обстоятельство всегда забавляло.

Так что Лиана просто вступила в клуб, делов-то.

— Мы с Паулем давние друзья.

— Ага, и толкач у вас один на двоих.

Лиана отвернулась, надувшись, но мне на ее психику плевать с пожарной каланчи.

— Нужно папе сказать. — Августа серьезно смотрит на меня. — Если он узнает, что мы не сообщили, когда нашли там тетю Люду...

— Не узнает, если ты не разболтаешь. — Лиана сердито смотрит на Августу. — Тебе что, пять лет? Совершенно не все надо рассказывать предкам.

— Я лгать не умею.

— Так научись. — Лиана злится. — Папаша твой что, по-твоему, сделает, когда узнает, что мы не бросились тут же ему докладывать?

— Не знаю, но плохо будет, особенно Лешке. — Августа вздохнула. — Но когда он станет меня спрашивать... У нас всегда так было, если что — папа у меня спрашивает, потому что знает: я не умею лгать.

— Хороша сестра — закладывала брата перед папашей! И, скорее всего, не только брата, я права?

Августа вздохнула и промолчала, а я вспомнила Янека. Он тоже постоянно ябедничал на меня, причем делал это вроде как из самых лучших побуждений, но закончилось известно чем.

И сейчас я думаю — а зачем ему это было нужно?

Бурковскому я была до лампочки — живет какая-то в его доме, и ладно. Матери не стало до меня дела гораздо раньше... Ну, я говорила уже. На деньги Бурковского я никогда не претендовала, как и на какую-то его собственность, хотя сама была удивлена, зачем матери понадобилось продавать нашу старую квартиру и что она сделала с деньгами.

Но и это не волновало меня.

А Янека всегда беспокоил факт моего присутствия в их идеальном доме. Он всюду совал свой любопытный нос, он подслушивал, подглядывал, рылся в моих вещах. Я никогда не могла понять, что ему нужно, что именно он ищет, а потом просто навесила на свою комнату замок под горестные вопли матери, и набеги Янека прекратились.

Но его пристрастный интерес ко мне, как оказалось, не угас.

— Я не слышу тетю Люду.

Августа раскачивается на своем пуфике, игнорируя мои усилия придать ей вид шлюхи столетней давности. И своими идиотскими кривляниями она меня просто бесит.

— Августа, тебе совершенно не нужно изображать перед нами безумную Офелию. — Я наконец смогла привести в порядок ее голову. — Снимай свои лохмотья и надевай вот это платье.

Августа смотрит на меня затуманенным взглядом, и я думаю, насколько это актерство.

— Каково это — быть такой холодной? — Августа трогает меня за руку. — Ты не взволнована, ты не боишься, тебе даже не любопытно. Ты просто расставляешь нас, как манекены в витрине, да? Но вот сейчас умри мы все, и ты просто пожалеешь о потраченном времени, и больше никаких эмоций.

— Надевай это платье и сними свои ужасные чуни, они травмируют мою психику.

— Ладно.

Я думаю о том, что пора и мне заново принарядиться, потому что здесь полно первоклассных шмоток. Платье из легкого бархата, бирюзовое, в пол, с подолом, отделанным прекрасными кружевами, с длинными рукавами, а поверх него легкая горжетка из плотного синего атласа, с отличной стеганой подкладкой, горжетка, отороченная пушистым мехом черно-бурой лисицы, а золотая сумочка сюда вписывается, и не надо вынимать из нее пистолет...

— Адель, это прекрасно!

Янек, видимо, какое-то время уже стоит здесь.

— Надень смокинг, клоун. — Я беру из шкатулки на полке коробку с диадемой. — Снова подглядываешь? Все время пытаюсь понять, чего тебе всю дорогу надо от меня?

— Боюсь, ответ настолько очевиден, что он тебе даже в голову не придет.

— Ты даже не представляешь, что иногда приходит мне в голову.

Например, иногда я думаю, что было бы забавно просто грохнуть и мать, и Бурковского, и еще кого-нибудь. Это тьма шепчет мне. Но я не идиотка, пусть себе шепчет, хоть треснет, это ее проблемы.

— Надевай смокинг, если найдешь подходящий.

Лиана и Августа молча пялятся на Янека. В толк взять не могу, отчего девицы впадают от него в такой шок и ликование, обычный хлыщ со смазливой мордой и вкрадчивыми манерами. Жаль, что это не он убийца, я бы с удовольствием поджарила его гладкую задницу.

Но я сама свидетель его невиновности. Вот же гадство!

— Своего нового друга ты отлично принарядила.

— Ну да. А ты найди шмотки своего размера, только платья не трогай.

— Очень смешно.

— Ага, очень.

Мне бы теперь как-то вытолкать из гардеробной двух глупых куриц, завороженно пялящихся на Янека. Нет, он смазливый тип, если вам нравятся блондины скандинавского типа, мне такие тоже нравятся — но не Янек, вот уж нет.

— Девчонки, я нашел музыку!

Это Пауль, уже пьян и весел и закинулся коксом, как пить дать. Чем же ты так держишь Лиану, что она даже на кокс подсела с тобой за компанию?

— Смотрите, допотопный проигрыватель и пластинки, есть джаз, звук очень интересный.

Пауль машет руками, а со стойки падает очередная чашка, да что ж такое в этом доме происходит! То рояль, то мячики, то чашки! И труп наверху тоже добавляет колорита. Или мы все каким-то образом умерли и попали в один и тот же ад.

— Еды много, выпивки хватит с избытком, но Алекс пошел на кухню за шипучкой.

Точно, на кухне я видела паки с различной газировкой. Вот только бродить по дому в одиночку, когда здесь труп и теоретически может быть убийца… Стоп, а где Влад? Я снова про него забыла.

— Твой новый дружок пошел с ним. — Пауль с удивлением уставился на нас. — Девчонки, вы супер! А уж Августа вообще неожиданно... Адель, все твои бешеные гонорары заслуженны, теперь я знаю это абсолютно точно.

В гостиную ввалились Алекс и Влад, у обоих вид очень странный.

— Вы это чего? — Лиана попятилась и спряталась за мою спину. — Что... что стряслось?

— Труп исчез. — Алекс от испуга дрожит и выглядит жалко. — Исчез, и крови нет.

Ну вот и славно, я считаю.

17

— Мы все ее видели. — Пауль хмуро потягивает коньяк. — Нам не померещилось, она была там, с ножом в горле и в луже крови.

— Была, а теперь нет. — Лиана вздохнула. — Так что, если заткнуть Августу, остальные будут молчать о том, что произошло.

— Трупы вот так просто не исчезают. — Янек ходит из угла в угол. — Кто-то ее утащил, а весила эта дама значительно. Мало того — кто-то вымыл пол, там все чисто, словно и не было ничего. Но тело лежало там, мы все его видели. Мы же не могли все спятить в одночасье! Значит, кроме нас, в доме все-таки кто-то есть, а значит, именно этот человек и убил вашу, Алекс, тетку.

— Интересно, зачем он убил ее в доме? — Лиана задумчиво накручивает локон на палец. — Он мог бы убить ее где угодно — на улице, и никто бы этого не знал... И как можно было убрать труп и вымыть пол, а мы при этом ничего не слышали? Хотя, конечно, дом очень большой, а мы не прислушивались, но все равно это риск быть замеченным.

Меня гложет одна мысль, но высказать ее вслух я не хочу. Впрочем, судя по тому, как Влад смотрит на меня, его эта мысль тоже посетила. Ходы между стенами, конечно же! Труп не нужно было далеко тащить, достаточно было втащить между стен и замыть кровь. А это значит, что со временем труп даст о себе знать — это во-первых, а во-вторых, в доме есть еще кто-то, кто знает секрет дома. И это не мстительный призрак, а вполне осязаемый человек.

Убийцы просто слетаются на меня, как самолеты на родной аэродром.

Вопрос в другом, и тут Лиана права: зачем нужно было убивать Людмилу здесь, когда убийца точно знал: в доме полно народу? С другой стороны, это умный ход: чтобы полиция начала подозревать всех, кроме собственно убийцы, которого никто из нас не видел. Но тогда логично было бы оставить тело там, где оно лежало, и не таскать его туда-сюда, не заморачиваться с замыванием крови... В общем, нелогично все это.

А еще мне не дают покоя рояль и мячик.

— Так, это все очень странно. — Лиана явно чувствует себя не в своей тарелке, и тут я ее понимаю. — Я думаю, нам надо убираться отсюда как можно скорее. Вы как хотите, а я сваливаю.

Если Другим Кальмаром она не была, то самой умной крысой — точно. Наш «Титаник» не просто начал тонуть, он наполовину в воде, уже залило среднюю палубу, и Лиана права, пора валить. Вопрос в другом — узнать, что мы здесь были, несложно, к тому же, хотя я уверена во всех присутствующих, они все будут держать языки за зубами, даже Янек, несмотря на Итон, только полоумная Августа полностью портит картину, нивелируя наше единство.

Видимо, Алекса посетила та же мысль.

— Августа...

Она испуганно смотрит на Алекса, и я понимаю, что она сдаст нас, сдаст просто потому, что она трусливая мышь, всю жизнь прячущаяся за своими видениями, чем бы эти глюки ни были, даже если ничем. Она сдаст нас, потому что боится Городницкого, боится жить, боится мира вокруг, и она сделает все, чтобы вернуться в свой уютный кокон мнимого или настоящего безумия. Алекс вытащил ее на люди, желая каким-то образом вырвать сестру из одиночества, но дело в том, что ей это одиночество было необходимо.

А теперь Августа вдруг стала огромной проблемой.

— Я... я никому не скажу.

— Скажешь. — Пауль недобро смотрит на Августу. — Я знаю таких, как ты. Как только мы выйдем отсюда, ты побежишь к папаше или в полицию, даже если тебя никто не спросит и не заподозрит, что ты можешь быть в курсе дела, ты сама расскажешь.

— Нет, я...

— Расскажет, да. — Алекс с сожалением смотрит на сестру. — Она всегда это делала. Что-то узнает — и бежит к отцу, а тот по головке ее гладит — умница какая, папе все рассказывает! Ну а нам с Яниной попадало потом, иногда изрядно попадало, у отца рука тяжелая.

— Он что, бил тебя?! — Я просто поверить не могу, ведь Городницкий не алкаш какой-то, не маргинал... Впрочем, я всегда считала, что он больной на голову, просто хорошо это скрывает. — Почему ты это терпел?

— Не говори об этом в прошедшем времени. — Алекс горько улыбнулся. — Он и сейчас продолжает, вот только младшенькую не трогает, потому что она всецело хорошая дочь, хоть и с мозгами набекрень. А Янка сбежала замуж, какая там любовь — просто сбежала, лишь бы от отцовского «воспитания» избавиться. Ну, отец-то не сразу понял, что власть над ней потерял, и однажды на семейных типа посиделках по старой привычке попытался Янку проучить по-свойски, когда она в каком-то разговоре ему возразила, но у ее мужа тоже есть деньги и хорошая охрана, и они слегка помяли отца, даже Андрей ничего сделать не смог. С тех пор Янку в нашем доме не упоминают.

— Тогда зачем ты притащил с собой эту полоумную? — Лиана с презрением смотрит на Августу. — Сидела бы дома.

— Дело в том, что она услышала кое-что. — Алекс вздохнул. — Эта мелкая моль всюду бродит, незаметно так, все подсматривает, подслушивает, а потом доносит отцу. Ну а он… В общем, Янина как-то неделю на улицу выйти не могла, так лицо распухло, а теперь ее нет, под рукой только я, и все родительское внимание достается мне одному. И угораздило меня неосторожно по телефону поговорить, глядь — сестрица любимая стоит в дверях, уши растопырила. Ну, я и взял ее с собой сюда, чтоб не успела отцу настучать.

— Вот же дрянь! — Я жалею, что не превратила Августу в пугало, а ведь могла бы. — И зачем ты это делаешь, деточка? Спрашиваю так, из интереса. Просто любопытно, чем руководствуются подобные люди.

Янек отвернулся и делает вид, что не понимает моих намеков, но я знаю: все он понимает.

Августа сжалась в кресле, затравленно глядя на нас. Мне хочется надавать ей затрещин, и это желание настолько сильное, что даже рука сжалась. Когда-то я не смогла сдержаться, но сейчас дело того не стоит.

— Я… — Августа нервно сглотнула. — Я… я больше не буду, клянусь!

— Будет. — Пауль отставил в сторону бокал и поднялся. — Другое дело — кто ее станет слушать, ведь она совсем дурочка.

— Если Людмила не появится, Городницкий будет ее искать. — Я уверена, что в очень скором времени. — И когда он станет это делать по-своему, мелкая сопливая дрянь всех нас сдаст.

— Нет, я...

— Расскажешь. — Алекс зло смотрит на сестру. — Ты именно это всегда делаешь, так с чего тебе менять свои привычки?

— Леш, я обещаю, что...

— Ей верить нельзя. — Лиана смотрит на Августу, и в ее глазах решимость. — Но что делать?

— Ответ, по-моему, очевиден. — Пауль недобро ухмыльнулся. — Тем более участок здесь большой, и кладбище где-то тут уже имеется, скучно ей там не будет. Кто знает, что она здесь?

— Никто. — Алекс, похоже, тоже решил разом покончить с внутрисемейными конфликтами. — В этом-то вся красота момента.

— Вы что, все с ума сошли? — Янек в ужасе пялится на нас. — Что вы собираетесь делать?

— То, что давно надо было сделать. — Алекс злобно прищурился. — А потом мы просто обо всем забудем и станем жить как жили. А иначе нам покоя не даст полиция, выясняя подробности смерти Людмилы и куда делось ее тело.

— Тела-то как раз нет, и ничто, кроме наших возможных показаний, не указывает на то, что здесь произошло. — Янек пытается сохранять самообладание. — Ну, допустим, Августа расскажет твоему папаше. Вряд ли она побежит с этим в полицию, просто расскажет папе, как привыкла. И дальше — что?

— Отец... Он такой, что...

Алекс заметно в ужасе от такой перспективы.

— Ладно, папаша надает тебе колотушек. — Я считаю, что жалеть Алекса глупо, ему пора становиться мужиком. — Ну, стерпишь. Или дашь наконец сдачи... Хотя нет, весовая категория не в твою пользу, так что отравишь папу мышьяком. Потом отравишь, суть не в этом. Суть в том, что в полицию он тебя уж всяко не сдаст, сам повоспитывает, а в полицию не сдаст, тем более что трупа нет и следов никаких.

— Неважно. — Алекс неожиданно обрел спокойную уверенность, и это хуже всего. — Рано или поздно она разболтает еще кому-нибудь.

— Алекс прав. — Лиана вздохнула и покачала головой. — Эта кретинка способна доставить кучу неприятностей. Где-нибудь в Интернете просочится, ляпнет стороннему человеку, да мало ли, она совсем безголовая. Или примется вещать от имени убиенной, насочиняет всякого.

— Я никому не скажу! И я не сочиняю!

— Сочиняешь. — Янек ухмыльнулся. — Я понял, когда с тобой говорил. Ты просто нуждаешься во внимании и очень боишься попасть под раздачу, когда твой отец начинает бушевать, вот и угождаешь ему, наушничая о домашних.

А ты из любви к искусству! Видали такое, называл кастрюлю чумазой.

— Я никому не скажу, честно! — Августа нервно обняла себя руками за костлявые плечи. — Я... просто не скажу, и все!

— Ты же сама знаешь, что скажешь! — Лиана танцующей походкой направилась к Августе, и они с Паулем закружили вокруг кресла, как пара акул. — Ты сама нам говорила: как только папа у тебя спросит, так ты ему все и выложишь. Врать, типа, не умеешь. На месте Алекса я бы уже давно решила этот вопрос, потому что жалеть мелкую сопливую дрянь, отравляющую мне жизнь, я бы ни за что не стала, но Алекс добрый, а вот я нет. И мне совсем неохота всю оставшуюся жизнь озираться по сторонам, думая, когда же ты окончательно свихнешься и разболтаешь все первому встречному просто потому, что тебя тяготит ужасная тайна!

Августа вжалась в кресло, понимая, что сейчас с ней произойдет что-то неприятное. Но дело в том, что нет способа заткнуть ее, кроме одного, а я не хочу в этом участвовать. По крайней мере, не в компании Янека и пары наркоманов. Убийство — вещь интимная, требующая уединения, а совершить убийство в числе группы — это означает заиметь кучу людей, которые будут всю жизнь держать тебя за горло, так или иначе. Ну, как в фильме «Я знаю, что вы сделали прошлым летом», да.

— Так, стоп! — Я не собираюсь ни в чем подобном участвовать. — Все успокоились. Никто никого не будет убивать. Да и с чего бы? Если мы это сделаем, мы будем соучастниками.

— В этом и смысл, Адель. — Пауль ухмыльнулся. — Никто не разболтает.

— Не тот масштаб, чтобы совершать убийство. Да и кто будет убивать? Ты? Вы все думаете, что кто-то за вас испачкает пальцы, а вы типа в стороне постоите, морально поддержите, каждый из вас. — Я потом порешаю вопрос с Августой — но пока не знаю как. — Тела нет? Нет. Следов убийства нет? Тоже нет. Ну, допустим, расскажет она Городницкому. Дальше что? Городницкий не сдаст родного сына в полицию, и последствий не будет никаких.

— Валерии это расскажешь. — Алекс хмуро взглянул на меня. — Ты же там была, все видела.

Он сказал это так уверенно, что я внутренне содрогнулась — он либо видел нас с Валерией, либо это он и шагнул из темноты в капюшоне... Но нет, фигура убийцы была другой, тот парень был крупнее и выше ростом.

— Алекс, ты бредишь, при чем тут Валерия?

— Ну, так это же моя прекрасная сестрица разболтала отцу, что у Валерии роман с Андреем.

Андрей — это Кинг-Конг, если вы позабыли.

— У Валерии был роман с вашим охранником?!

— Ага. — Алекс хмыкнул. — И уж ты-то об этом точно знала раньше всех, ты всегда все обо всех знаешь. Не знаю, где Лерка прокололась, но наша примерная дочь каким-то образом прознала и тут же бросилась рассказывать папе. Я думал, будет скандал — а оно вон как обернулось, через два дня Валерию убили. И ты в тот вечер была вместе с ней. Случайный убийца не оставил бы тебя в живых, он бы догнал тебя по-любому, но этому было заплачено за один труп. Я видел вас с Валерией в ресторане, потом вы пошли по проспекту. Я удивился, ведь вы не дружили. Впрочем, ты вообще ни с кем не дружишь, а тут гляжу — идете, болтаете, как давние подружки, потом в арку свернули — в ту самую, где потом Валерию нашли.

Александровск — большая деревня, здесь невозможно пройти по улице и не встретить знакомого.

— Я не следил, ты не думай, но я искал тебя, а потом Лерка говорит: «Я ей дозвонилась, сейчас встречаемся по поводу праздника». Я не стал напрашиваться с ней вместе, но поехал вслед, чтобы убедиться, что с тобой все в порядке.

— Убедился?

— Извини, я беспокоился. — Алекс пожал плечами. — Вы сидели в ресторане, болтали, а я... Господи, Лерка праздник отцу хотела устроить, подумать только! Она нормальная была, мы с ней ладили, и эту дрянь она жалела всегда — ах бедняжка, выросла без матери! Ее не жалеть надо было, а в психушку отдать, но Лерка отца отговорила. Ну а наша примерная дочь вот так отблагодарила свою спасительницу. Настучала на нее папе. Причем никто ее ни о чем не спрашивал, она сама вынюхала все и тут же побежала докладывать, на добровольных началах, так сказать.

— Ты думаешь, что это твой отец организовал убийство Валерии?

— Думаю, да. — Алекс вздохнул. — Прости, что вывалил это при всех, но у нас, похоже, больше нет друг от друга тайн.

— Так это ты была там?! — Янек разом подался ко мне. — Почему ты после этого не пришла домой? Почему продолжала прятаться?

— Я не пряталась, просто жила и дальше своей жизнью, только не в вашем доме, но больше ничего для меня не изменилось.

Я не стану ему рассказывать ни об ужасных ночах, проведенных на улице, ни о стирке вещей и мытье в речной воде остатками чужих шампуней, найденных в мусорном баке. И о том, как на меня охотились, не расскажу, и о гараже, и о складе с крупами — никому из них не расскажу, и вообще никому. Потому что им это не нужно знать, да и никому не нужно, если на то пошло. Это границы между мирами, которые никак не соприкасаются, и в этом мое спасение. Тьма, в которой я живу, надежно скрывает меня, и тьма — это не всегда плохо.

— Зачем бы мне было возвращаться? — Терпеть не могу вываливать на люди бельишко, но сейчас это нужно по сценарию праздника. — Не хотела мешать вашему сияющему семейному счастью и разрушать идиллию. Теперь мать рада-радешенька, что наконец избавилась от меня, и твой папаша тоже вздохнул с облегчением, ведь он вечно ждал, что я втравлю его в неприятности, а я все не втравливала и не втравливала. А тут ты приехал и сразу же нашел, чем папу порадовать, у него нервишки и сдали. Что, заскучал, бедняжка, не за кем стало шпионить и папаше доносить? В Итоне тебя не били соученики за то, что ты стучишь на них? Или только я удостоилась твоего такого пристрастного внимания?

— Что?!

— Да, дружище Алекс, у Янека та же беда, что и у Августы: он примерный сын. И он всю дорогу шпионил за мной, подслушивал, подглядывал, рылся в моих вещах... Что он там искал, один черт знает! Может, просто примерял мое белье, хотя я стараюсь об этом не думать... А потом стучал как дятел. Правда, Бурковский никогда никого из нас пальцем не тронул, он вообще дядька в целом очень неплохой, в отличие от твоего ненормального папаши, так что если Августу можно как-то понять, она просто жертва домашнего насилия, то этот деятель стучал на меня исключительно из любви к искусству.

— Поверить не могу!

— Да, ты не одинок. — Мне даже жаль Алекса. — Так что — да, дорогой сводный братец, я не вернулась в ваш гадюшник и не вернусь никогда, мне и без вас отлично, а на кусок хлеба я себе всегда заработаю, в отличие от остальных присутствующих. Теперь что касается убийства вашей, Алекс, мачехи. Дело в том, что я убийцу вообще не рассмотрела. Все случилось очень быстро: вот мы катаемся на карусели, площадка освещена фонарем, а потом вступили в полосу тьмы, и этот парень был там, прятался в арке и явно поджидал нас. Вернее, ждал он именно Валерию, потому что катались мы долго, и с того места, где он стоял, ему все было отлично видно, и ошибиться с целью он никак не мог, тут я уверена. Тем не менее все, что я могу о нем сказать, — он был в каком-то капюшоне, рост выше среднего. Больше я ничего не рассмотрела.

— Он был совсем рядом, как же ты его не разглядела?

— Еще раз для тех, кто в танке. — Я вздохнула. — Все произошло мгновенно, там было очень темно, глаза не приспособились к темноте после освещенной площадки, и, как только он ударил Валерию ножом, я сразу бросилась бежать. Я разглядела нож, но думаю, описывать орудие убийства нет смысла, скорее всего, его нашли рядом с телом. И если судить по форме и размеру ножа, а также по силе удара, то, я думаю, Валерия умерла раньше, чем упала. Убил он ее не в самой арке, а тело зачем-то перетащил.

— Да, нам это говорили в полиции, — кивнул Алекс. — Но ты могла дать показания. Нож нашли, конечно, ты права, он его там и бросил, но твои показания могли бы...

— Какие показания? — Меня всегда раздражала его туповатость. — О том, что я ничего не видела? Если бы я рассмотрела парня и мои показания помогли бы его найти, то будь уверен, я дала бы показания. Но встревать в тягомотину с полицией ради того, чтобы сказать им: ребята, я ничего толком не видела, а уж тем более не рассмотрела убийцу, — это втравить себя в какие-то длительные, ненужные мне отношения с людьми, которые не являются для меня ни источником приятного общения, ни источником дохода.

— А мы для тебя кто?

— Не начинай только. — Что за манера все переводить на личное. — Вы для меня кто как. Вот Янек, например, вообще никто. Так что еще раз повторяю: я не рассмотрела убийцу, от слова «вообще», что мне было говорить полиции? Капюшон описать? Так я не могу даже сказать, какого он был цвета.

— Адель права. — Пауль подлил себе коньяка. — Отличный коньяк, кстати. Конечно, ты правильно сделала, что сбежала оттуда. Ведь убийца-то не мог знать, что ты его не разглядела.

— Именно. — Я даже улыбнусь Паулю, мне не жалко. — Вот это я и пытаюсь втолковать нашему другу Алексу. Я ни хрена ценного не сказала бы полиции, а поимела бы кучу неприятностей на ровном, можно сказать, месте.

Особенно учитывая, что из всех документов у меня была только ксерокопия чужого паспорта, а ссылаться на Бурковского мне категорически не хотелось.

Влад молча подал мне бутылку с апельсиновой шипучкой, и я машинально скрутила ей голову и отхлебнула. Я поклялась себе ничего не есть и не пить в этом доме, но мне нужно было попить. Как Влад это понял, я не знаю. И, возможно, питье отравлено — но черт с ним, не так уж хороша жизнь, если по ней шляются разные сволочи, и я в том числе.

— Ладно, мы отклонились от темы. — Лиана потянулась и взглянула на меня. — Да, теперь я понимаю, что моя семья вполне нормальная. Городницкий предположительно убил Валерию, потому что она ему наставила рога. Ну, это бывает, что ж теперь поделаешь, убил и убил. Но толстуху-то он не убивал? Если она пользовалась у него таким доверием.

— Не убивал. — Алекс вздохнул. — Тетя Люда делала для него множество разных вещей, она была отличным кризис-менеджером. В последние пару месяцев она взялась вытягивать одну фирму, принадлежащую давнему другу отца, и дела там, видимо, уже шли на лад, насколько я понимал из разговоров. Она нашла какие-то хищения на складах, что ли, я не вникал особо. Но она говорила, что теперь все наладится, а она слов на ветер не бросала. Ну а теперь, когда ее нет... В общем, отец будет вне себя, она была его доверенным лицом.

— Мне на психику твоего папаши насрать, Алекс. — Лиана забрала у Пауля бокал с коньяком и сделала изрядный глоток. — Но я не хочу иметь отношение к истории с убийством. И если мы не убедим твою сумасшедшую сестру молчать, пока смерть не разлучит нас, то я не знаю, какие будут последствия. Но точно ничего хорошего.

— Может, и никаких. — Пауль задумчиво вертит в руках бокал. — Тела нет, а у нас тут вечеринка.

Августа вдруг подскочила и с диким визгом бросилась бежать. Это было настолько неожиданно и настолько тупо, что никто не успел среагировать, а полоумная девчонка уже выбежала из зала, и ее визг раздавался в глубине дома.

— За ней, мигом! — Алекса выбросило из кресла словно пружиной. — Кто знает, что она сейчас отколет!

Визг Августы вдруг прервался, из холла послышался глухой удар, и мы припустили бегом.

Лиана непроизвольно вскрикнула и схватила Пауля за руку. Думаю, связывает их не только наркота, что-то есть между ними — не секс, не влечение, но какие-то эмоции. Иначе в минуту душевной смуты она бы не хваталась за его руку, ища защиты. Не пила бы из его бокала. Это, чтоб вы понимали, жесты всецело инстинктивные — пить из бокала другого человека в полной уверенности, что все хорошо, и в момент опасности искать защиты, хватаясь за того, от кого этой защиты ожидаешь. Нет, Пауль ей не враг, а вот что их связывает, я не знаю, но вряд ли это секс.

Августа лежит на полу в холле, и даже издали видно, что она мертвее мертвого — раскинулась на каменных плитках холла. Одно радует — на патологоанатома она произведет наилучшее впечатление, ведь я ее все-таки смогла причесать и принарядить.

— Она упала со второго этажа. — Янек озадаченно смотрит на тело. — Зачем она туда побежала? Ведь логичнее было бы выбежать во двор.

Влад подошел к двери и потрогал ее.

— Она не смогла бы выбежать наружу, дверь заперта.

В лучших традициях фильмов ужасов — компания попадает в дом, зараженный какой-то нечистью, демонами там и прочей вредоносной гадостью. Хлоп — все двери закрыты, окна каким-то волшебным образом становятся неразбиваемыми, граждане в ловушке, просто не сразу это дело осознают — веселятся, трахаются, куролесят. А тем временем демон принимается крошить гостей дома, вселяясь в них по очереди и превращая в ужасных монстров, коими они изначально-то уже были, просто снаружи видно не было. Но их моральное разложение открыло демону ворота, так сказать.

А выживает обычно девственница.

В нашем случае это не работает, обе предполагаемые девственницы уже мертвы. Либо здесь засел какой-то неправильный демон, либо я ничего не понимаю. Но теперь-то уж точно ясно, что Августу никто из нас не убивал, а значит, и даже возможно, что Людмилу убил этот же неизвестный персонаж, хотя это не обязательно коррелируется.

— Вот блин! — Алекс наклонился и прощупал шею Августы. — Мертва...

В большинстве семей, что я видела, нет теплоты отношений — не знаю почему. Вот и смерть сестры вызвала у Алекса только возглас изумленной досады. Думаю, у каждой семьи свои причины не любить друг друга, но всегда это поведение родителей, их решения. Дело в том, что дети от родителей всецело зависят — вот как мы с Маринкой зависели от матери, как я потом долго зависела, а мать сначала решила, что папаша вполне для всех нас подходящий вариант, а потом решила, что меня больше нет. И даже когда она выходила за Бурковского, она просто поставила меня перед фактом.

А в конечном счете вышло то, что вышло.

— Алекс, когда вы пришли, чем ты открывал дверь?

— Ключ взял в столе у Валерии. — Алекс пожал плечами. — А ты, Адель?

— Меня впустила Людмила, открыла своим ключом, бросив его на столик. Видимо, уходя, она забрала его с собой.

Круглый столик с вазой пуст, если не считать саму вазу.

— Я видел дверь на кухне. — Алекс посмотрел в сторону коридора. — Похоже, там есть еще один выход, мне показалось, что это во внутренний дворик, но оттуда мы сможем выйти.

— Пойди погляди.

Я уверена, что и та дверь заперта. Тот, кто заварил всю эту кашу, не собирается оставлять нас в живых, и я просто хочу понять почему.

— Блин, отец теперь будет в ярости.

— А то он без этого просто душка! — Лиана хмыкнула. — Иди уже.

То, что в семье Городницких ненормальные отношения, я знала давно. Только не мне их было судить, потому что и в той семье, рядом с которой я жила, тоже происходило всякое. А по итогу все друг другу чужие, но тщательно делают вид, что это не так.

Думаю, Городницкий тоже постарался в этом направлении. Когда Алекс сказал, что тот избивал своих детей, я ничуть не удивилась, я ведь всегда это в Городницком чувствовала — его агрессию и его постоянную радостную готовность закатить скандал с мордобоем. Ну, и вот результат: на полу лежит то, что осталось от Августы, а ее родной брат лишь досадует. С другой стороны, после всего, что я узнала об их отношениях внутри семьи, я Алекса понимаю, никто не сожалеет о смерти врага. Кроме святых, возможно. Августа была для Алекса врагом, как ни странно, и это Городницкий сделал из своих детей то, кем они стали.

— Нужно выбираться отсюда. — В голосе Лианы звучит истерика. — Я позвоню папе, он приедет и заберет меня, а дальше ситуацию пусть дорулят адвокаты. Сразу надо было так делать.

В гостиной звучит рояль. А я-то надеялась, что он заткнулся.

18

— Вы это слышите? — Алекс затравленно оглянулся. — Кто там?

— Ты о рояле? — Мой голос звучит скучающе. Я надеюсь на это. — Время от времени он просто играет, уж не знаю как.

— Просто играет?!

— Да.

— И ты так спокойно об этом говоришь?

Вы еще мячика не видели, ребята.

— А что мне, пляску святого Витта исполнить, чтоб соответствовать твоим представлениям о том, какие эмоции я должна испытывать и как их выражать? — Мне очень хочется съездить Янеку по морде. — Ты еще не понял, что я не собираюсь делать ничего из того, что ты от меня ожидаешь, непонятно с какого перепугу? Да, блин, этот рояль постоянно играет, но почему — я не знаю!

— Чертовщина творится в этом доме. — Пауль завороженно смотрит на неподвижное тело Августы. — Как вы думаете, она здесь?

— То есть стала ли она призраком? — Янек саркастически ухмыльнулся. — Это вряд ли. Призраков не существует.

Лиана, до этого терзавшая свой телефон, вдруг в ярости швырнула его в кресло.

— Не работает телефон. — Лиана выхватила у Пауля его аппарат. — Нет связи, как это?

— Я поднимусь наверх и посмотрю. — Влад оглянулся, поискав глазами свой ящик с инструментами. — Интернет я сделал, роутер должен работать, возможно, просто нет связи с вышкой... Надо посмотреть, в общем. Но сначала переоденусь, эта штука ужасно неудобная. Смокинг этот, еще и штиблеты идиотские, тесные...

— Да ладно, потом переоденешься. — Я толкаю его к ящику. — Пойдем, поглядим, что там стряслось.

Я хочу оторваться от всех и кое-что проверить.

— Ступайте в гостиную. — Я киваю Янеку. — Просто посидите и подождите, пока все наладится.

— Там, в кухне, есть еще одна дверь, и она тоже заперта. — Алекс, запыхавшись, выскочил из бокового коридора. — Здесь решетки, не пролезем, даже если разобьем окна.

— На втором этаже тоже. И даже если разбить окна и кричать, охрана вряд ли услышит, дом стоит в глубине участка, а участок здесь огромный.

— Умеешь ты утешить, Адель. — Алекс нахмурился. — Прикрыть бы ее чем-то...

Тело Августы портит совершенство паркета.

— Полиция тебе за это «спасибо» не скажет. — Я очень хочу избавиться от честной компании и подумать, а еще — проверить некоторые свои догадки. — На трупе могут остаться улики, или же на том, чем ты ее накроешь, окажется что-то, что перенесется на труп, смажет доказательства и запутает следствие.

— Какое следствие, Адель? Какие доказательства? — Пауль оторвал взгляд от тела и перевел свои косящие глаза на меня. — Доказательства чего? Да она просто в истерике была, бежала, не разбирая дороги, оступилась, свалилась сверху и убилась. Какие тут доказательства? Все очевидно, мы все этому свидетели. И тут уж без вранья, ты ведь и сама все видела.

Я-то видела, вот только с чего девчонка вдруг подорвалась бежать? Нет, полицию вполне устроит версия, что она сумасшедшая, но я отчего-то уверена, что причина была в другом. Вот так мы сидели вокруг низенького круглого столика, я помню, кто где сидел... А потом Августа сорвалась и побежала с воплями. Что-то она увидела, но что? Или — кого? Она одна сидела лицом ко всем нам и могла видеть то, что у нас за спиной. А за спиной была стена, но я-то знаю, что здешние стены — не всегда стены в том смысле, что обычно вкладывается в это слово.

— А с чего бы ей падать оттуда, Пауль? — Нет, нужно сеять сомнения, тем более что я и сама сомневаюсь. — Перила высокие, не скользко, да и зачем она вообще туда ринулась? Логичней было бы бежать к выходу, к двери.

— Так, может, она и бежала к двери, а дверь-то заперта.

— У нее элементарно не было времени на такой маневр. — Боже ж мой, это очевидно! — Мы же за ней ринулись практически сразу, так что — нет, она не бегала к двери, холл большой, она бы не успела оказаться наверху, если бы побежала сначала к двери, максимум — мы бы застали ее бегущей по ступенькам, а мы застали ее уже приземлившейся. По времени не сходится.

Это очевидно же, как они не понимают?!

— Гораздо интереснее вопрос насчет того, отчего она вдруг взбесилась. Ничто не предвещало, так сказать, — сидели, болтали... Ну, да, ситуация так себе оказалась, но и только.

— Мы обсуждали вообще-то, убить ее или оставить в живых. — Влад уселся на ступеньки и снял штиблеты. — Тесные — жуть, лучше совсем без них, потом свои кроссовки найду. Мы же все сошлись на том, что она для нас опасна, разболтает все.

— Ну, мы это обсуждали — но так, умозрительно.

— Но она могла воспринять все всерьез. — Влад потянулся к ящику с инструментами. — Я вот тоже решил, что вы это все всерьез.

Это и было всерьез, просто сейчас никто данный факт уже не признает.

— Она понимала, что это просто разговоры. — Алекс пожал плечами. — Она знала, что я не причиню ей вреда, что-то еще ее напугало.

Я тоже склоняюсь к тому, что напугал ее не Алекс, но мы обсуждали, убить ее или нет, вполне всерьез, и все мы это знаем.

— Да мало ли... Может, она голоса слышала, а может, глюк какой. Кто их знает, этих юродивых? — Пауль вздохнул. — Курить охота... Сумасшедшая она была, вот что, а что у сумасшедшего на уме — иди знай. Померещилось что-то, и все, слетела с катушек, что тут гадать-то? Учитывая, что перед этим она узнала о смерти своей тетки, а потом мы на нее слегка надавили...

Да, если дело дойдет до дознания, все так и скажут: что-то померещилось сумасшедшей.

Но не факт, что это так и есть.

— Нет, ее оттуда сбросили, причем с большой силой, я думаю. Ни у кого из нас на такое действие элементарно сил бы не хватило, даже если бы мы не были все вместе на момент ее падения.

— То есть ты предполагаешь, что в доме есть еще кто-то?

— Думаю, да. — Я крепко сжала полированные перила. — Или же тут обитает мстительный призрак. Сами подумайте, каким образом все двери в доме вдруг оказались заперты? Людмила входила, но вряд ли она заперла двери на ключ, зачем ей это? Она не собиралась оставаться здесь или надолго задерживаться.

— Откуда тебе знать, что она собиралась делать?

Алекс старается не смотреть на труп Августы, но напрасно.

— Потому что она меня наняла для определенной работы, и, когда мы сюда приехали, она очевидно торопилась покинуть дом, а потому я приму как аксиому: она ни за что на свете не осталась бы в этом доме на ночь. И когда мы вошли, она прикрыла входную дверь, но не плотно, а я и вообще ее не запирала, у меня даже ключа не было, кстати.

— То есть, пока ты копалась в доме, сюда мог войти кто угодно? — Лиана вскинула брови. — Весело...

— Теоретически — да.

Рояль-то не сам играет, и труп кто-то убрал. И хотя, опять же чисто теоретически, это может быть некая эзотерически окрашенная сущность, я все-таки склонна выдвигать более приземленные версии — до тех пор, пока все они окажутся несостоятельными, и тогда останется самая невероятная. И я пущу в ход тибетский котелок и пестик, мне как раз интересно узнать, реально это действует или тогда, у Вальки в квартире, была просто счастливая случайность и самовнушение.

И я была бы рада узнать, что на нас сейчас просто охотится какой-то маньяк.

— Я попробую наладить связь.

Влад избавился от смокинга, оставшись в штанах и рубашке. Надо сказать, смокинг хорош для вечеринки, но именно что традиционной вечеринки у нас пока не вышло, но я не теряю надежды.

— Возвращайтесь в зал. — Я смотрю на остатки компании и думаю насчет послушать из-за стены. — А я переоденусь в более удобную одежду и присоединюсь к вам.

— Ни за что на свете я не вернусь в тот зал! — Лиана содрогнулась. — Там же рояль...

— Пока мы там сидели, рояль вел себя смирно. — Я уверена, что с роялем все обстоит до обидного просто. — Так что просто посидите там, а Влад исправит связь, и мы сможем позвонить.

— Ладно, вернемся туда. — Янек подтолкнул Лиану в сторону зала. — Нужно что-то предпринять, это не шутки.

— Несчастный случай, очевидно же. — Пауль ревниво наблюдает за Лианой и Янеком. — Возвращаемся, да.

— Я поднимусь наверх и посмотрю, смогу ли наладить связь. — Влад подхватил свой ящик и чемодан с ноутбуком, с сомнением посмотрел на свои босые ноги. — Но я бы для начала обулся.

— Твои кроссовки у меня в комнате, зайди и обуйся.

Его обувь осталась в той роскошной гардеробной, но я хочу поскорее оторваться от остальных. У меня есть несколько интересных версий и забавных идей.

— Точно. — Влад кивнул. — Не ходите по одному, возвращайтесь в парадный зал, я сейчас посмотрю, что стряслось, и постараюсь что-то исправить.

Обойдя тело Августы, я бросилась вверх по ступенькам. Влад поспешил за мной, гремя своим ящиком. Странно, до этого ящик не гремел, что у него там?

— Черт, моя зажигалка!

Это Алекс шарит по карманам, направляясь в сторону зала, вслед за всеми.

— Ага, вот она...

Алекс возвращается к телу Августы — видимо, там он и обронил зажигалку, и я не хочу видеть, как он деловито подберет ее, спрячет в карман и уйдет пить коньяк.

— Скорей.

Я втащила Влада в комнату и заперла дверь. Мне нужен душ, мне нужно переодеться, мне нужно...

— Хочешь послушать?

— Ну, ты сам все понимаешь.

Я отодвинула панель и ступила в узкий коридорчик. Оглядевшись, я убедилась, что ничего здесь не появилось — значит, труп Людмилы где-то еще и даст о себе знать не сегодня.

— Вот твои кроссовки.

— Ага.

По узкой лестнице я спустилась вниз, к отверстию в панели. Отсюда парадный зал как на ладони. Портрет над камином слегка нервирует — не понимаю, каким образом так вышло, что Линда так на меня похожа. Версию насчет Лулу Белл в роли моей бабушки я считаю притянутой за уши, но Линда реально очень похожа на меня. Или я на нее. Не то что мы принадлежим к одному типажу, а вот реально — словно этот портрет писали с меня, и тут уж не до сомнений, учитывая, что папаша своей семьи не знал и даже ничего не предполагал о ней, в его документах не было ни одного намека на его происхождение.

Я потом это выясню.

— Так что же у вас произошло, Янек? — Лиане, похоже, хочется поругаться, воздержание от кокса дается ей с трудом. — Вы, Бурковские, всегда казались самой примерной семьей — как же вышло, что Аделина сбежала от вас и о возвращении даже слышать не хочет? Обидки какие-то у нее, что ты ей сделал?

— Боюсь, это моя вина. — Янек вздохнул. — Я бы, пожалуй, выпил коньяка.

— Угощайся. — Пауль кивнул в сторону бутылки. — Хорошее пойло. Кстати, мне вот тоже любопытно, что такого вы с Аделиной всю дорогу делите? Между вами всегда было какое-то напряжение, я и раньше это замечал, еще в школе.

Да, в школе Янек, пожалуй, дружил со многими, и с Паулем в том числе. Какая скука — все время одни и те же люди, причем люди пустые, неумные и неприятные. Или это я просто не уживаюсь с остальными кальмарами, вот старалась-старалась, а теперь терпение лопнуло, и я решила: да пошли они лесом, дегенераты. Раньше они как-то меньше меня раздражали, но, надо сказать, раньше между нами не стояли два трупа. Или лежали... Трупы-то лежат.

— Это семейные дела, и я не готов их обсуждать.

Это прозвучало чопорно, как-то очень в стиле «овсянка, сэр!», и я вот думаю — может, что-то все-таки есть в этом заграничном воспитании, потому что я бы просто сказала Паулю «не твое собачье дело», и на том бы разговор закончился.

Впрочем, Янек сказал практически то же самое.

Поймите меня правильно: все эти откровения на публике абсолютно лишние. Даже если дела обстоят хреново, рассказывать об этом людям, которые тусят с тобой в одном кругу, а уж тем более вываливать подробности — глупо и недальновидно. Особенно же изливаться двум торчкам, которые могут разболтать просто так, из интереса. А сплетничать о Городницком и вообще очень тупо, но ни Пауль, ни Лиана этого не понимают, зато понимает Алекс — и тем не менее он прилюдно обвинил своего папашу в убийстве.

Зачем ему это понадобилось?

Да, Городницкий мог нанять кого-то, чтобы убить Валерию. Но насколько я понимаю его характер, он скорее сам бы ее грохнул, а не ждал, затаившись и предвкушая, как некий гражданин вспорет ей брюхо в подворотне — учитывая, что в той подворотне Валерия оказалась по чистой случайности и не одна. Нет, здесь есть что-то еще. Или Алекс настолько тупой, что вообще берега потерял, вываливая все это на публике.

Или же у него есть скрытый мотив.

Я оттолкнула Влада и вернулась в комнату. Эти душные норы меня нервируют, но в доме и правда происходит какая-то чертовщина, и ни с какими призраками она не связана. Я сейчас вообще ни разу не удивлюсь, если тела Августы не окажется на том месте, где мы его оставили, — плавали, знаем.

И я сейчас схожу туда и посмотрю.

Но труп, слава богам, на месте — если так можно сказать о трупе. Он уже подплыл кровью около головы, чего раньше не было. Превозмогая отвращение, я тронула ее шею, щупая пульс. Нет, Августа мертва, безусловно. Кровь на вкус я пробовать не буду, тут уж увольте, но запах ни с чем не спутаешь.

— Ты думала, она притворяется?

— Ну, да. — Я возвращаюсь на лестницу. — Мелькнула такая мысль. Я вот только не могу понять, откуда вся эта кровь.

— Возможно, ее убило не падение. — Влад измеряет взглядом пространство между холлом и площадкой второго этажа. — Мы же не двигали тело, а возможно, она заколота ножом или другим острым предметом, как и толстуха. Сначала не было крови, а полежала, и натекло.

Замечание резонное, мне это тоже пришло в голову, но перевернуть труп Августы, чтобы поглядеть, нет ли у нее на спине ран, меня сейчас не заставит никто на свете. Не то чтоб я боялась покойников — вы понимаете, о чем я, но Августа выглядит слегка ужасно. У нее такое выражение застыло на лице… Как я раньше не обратила внимания? Просто была компания, а когда много народу, некоторые вещи не воспринимаются слишком остро, а вот сейчас я практически тет-а-тет с трупом, и выражение на лице Августы мне абсолютно не нравится. И уж точно я не хочу снова это видеть.

Но теперь это лицо будет сниться мне в кошмарах.

— Дьявольщина!

Влад стоит рядом и тоже смотрит на мертвое лицо Августы. Он сейчас заметил то же, что и я, — на лице покойной застыло выражение удивления и страха — так, будто она внезапно испугалась чего-то, чего вообще никак не ожидала. И я могу поклясться: когда мы уходили, у Августы не было такого странного лица.

Ладно, проехали.

— Нужно переодеться. — Я толкаю Влада к ступенькам. — И посмотри, что там с Интернетом, а я пригляжу за нашими гостями.

— Не лучше ли пока не разделяться? В этом доме, похоже, ходить по одному опасно.

— Ну, тоже верно. Давай переоденемся и полезем на чердак.

Мне не хочется с ним никуда, но я не буду этого показывать. В том, что он не убивал ни Людмилу, ни Августу, я могу быть уверена. Впрочем, если предположить, что и Людмилу, и Августу убил один и тот же человек, то никто из нас не убивал их. А я не думаю, что в доме прячутся двое убийц... Хотя вполне могут быть и двое: чтобы так резво утащить труп Людмилы, учитывая ее тактико-технические характеристики, надо обладать немалой физической силой, а ни у кого из присутствующих такой силы нет, вот что.

Влад наконец обувается, а я ищу свои шмотки. Конечно, в мехах мне тепло и уютно, потому что в доме просто собачий холод — а ведь, когда я сюда приехала, температура была приемлемая. И на улице тепло — лето же, а в доме скоро пингвины заведутся.

Интересно, горячая вода осталась?

— Джинсы и меха — новое веяние моды?

— Ага.

Иногда, когда сочетается несочетаемое, получается забавный эффект. Так во всем, не только в одежде.

— Почему ты сказала, что тебя зовут Света?

— Потому что на тот момент меня так и звали.

У меня была бледная копия чужого паспорта, которую я нашла в мусорном баке. Имя не имело значения, это просто имя, но мутная фотография отдаленно напоминала меня, и год рождения почти совпадал, чего ж еще?

— Нам бы лучше просто выбраться отсюда. — Я беру свою сумочку с револьвером. — Через крышу, например.

— А остальные?

— У них у всех богатые папаши, их вытащат, а за нас, если что, заступиться некому.

— Но я так понял, этот высокий блондин твой брат?

И этот туда же!

— Никакой он мне не брат. Он просто сын моего отчима. — Не люблю об этом говорить, но парень заслужил, он весь вечер вел себя примерно. — Пронырливый наглый сукин сын, любимец публики, гордость родителей и выпускник Итона.

— Ого!

— С деньгами его папаши он мог бы и Гарвард закончить. — Личность Янека — последняя тема, которую я хотела бы обсуждать. — Они с матерью ужасно гордятся им.

— Так у вас общая мать?

— Нет, у нас с ним ни одного общего гена. — И это отлично, я считаю. — Просто моя мать вышла замуж за его папашу, и они такая счастливая семья. Особенно теперь, когда я свалила из их дома и жизни.

— Вот как? — Влад вскинул брови. — Так это ревность?

— Да сейчас! Никакая не ревность, плевать я хотела на них. Просто я не вписывалась в их жизнь и не хотела.

— Ты обижена за что-то на свою мать?

Вот все, абсолютно все мнят себя психологами!

— Ну, мягко говоря — да.

— И за что?

Терпеть не могу задушевных разговоров! Но этого парня я вижу в первый и последний раз в своей жизни.

— Она виновна в смерти моей сестры.

Я сто раз говорила это себе. Мать не убивала Маринку, но если бы она не была такой тупой курицей, Маринка была бы сейчас жива.

Я иногда представляла себе, как было бы, если бы Маринка осталась жива. Она бы подросла, мы с ней делились бы всяким, болтали и смеялись, бродили бы по улицам. Какой бы она была? Мать говорила, что мы с ней очень похожи — ну, тогда еще, когда все были живы, — вот, дескать, родила двух абсолютно одинаковых детей, так что, возможно, глядя в зеркало на свое лицо, я вижу, какой бы стала Маринка.

Но дело в том, что, если бы она не погибла, я бы не стала такой, как сейчас, вот в чем фишка.

— То есть твоя мать убила твою сестру?!

— Нет. — Я не люблю об этом говорить, от слова «вообще», но я не хочу, чтобы он это понял. — Убил ее наш папаша, в очередной раз налакавшись до свинячьего визга. Он, понимаешь, когда бывал пьян, становился агрессивен — а пьян он бывал практически всегда. Приходил, лупил мать, меня тоже, пугал Маринку, приезжала милиция, забирала его, а утром эта идиотка брела в отделение вызволять «кормильца». Вскоре милиция перестала приезжать на ее истеричные крики в телефон, и у них своя правда: ну, приедут, потому что вызвали, заберут дерущегося пьяного идиота, он им заблюет и обоссыт машину, обезьянник тоже, пьяный ор и мат всю ночь, хоть ты бей его, хоть нет, оно ж не соображает ничего. Он, когда это понял, вообще с катушек слетел — пил каждый день, ловил глюки и снова пил.

— А потом всех убил.

— Ну, не всех. — Я поплотнее закуталась в мех. — Я-то быстро смекнула, что во избежание порции нехилых колотушек нужно бежать и пережидать неприятности, и обычно у нас было так: кот за дверь, и я за ним — типа ловить. И Маринку часто брала с собой. Думала: мать пусть развлекается, если ей это по душе, но нам-то совсем не обязательно в их забавах участвовать. Если было тепло, то я пряталась в зарослях около дома, если холодно или дождь — на чердаке или в подвале. В подвале чаще, там были трубы, тепло. Темно, конечно, — да только темнота была моим союзником, она прятала меня. Нас. Ну а в ту ночь, когда все случилось, я уже подошла к двери с Маринкой на руках, а мать такая: уложи ее обратно в кроватку, ты что, не видишь — она уже сонная. Можно подумать, что, когда папаша принимался кружить свои вензеля, она не просыпалась! Но я не могла противостоять матери, мне пришлось подчиниться, а ночью, когда я вернулась, застала дома два с половиной трупа.

— Это как?

— Мать выжила. — Я сжимаю кулаки, потому что тьма услужливо показывает мне яркие картинки, и краски совсем не выцвели от времени. — А лучше бы выжила Маринка. Ладно, хватит об этом.

Влад как-то странно смотрит на меня, но мне это безразлично. Я собираюсь найти выход и свалить отсюда во что бы то ни стало. Если ПИН-код карточки, которую дала мне Валерия, не изменился, я сниму наличку и исчезну, давно надо было так сделать, не влипла бы в такую скверную историю.

— А потом мать вышла за твоего отчима?

— Ну да. Со временем.

Он не поймет, когда я расскажу, как мы жили с матерью после всего. Это никто нормальный не сможет понять.

— Отчим тебя обижал?

— Нет. Бурковский неплохой чувак. Просто... Ну, мать после того, как вышла из больницы, вела себя так, словно меня нет. А я точно знала, что это не отец убил Маринку, а они вместе ее убили. И она знала, что я знаю. Сдать меня куда-то она не могла, ее бы все вокруг осудили, но и оставаться моей матерью она тоже не могла, вот мы и жили — просто в одной квартире. А Бурковский — он очень ориентирован на семейные, блин, ценности, и когда он эту историю распотрошил, то решил все исправить — так, как он это понимал. Но дело в том, что некоторые вещи нельзя исправить.

— Например, смерть.

— Да. — Я вздохнула. Терпеть не могу вздыхать, но иногда вздыхается, потому что такая жизнь. — А он любил все держать под контролем — Бурковский, в смысле. И если он прилагал усилия, он ждал результата, в данном случае он хотел, чтобы я перестала думать о том, что произошло, и по его хотению стала жизнерадостной и беззаботной. Но как мне было все забыть? Это ведь только так говорится — начать все с чистого листа, но как это сделать, практически осуществить, когда все, что в тебе было хорошего, умерло вместе с маленькой ясноглазой девочкой, которая единственная улыбалась тебе искренне и единственная в мире искренне тебя любила? А Бурковский хотел, чтобы я забыла ее.

— А ты не забыла.

— Ну да. — Я думаю, разговор затянулся. — Это было бы неправильно — забыть. Хватит того, что мать забыла. Вот об убийстве Валерии, например, я даже не думаю. Впрочем, я не рассмотрела ни убийцу, ни подробностей, но все равно я не думаю об этом, как и об убийствах, которые произошли сегодня. Но смерть моей сестры — это совсем другое дело, понимаешь?

— Ты любила ее.

— Да, любила. Она была такой милой девочкой, ты бы видел! Она так улыбалась, будто ничего плохого в мире нет, только сплошные эльфы и бабочки!

— Мне жаль. Правда, очень жаль.

Его рука легла мне на плечо, пальцы зарылись в волосы и, словно лаская, погладили шею. Я обернулась к нему, наши глаза встретились. Его глаза реально совсем как у Марка Шеппарда и брови, только череп продолговатый, но типаж тот. Глаза цвета хорошего виски.

— Жаль, что тебе пришлось через это пройти, ты этого не заслужила.

А мне-то как жаль, парень.

— Никто такого не заслуживает.

Его пальцы снова тронули мою шею, слегка сжимая затылок. Жест успокаивающий, сулящий безопасность и защиту.

Я выстрелила в него через сумочку.

19

Мне иногда кажется, что это проклятие — все видеть и понимать так, как оно есть. И в этом плане я только за матрицу, которая выдает каждому его особую индивидуальную реальность, а настоящей никто никогда не видит, и это к лучшему.

Но потом, конечно, может нехорошо получиться, когда программа даст сбой и перед изумленным взором очнувшегося от спячки гражданина вместо изумрудных лугов вдруг окажется какая-то жуткая фигня, которая с лугами и рядом не стояла. И он поймет: все, сказка закончилась, и вот она, реальность, можешь себя поздравить, получай в виде бонуса подарочный набор, в котором нож для резки вен полностью стерильный, патроны в пистолете с запахом розмарина, мыло земляничное, веревка из экологически чистой пеньки, и все это не содержит ни грамма ГМО, боже упаси. Выбирай и развлекайся без вреда для здоровья, скажи наркотикам «нет!».

В этом парне была нестыковка с самого начала, но дело совсем не в этом.

— Когда ты поняла?

Пуля, конечно, ничего хорошего ему не сделала, но и не убила — маленький калибр, и выстрелила я ему не в голову. И я, безусловно, не хотела его убивать. Просто замедлить, чтобы он не сломал мне шею, например, как собирался, нащупывая пальцами позвонки.

— Да практически сразу.

— А говорила, что не рассмотрела меня.

— Так я и не рассмотрела. — Он не понимает, и вряд ли я позволю ему прожить столько, чтобы он понял. — Там темно было, я только и видела, что тень, и нож блеснул потом.

— Так как же...

— Запах. — Это смешно, конечно, и тем не менее это правда. Для суда это никакая не улика и не доказательство, но я-то не суд. — У каждого человека свой неповторимый запах, если у тебя развито обоняние, то ты ощутишь этот запах сквозь посторонние, привнесенные извне запахи. Я не рассмотрела тебя тогда, но ты был очень близко, а я была напугана, и от этого обострились все чувства, и я запомнила запах.

Он кивнул. Конечно, убийца всегда поймет, где прокололся, особенно если это профессиональный убийца. Не знаю, зачем заказчику понадобилось убивать Валерию таким зверским способом, но дело в том, что это теперь не важно. Мне интересно знать, кто заказчик, потому что Городницкий не мог так протупить, и совсем не в его характере — затаиться и ожидать, потирая руки в предвкушении.

Нет, все это организовал кто-то более сложно устроенный.

— Кто заказчик?

— Не знаю. — Влад поморщился, рана все-таки болит значительно. — У нас есть Диспетчер, вот он и знает заказчика, да и то не факт. Заказчик рискует не меньше исполнителя, так что мы придумали систему, при которой и заказчик, и непосредственно исполнитель между собой не контактируют.

Ага, все для удобства клиента, ну надо же.

— Ладно, проехали. — Я прячу револьвер в сумочку. — Я знаю, что ты здесь не один.

— Я работаю один. — Он внимательно смотрит на меня, и мне это не нравится. — Но думаю, что — да, в доме есть кто-то еще. И этот «кто-то» вступил в сговор с сумасшедшей девчонкой, а потом убил ее.

Я тоже так думаю, но кто бы это мог быть?

У меня несколько теорий, и все они более-менее имеют право на жизнь.

— Зачем ты меня подстрелила?

— Но ты первый начал, скажи еще, что не собирался сломать мне шею.

Я же ощущала его пальцы на своем затылке.

— Я думал об этом, но вообще-то уже почти решил тебя не убивать. — Он ухмыльнулся. — Когда я понял, что ты меня не разглядела, то вопрос отпал сам собой, а без причин я не убиваю.

— Рада слышать, что у тебя есть моральные принципы. Но теперь-то у тебя появилась причина.

Оставить его в живых я не могу, но мысль о том, что мне придется его добить, меня угнетает. Ведь когда-то он был ребенком, кто-то любил его, и что его сломало? А что-то сломало. Но что-то же осталось в нем от человека, того самого малыша, который доверчиво улыбался миру? И мысль о том, что этого малыша я убью вместе с ним, меня останавливает.

— Черт, как больно.

Пуля попала ему в живот, и я очень надеюсь, что ему чертовски больно. Я не стреляла ни в печень, ни в солнечное сплетение и уж тем более — в голову, но пуля застряла у него в животе, и кровь, конечно, идет. Он смотрит на меня так, словно прикидывает, с какой части станет меня свежевать, когда дотянется до оружия и до меня одновременно, да только я-то не собираюсь предоставлять ему такой шанс.

Он использовал все свои шансы.

— Ты сразу стала меня подозревать?

— Не сразу, но в какой-то момент мозаика сложилась в этой части. — Я присела неподалеку. — А ведь я думала, что револьвер может оказаться нерабочим, пришлось рискнуть.

— Я только нож заметил.

— Ага, револьвер маленький совсем, я его в шляпной коробке нашла.

— Да, это я просмотрел. Но мне тогда было на что посмотреть, так что я не в обиде.

Со стороны может показаться, что мы просто беседуем, даже слегка флиртуем — если бы не дырка у него в животе. И тем не менее у меня нет к нему враждебности, даром что он убийца, я вообще не спешу бросаться камнями. Просто в какой-то момент я решила, что Влад собирается меня убить, и если это не так, то я готова извиниться, если ему от моих извинений станет легче.

Но от извинений никогда никому не легче.

— Ты остался, даже когда выкатился мячик. — Я думаю о том, что надо бы как-то почистить револьвер. — Никто бы не остался без веской причины, и перспектива случайного секса — не одна из таких причин. Но мячик выкатился, играл рояль, и вообще атмосфера была напряженная, а ты остался. Значит, тебе что-то было нужно, и это не секс. Сначала я решила, что ты просто вор, который прикинулся монтером, но шкатулка с цацками тебя не заинтересовала, а ведь она просто набита разными дорогостоящими штуками, очень компактными в переноске. Значит, у тебя тут был другой интерес. А ты просто решал, убивать меня или нет. Ты колебался, что характеризует тебя с положительной стороны.

— Зато ты не колебалась. — Он улыбнулся сквозь боль. — Выстрелила мне в бочину, даже не вздрогнула. А ведь я насчет тебя уже построил далекоидущие планы.

— Ага, и так далеко эти планы распространились, что ты собирался мне шею сломать.

— Я колебался. — Он вздохнул. — Я неравнодушен к красоте, и я тебя еще тогда, на карусели, срисовал... Стоял и думал — боже мой, где же ты была всю мою жизнь!

— Я сейчас зарыдаю от умиления и упаду тебе на грудь.

— Ох, нет, сейчас это плохая идея. Надо было мне тогда в спальне ловить момент.

— Надо было.

Я прислушиваюсь к разговору за стенкой, но дело в том, что если находишься далеко от смотрового отверстия, то извне звуки слышны плохо, и о чем там общаются Янек с компанией, я не слышу.

Но мне сейчас важнее этот разговор.

— Как ты узнал, что я буду тут?

— Сказал наш Диспетчер. — Он ухмыльнулся. — Когда ты так резво спетляла с места нашей первой встречи, встал вопрос о свидетеле. Я описал тебя Диспетчеру...

— Зачем ты вообще убил Валерию там? Мог бы подождать, пока она останется одна.

— Она везде ходила с охранником. — Убийца вздохнул. — А в тот вечер сообщили, где она будет и что она будет одна. Вот я и шел за вами, зрелище было то еще.

Значит, заказал Валерию Городницкий. Кто еще мог знать, что она будет без охранника, если Кинг-Конгом распоряжался только он?

— То есть Людмилу ты не знал?

— Нет.

Зато она меня узнала сразу, как только увидела. Глупо было думать, что она могла не знать меня в лицо. Конечно, она меня узнала, сказала Городницкому, а тот перезвонил этому... Диспетчеру, и они договорились зазвать меня сюда под благовидным предлогом, и Людмила мне втерла то, на что я клюнула. Рассказала мне о призраках, накупила кучу разных вещей, но зачем такие сложности?

— Зачем было тащить меня сюда?

— Ну, ты же не рядовая Клава какая-то. — Влад болезненно поморщился. — Дай что-нибудь, кровь унять надо. Ты падчерица самого Бурковского, и как бы ты к нему ни относилась, он к твоему исчезновению отнесся очень серьезно, так что просто убить тебя и где-то бросить было бы неправильно и опасно, по твоим следам пущены лучшие ищейки города, и твой сотовый запеленговали.

А этот дом на отшибе и принадлежит Городницкому. Ну да, удобно, и кладбище рядом.

— Типа, тут бы мой телефон не запеленговали.

— А тут я поставил глушилку. — Влад ухмыльнулся. — На улице такого не сделаешь, а в доме — запросто.

— Что значит — глушилку?

— Это значит, что ни одна вышка не запеленговала здесь ни одно электронное устройство. Сигнал автоматически перенаправляется на другие вышки, и все, кто сейчас здесь, согласно сигналу, находятся в разных частях города.

А вот это отличная новость, достойная быть Новостью Дня. Это значит, что я могу уйти отсюда и никто не докажет, что я вообще здесь была. Кроме четверых свидетелей.

Плохо быть свидетелем, он всегда мешает, даже на свадьбе.

— Так почему ты остался?

— Когда убили толстуху, я остался, чтобы понять, кто меня так подставил.

— Что ты имеешь в виду?!

— Пораскинь мозгами, красотка. — Влад попытался подняться, и мне это не нравится. — Здесь были я и ты, и больше не планировались участники веселья, но: сначала завалилась компания, потом убили толстуху, исчезло тело, потом зачем-то убили полоумную девчонку. Все это время я был рядом с тобой, то есть не имел отношения к вышеупомянутым смертям. А значит, кто-то еще ведет здесь свою игру, и не факт, что ты выберешься из нее живой, поняла? А ты взяла и подстрелила меня.

— Ты первый начал.

— Детский сад. — Убийца снова сделал попытку встать. — Помоги мне, нужно переместиться в спальню и что-то сделать с раной.

Ага, нашел дуру! Я к нему подойду, а он мне шею сломает или придушит. Физически он пока сильнее, чем я, даже раненный.

Блин, надо было его убить.

Глушилка — вещь хорошая, но где гарантия, что парень сейчас не наврал мне? И почему оказались запертыми все двери и отключились телефоны? Кто и зачем устроил здесь этот балаган? Вряд ли это из-за меня, но вот что любопытно, и мне это лишь сейчас пришло в голову...

— Так ты поможешь мне?

— Я похожа на идиотку? — Мне хочется ему помочь, но тьма говорит — не подходи к нему, и она права. — Чтоб ты мне шею свернул? Нет уж.

— Я не стану тебя убивать.

Ну да, Валерии это расскажешь, парень.

— Значит, вполне возможно, что Людмила все знала об убийстве Валерии, Алекс говорил, что она была доверенным лицом Городницкого. И она знала, зачем меня сюда везет.

Она ехала со мной, мы о чем-то говорили, и при этом она знала, что в доме ждет человек, которому нужно меня убить. Они же не знали, что я этого человека тогда вообще не разглядела.

— Не могу сказать. Когда я увидел тебя и толстуху входящими в дом, то тоже подумал, что она знает, зачем привезла тебя сюда. — Влад медленно поднимается. — Когда я описал Диспетчеру свидетельницу, то заказчик тут же назвал твое имя. Проблема была лишь в том, что ты куда-то пропала, но надо же такому случиться — неожиданно обнаружилась, а потом позвонили и сказали, где ты будешь.

— Людмила узнала меня на складе.

— На каком складе?!

— Я устроилась на склад фасовать крупы, и так уж вышло, что она работала там.

Влад смеется и не может остановиться, а в его положении это не так чтоб очень полезно. Смех, конечно, здоровье — но не тогда, когда у тебя дырка в брюхе.

— Господи, зачем тебе понадобилось устраиваться на склад?

— Там бы меня никто не стал искать. Ну, сам посуди, кому бы это пришло в голову?

— Это да. И надо же такому случиться, что именно там была Людмила.

— Ага, и я думаю, она тут же донесла Городницкому, а тот позвонил в вашу убийственную контору. А Людмила привезла меня сюда, чтоб тебе никто не помешал.

— Вы совершенно правы, ваша светлость. Пока все сходится.

Ну, не все — но примем как рабочую версию.

— Ваше сиятельство, неуч. — Я наблюдаю за его усилиями. — Светлость — это герцог если или князь, а графы и маркизы — сиятельства. Вот смотришь на меня, думаешь об атомном взрыве, как он сияет...

— Буду знать. — Влада качнуло, и он ухватился за стенку. — Да помоги же мне, мать твою за ногу, пока я по твоей милости кровью не истек!

— Ага, чтоб ты меня убил.

— Я — твой единственный шанс остаться в живых. — Он смотрит на меня с непроницаемой миной. — Кто-то резвится здесь, и у тебя осталось всего пять патронов, они малого калибра, притом неизвестно, с какого выстрела твое оружие все-таки заклинит.

— Я сейчас просто уйду отсюда, и все.

— И всю жизнь будешь оглядываться. — Он ухмыльнулся. — Нет, ваше вредоносное сиятельство, без меня тебе эту ситуацию не разрулить. А потом я придумаю, какую плату взять с тебя за то, что ты на меня так вероломно, без объявления войны, напала.

Он оперся о мое плечо, и я отодвинула панель. Нет смысла упираться, в его словах есть здравое зерно.

— Пулю нужно достать. — Влад поискал глазами свой чемоданчик. — Дай-ка мне инструменты.

— Отверткой будешь вынимать?

— Ну, почти.

Он открыл чемоданчик, в котором оказались какие-то коробки. В одной из них обнаружились блестящие инструменты.

— Нужен свет и зеркало, чтоб я все видел.

— Я не могу ее вытащить, ты что!

— Ты просто зеркало подержишь. Давай, тащи из ванной и лампу придвинь.

— Ты сумасшедший!

— Думаю, да. — Влад поморщился, отрывая от раны футболку. — Все, вот так и держи, и ни звука, поняла? И не вздумай хлопнуться в обморок или выблевать.

— Вот еще!

Но, конечно, зрелище было еще то. И хотя пуля застряла неглубоко — все-таки маленький калибр, стенки сумочки тоже замедлили ее, а все же крови он потерял изрядно.

— Дай мне попить.

Я принесла стакан с водой, стараясь не смотреть, как он делает себе укол.

— Антибиотик и обезболивающее. — Он взял стакан у меня из рук. — Выдыхай и приберись тут, пока я найду, во что переодеться.

Я молча сворачиваю окровавленные простыни и запихиваю их в мусорный пакет. Надо не забыть забрать его с собой, уходя.

— Я вот о чем думаю. — Влад у меня за спиной, и я подавляю в себе желание обернуться. — Если приедет полиция, мне бы не хотелось светиться.

— Ну, это понятно. Я о другом думаю: зачем Городницкому было убивать Валерию?

— Да мало ли. Узнал, что она ему изменила, это причина не хуже остальных. — Влад собрал свои инструменты. — Причины иногда бывают смешными, а людям кажутся очень уважительными. Ты не хочешь спросить, как я дошел до жизни такой?

— Нет. Мне любопытно только, зачем нужно было убивать ее таким зверским способом.

— Таково было желание заказчика.

Вот это я и хотела узнать, а вот почему он стал убийцей, мне неинтересно. Какая разница? У каждого из нас свой путь во тьму. Просто для кого-то обратной дороги нет.

— С заказом кто обратился, сам Городницкий?

— Не знаю, и у Диспетчера спрашивать опасно. Я хотел бы разрулить ситуацию без привлечения третьих лиц. — Влад резво сделал себе перевязку, закрепив ее пластырем. — Но когда тот парень принялся обвинять своего папашу, меня это насторожило.

— Может, Городницкий и не убивал Валерию. Может, она почему-то мешала Людмиле.

— Да, и это может быть. — Влад натянул на себя темную футболку с какими-то готическими буквами. — Всегда имей при себе запасные шмотки — вот мой девиз. Причина у него слишком уж очевидная, но если он заказал женушку, тогда с чего ему впадать в тоску и меланхолию? А судя по рассказам парня, папаша его ни сдержанностью, ни долготерпением, ни христианским смирением не отличается.

— Ну, мягко говоря.

— Вот! А теперь смекай: ты здесь, я здесь, и эта милая компания тоже здесь. А убиты Людмила и сумасшедшая девчонка. Почему?

— А хрен их знает почему. — Я иду в ванную мыть руки. — Кто-то заметает следы.

Вода течет тугой горячей струей, и я слышу смех, звуки ссоры, плачет ребенок, какая-то женщина что-то возмущенно говорит — я почти разобрала что, хотя голос у нее старческий, но слова я расслышу, если прислушаюсь, по-английски я говорю отлично, и...

— Ты что?..

Влад держит меня за плечи, а я словно вынырнула из потока, уносящего меня куда-то совсем далеко.

— Они ссорились здесь, Линда и какой-то мужчина, ссорились... Кричала старуха... Я не расслышала, что именно, далеко... Но я бы услышала, если бы ты...

Зачем я ему это рассказала, он решит, что я спятила. Как объяснить, что вода все помнит?

— Э-э-э, твое сиятельство, да ведь ты тоже с приветом! — Он сжимает мое плечо. — Теперь у меня и сомнений нет — ты точно наследница Линды. А если ты здесь — значит, Лулу Белл оставалась жива, по крайней мере, до момента рождения твоего папаши. И куда она после этого подевалась, мы потом обязательно попробуем выяснить. Ты, главное, не увлекайся этими играми с голосами, иначе закончится все это психушкой.

Я и без него знаю, но не будешь же постоянно засовывать в уши затычки, когда надо просто вымыть руки.

— Что ж, давай навестим нашу компанию. Что-то они там притихли.

— Через ход пойдем?

— Нет, давай не будем оглашать все, что мы знаем об этом доме.

Ну, тоже верно. Тогда-то они сгоряча не поняли, откуда мы вышли, но теперь сообразят, а я совсем не хочу, чтоб кто-то из них шастал в стенах. Пусть будут у меня на глазах.

Я запираю комнату, и мы выходим на лестницу. Внизу все еще лежит тело Августы, и я не хочу видеть ее лицо. Думаю, хоронить ее будут в закрытом гробу.

— Ты как?

— Ну, вроде бы терпимо. — Он сжал мою руку. — Завтра будет хуже, обычно самый цимес — на второй и третий день, потом отпускает, а сейчас я наколол себя обезболивающим. Имей в виду, я все равно зол на тебя пока изрядно. Это же надо было обычный дружеский жест воспринять как желание сломать тебе шею!

— Только не говори, что ты ничего такого не собирался сделать!

— Я сейчас это сделаю, если не заткнешься.

— Ты первый начал!

Я отодвигаюсь от него и ступаю вниз, старательно глядя под ноги. Ему сейчас ничего не стоит толкнуть меня вниз или придушить — сил у него на это хватит, но я почему-то думаю, что он этого не сделает. Потому что сейчас я единственная, кому он может доверять.

Мы старательно обходим труп и направляемся в зал для приемов. Вслед за нами по лестнице, звеня, катится монета.

— Десять центов. — Влад прячет монету в карман. — Чертовщина.

— Потом разберемся.

Призраки сейчас — наименьшая из наших проблем.

— Как скажешь, но жутко это, если вдуматься. И вот еще что... Нашим друзьям совсем не нужно знать, что мы между собой выяснили отношения.

А, так выстрел в живот теперь так называется? Ну, ладно.

— Согласна.

В зале тихо, и я удивлена — я-то думала, что вся компания уже налакалась до положения риз, чтобы успокоить нервы, а тут тишина, как ночью в церкви.

— Эй, вы что тут?..

Они сидят на диване, прижавшись друг к другу, и смотрят в угол. А около барной стойки стоит Кинг-Конг, направив пистолет в сторону выхода. Он так удачно расположился, что может достать любого, кто находится в зале.

И нас тоже.

— Тебя-то я и ждал. — Кинг-Конг противно ухмыльнулся. — И теперь, когда вся семья в сборе, мы можем начать вечеринку.

Это вообще-то моя вечеринка!

20

— И что все это значит? — Я решила сделать удивленный вид, но дело в том, что ни хрена я не удивлена. — К чему этот аттракцион невиданного могущества?

— Сядь и заткнись! — мигом окрысился Кинг-Конг. — Иначе я уступлю соблазну и переломаю тебе все кости, мелкая дрянь.

Надо же, как он на меня обиделся! А ведь ничему его жизнь не научила, он по-прежнему полагается на грубую силу.

— А что ж сразу не приступил к делу?

— По-родственному. — Кинг-Конг ухмыльнулся. — Я тут послушал ваши разговоры, и мне многое стало ясно. Мы с тобой родня, оказывается.

— Только если ты — внебрачный сын моего папаши, но ты на него внешне вообще не похож, да и по возрасту не годишься. — Отчего-то я думаю, что мой револьвер его вряд ли остановит. — А горилл в моей семье не было.

— Зато были шлюхи. — Он презрительно покосился на портрет Линды. — Боюсь, мой дед был неразборчив в связях.

— Дед?

— Владимир Дымов, а я — Андрей Дымов. — Он ухмыльнулся. — И только потому я с тобой разговоры разговариваю. У нас общий предок, но и все.

— Слава богам, что я не унаследовала внешность.

— Да, это удачно получилось. — Он указал дулом пистолета на свободный диван у стены. — Присаживайся. Я давно хотел с тобой потолковать. И ты садись, парень, в ногах правды нет.

Можно подумать, что она вообще где-то есть. Хоть в чем-то.

— Понятия не имею, чего ты хочешь от меня.

Мы с Владом чинно уселись на диванчик, напротив разместились Лиана и Пауль, Янек застыл в кресле около столика, Алекс отчего-то сидит под стойкой, размазывая кровь на лице. Видимо, он слишком привык считать Кинг-Конга папашиным домашним животным, вот и выгреб. Это беда всех, у кого есть деньги на наемный персонал, — считать тех, кто на них работает, глупее себя, а то и вовсе держать их за мебель.

А прислуга видит все.

— Да, наш мальчик вел себя очень борзо, за что и получил по соплям. — Кинг-Конг ухмыльнулся. — А теперь ждем папу — и вся семья в сборе. И общество такое утонченное, организатор праздников тоже здесь, будем веселиться.

Я в жизни бы не подумала, что парень способен на сарказм — и вдруг.

— Вообще не понимаю, чего ты пенишься.

— А, ты не понимаешь! — Кинг-Конг пнул Алекса, и тот тонко взвизгнул. — Сиди смирно, сопля! Еще раз шевельнешься — сломаю руку.

У этого парня просто пунктик насчет ломания костей, что не свидетельствует о наличии у него функционального мозга, как положено Другому Кальмару. Этот кальмар — обычный.

— Думаешь, Городницкий приедет сюда один?

— Приедет. — Кинг-Конг отмахнулся от меня, как от назойливой мухи. — Я его знаю, приедет. Я позвонил ему и вкратце обрисовал ситуацию и возможные последствия его упрямства, так что он приедет.

Он так долго был рядом с Городницким, что хорошо его изучил и точно знает, когда и какую реакцию нужно ожидать. А вот Городницкий, спорю на что угодно, понятия не имеет, чего ожидать от опального охранника. Он его и человеком-то не считал, скорее всего.

Впрочем, я тоже считаю, что Кинг-Конг — промежуточное звено между обезьяной и сапиенсом.

— Так я и не поняла насчет общего предка.

Чтобы понять другого человека, даже такого, как Кинг-Конг, с ним надо разговаривать. Интересоваться им, его мнением интересоваться, искренне — а мне искренне любопытно, что знает Кинг-Конг о делах давно минувших дней.

— А что тут понимать? Твой родной отец и я — оба приходимся внуками Владимиру Дымову, который погиб в этом вот самом доме в пятьдесят четвертом году прошлого века. Был так по-глупому убит, а все из-за шлюхи, которую любил и ради которой изменил присяге и родине.

— Объяснись.

Кинг-Конг пожал плечами — видимо, он отвык много разговаривать — за те годы, что изображал из себя вооруженную статую. Но если все произойдет так, как я думаю, то порасспросить его позже я не смогу, а мне обязательно нужно составить картинку.

Не люблю незавершенных дел.

— Нечего объяснять. — Он прислушивается к пространству вокруг. — Мой дед полюбил шлюху, ради которой забыл о своем долге, о семье тоже забыл — а закончилось все тем, чем закончилось.

— А конкретней?

— Сохранился дневник, который в конце жизни писала моя бабушка. — Кинг-Конг покосился на меня. — Дед работал на разведку, а с дипломатическим паспортом ему было проще перемещаться по Европе. После войны многое нужно было наверстать, искали архивы нацистов, военных преступников, а дед знал иностранные языки, к тому же обладал незаурядными способностями добывать разведывательные данные.

— Это как?

— Бабушка писала, что он был невероятно обаятельным, люди с удовольствием говорили с ним, делились личным, ну и прочими вещами под такие разговоры. Он умел вызывать доверие и убеждать.

— Если ты похож на него, в это трудно поверить.

Я понимаю, что сейчас могу рассердить его, но смолчать было вообще никак.

— Я похож на своего второго деда, отца моей матери. — Кинг-Конг в раздражении дернул головой, словно у него шея затекла. — А наш общий предок был, судя по фотографиям, настоящий герой-любовник. За это его любили бабы, и так он...

Ага, герой-любовник и обаяшка, вызывающий доверие. Так вот от кого у меня эта маска. Ладно же.

— Так он добывал разведданные. — Я хочу засмеяться, но это плохая идея. — Наш общий дедуля трахал жен генералов и дипломатов, разживался сведениями, а шлюха только Линда? Как будет называться шлюха мужского рода?

— Ты сейчас договоришься! — Кинг-Конг смотрит на меня почти миролюбиво. — Что за противная девка, надо же. Однако ты очень похожа на нее.

Он кивнул на портрет Линды, а я думаю о монете в десять центов, которая катилась по лестнице.

— Линда была одним из его заданий. — Видимо, Кинг-Конг расценил мое молчание как покорность судьбе. — Они встречались в Европе, она занималась тем же, чем и он. И все бы ничего, но когда она стала приезжать в этот дом и устраивать здесь свои оргии, в которых участвовали такие люди, что тебе и не снилось... В общем, она каким-то образом потом имела на них влияние. И дед тоже приезжал сюда, но не по долгу службы, конечно. Что по итогу разрушило их с бабушкой брак — он по-настоящему увлекся этой шлюхой, и, хуже того, она родила ему дочь, задолго до приезда сюда.

— То есть Лулу Белл была дочерью Дымова, это уже точно известно?

— Да, и бабушка это знала. — Кинг-Конг поморщился. — У них с дедом детей не было. А потом уже, когда деда не стало, бабушка обнаружила, что беременна. В сорок три года, после смерти мужа — она родила моего отца. Ну а я... В общем, получается, мы с тобой родня. Можем потом сделать анализ ДНК.

Если оно будет, это «потом». Но, судя по всему, именно меня он убивать и не собирается.

— Это весьма печально — такая вот история, но я-то не виновата, что она произошла.

— А разве я сказал, что ты виновата?

Блин, у меня есть хоть кто-то нормальный в генах? Или только шлюхи, тупые коровы, психопаты и придурки? Похоже, мне не надо иметь детей, это чревато для безопасности в мире.

— Что тебе печально, я в родственники не гожусь?

— И ты тоже, да и остальные не фонтан. А бабуля, случайно, не в курсе, что тут произошло той ночью и куда подевалась Лулу Белл Ньюпорт?

— В курсе. — Кинг-Конг оскалился. — Она отравила их в ту ночь. Ее бабка, будучи деревенской знахаркой, научила разбираться в травах. Дед же собирался мало того что уйти из семьи, но и сбежать со своей шлюхой из страны. Он очень любил свою ублюдочную дочурку, видите ли.

— И милая старушка просто всех их убила.

— Ей тогда было сорок два года, она была маленькая, хрупкая и выглядела от силы на тридцать. — Кинг-Конг, похоже, сердится. — Она проникла в этот дом и подмешала яд в свежеприготовленный сок, который повариха оставила на кухне. Ей и в голову не пришло, что прислуга станет его пить! Она не хотела убивать ни прислугу, ни няньку, ни уж тем более — девочку. Она была уверена, что в такой поздний час ребенок уже спит, кто же знал, что у этих ненормальных все как попало устроено.

— А девочка? Зачем она ее увела?

— Девочка вошла в гостиную, когда бабушка выстрелила в деда. То, что прислуга тоже погибла, бабушка узнала позже, а Линда очень любила апельсиновый сок, она пила его весь вечер, так что первой умерла она. Дед пытался ее откачать, вызвать помощь, но телефонные провода оказались перерезаны. Бабушка вошла в комнату и попыталась его образумить, а он бросил ей в лицо, что она, дескать, бесплодная холодная уродина и уже слишком старая, чтобы что-то изменилось к лучшему. — Кинг-Конг внимательно смотрит на Лиану и Пауля, потому что они ерзают. — Торчкам, смотрю, пришла пора закинуться... Так о чем я? Бабушка не собиралась убивать деда, она знала, что он не станет пить апельсиновый сок, у него на цитрусовые была аллергия. И когда она выстрелила и поняла, что убила его, тут этот ребенок... Она увела девчонку с собой, думала убить — но убить не смогла, и оставить было невозможно. Увезла в деревню к своей бабке, которой тогда было уже под девяносто, и та присматривала за ней, пока бабушка добывала нужные документы. У нее был доступ к бланкам, и когда оформила все, то приняла девчонку в свой дом как якобы ребенка родственников из Прибалтики, там у нее и правда когда-то были родственники. После смерти деда она ушла из дипломатического корпуса, и пристальное к ней внимание исчезло, вот и получился этот трюк. Она вырастила девчонку как свою — по документам ее имя стало Лилита Дымова, мой отец считал ее сестрой. Она, конечно, и приходилась ему сестрой, но всю историю он так и не узнал, я случайно нашел дневник после его смерти, когда разбирал бабушкины вещи, которые он так и не смог выбросить.

— И что же случилось с Лулу Белл?

— Девчонка долгое время молчала — была испугана, видимо, и с языком проблема была, но со временем оттаяла. Правда, когда подросла, оказалось, что она такая же шлюха, как и ее мать, так что она, как и ожидалось, в пятнадцать лет забеременела невесть от кого, а ведь бабушка тогда уже работала в школе! Завучем работала, и ей светила должность в управлении образования! Чтобы избежать слухов и сплетен, бабушка сначала увезла девчонку в деревню, в дом покойной бабки, деревня к тому времени была практически пустая, и там она оставалась до самых родов, бабушка была с ней, а когда пришло время рожать, даже хотела вызвать «неотложку». И вдруг девка принялась голосить по-английски и кричала, глядя на бабушку: «Ты убила, я видела!» Вспомнила, да, память — вещь очень странная. Бабушке пришлось… заткнуть ее. Она не вызвала врачей, и девка истекла кровью, да и хрен с ней, это к лучшему. Мальчишку бабушка подбросила в дом малютки, растить его было уж слишком, а девку бабушка привезла хоронить сюда.

— Как же ей в деревне удалось скрыть смерть Лулу Белл?

— Деревня к тому времени была практически пустая, несколько подслеповатых глухих старух не считалось, так что там некому было подглядывать, а на улицу девчонка выходила только по ночам. — Кинг-Конг хмыкнул. — Так что, когда все случилось, бабушка просто погрузила труп в свою машину и вывезла. Сначала ребенка определила, потом с трупом решили проблему.

— То есть?!

— Она могла бы выбросить девку в овраге, зарыть где угодно, только бабушка была не такая! Она привезла тело сюда, и Лулу Белл нашла свой покой рядом с матерью и нянькой. Кладбище в дальнем конце парка — она там, в могиле Линды. Дом к тому времени был уже пуст, а охрана была, как и прежде, только внешняя. Бабушка отлично знала, как проникнуть в этот дом так, чтобы не привлечь внимания.

— И как же, умник?

— Так же, как и я. — Кинг-Конг засмеялся. — В подвале есть дверь за полкой с инструментами. Там ход, который идет к соседнему участку, примыкающему к лесу, а оттуда есть люк. Не знаешь — не найдешь. Это же не просто посольства строили себе дачи, это службы безопасности под свои нужды обустраивались, но на планах ничего этого нет, конечно.

Кинг-Конг умолк, и в комнате повисла тишина.

— Чудовищно! — Янек старается не смотреть на меня, но смотрит, и в его глазах сочувствие. — Это же... чудовищно! Столько убийств — и ради чего?!

— Если бы дед сбежал со своей шлюхой, бабушка угодила бы в тюрьму. Тем более что он начал выдавать этой голливудской давалке секреты, которые не должны были стать известны врагам. Информацию, которую он добывал, сливал этой дряни. — Кинг-Конг развел руками. —

Выживание, что ж. Никто бы не поверил, что бабушка этого не знала, а она знала, но не донесла.

— Каким врагам? — Я вот не понимаю этого идиотизма насчет «кругом одни враги». — С кем тогда страна была в состоянии войны?

— Мы всегда были окружены врагами, и сейчас это так. Все вокруг хотят нашей гибели, потому что лишь у нас есть особый путь, особая духовность, отличающая нас от остальных.

— О господи!

Хрен их знает, кто и когда внес в их головы эти россказни о каком-то особом пути. Вот путь особый, и все — правда, на этом пути нет ни хороших дорог, ни пригодных для жизни условий, ни даже закона, зато путь особый, миссия типа.

Кто-нибудь скажет мне, в чем все это заключается?

— То есть отравить любовницу мужа, попутно еще троих теток, которые вообще никаким боком к ситуации, убить изменника, выкрасть ребенка, выбить ему из памяти то, кем она является, чтобы потом убить ее во время родов, — это какой-то уж сильно особый путь? Прямо специальный путь для психопатов.

— Много ты понимаешь! Ты такая же шлюха, как и Линда. — Кинг-Конг презрительно поморщился. — Но это дела давно минувших дней и уже никому не интересны. Все похоронено и успело не просто истлеть, но и превратиться в пыль. А меня интересуют проблемы более насущные. Где же наш папаша, что же он не едет спасать сына? Августа вот нашла свою смерть, что для нее к лучшему, потому что я бы эту дрянь голыми руками порвал!

Он с ненавистью смотрит на Алекса.

— Ведь ты мог ее заткнуть раньше. Она столько раз на тебя стучала, папаша тебе разве что кости не ломал, а ты все терпел, сопляк! — Кинг-Конг пнул Алекса, и тот взвыл. — Как она прознала, эта полоумная, а я это пропустил! И старый хрыч тоже хорош, как ни в чем не бывало делами занимался, а потом такое горе разыграл, как будто и не он ее заказал! И ты все видела!

Дуло пистолета смотрит прямо на меня. Вот мы и добрались до сути вопроса.

— Ты была с ней в тот вечер, вас видели вместе! — Кинг-Конг оскалился. — Вот этот сопляк видел. Вы были вместе — нет, я знаю, что ты Леру не убивала, но ты видела, кто это сделал. И скрылась.

— Ты тупой? — Меня достали эти разговоры обо мне как о продуктивном свидетеле убийства. — Повторяю для тупых: я ничего не видела. Там было темно, мы вышли из освещенного фонарем круга и только вошли в темноту, а этот парень — ну, возможно, это была и женщина, кто знает, — выскочил откуда-то и всандалил в Валерию нож, вот и все, что я видела. Ни роста я толком не запомнила, ни даже цвета капюшона, которым он лицо закрывал. Что я могла рассказать хоть тебе, хоть следствию, если я, блин, ничего толком не видела?

— Так чего ж ты убегала?

— А чего мне было не убегать? Ждать, что он и меня ножом угостит? Спасибо, положите на комод такую перспективу.

— Я не о том. — Кинг-Конг набычился. — Почему от следствия скрывалась?

— А тебе не приходило в голову, что я понятия не имела насчет того, что меня ищет следствие? Или я должна была сама прийти в полицию и сказать, что я ничего не видела? Кто бы мне поверил? Полиция, или убийца, или ты? Так уж совпало, что накануне я поссорилась с семейством и съехала из дома, но это не значит, что я скрывалась.

Конечно, я пряталась, но кому какое дело?

— Я тебе верю. — Кинг-Конг задумался. — Ты не врешь, я это вижу. Ты вообще редко врешь, я давно за тобой наблюдаю... Нет, ты хуже, чем Линда. Ты все обо всех понимаешь как-то очень сразу, а люди этого не видят — они видят только ослепительную красоту, а то, что за ней сидит хищник, — нет, никому в голову не приходит, а я это знал и раньше. Думаю, Линда была такая же, и дед тоже. Надо же, как природа шутить умеет! Да, полиция, конечно, не поверила бы... Ты ведь знала о нас с Валерией?

— Знала.

— Но никому не сказала. — Кинг-Конг кивнул. — А могла бы. Но ты не из болтливых, и лишь потому я не стану возвращать тебе давешний должок, хотя поступила ты со мной по-сволочному.

Это он свои разбитые тестикулы имеет в виду.

— Тогда чего ты хочешь сейчас?

— От тебя — уже ничего, я выяснил то, что хотел. — Кинг-Конг снова прислушивается. — В этом доме что-то неладно, по-моему. Ну, потом разберусь. Да, Августа красочно упала, кто бы мог подумать, что можно так разбиться, просто свалившись с лестницы.

— Ты ведь этого не видел?

— Нет, я пришел как раз на момент ваших разборок вокруг Людмилы. Что с ней не так?

— А то ты не знаешь! — Алекс злобно посмотрел на Кинг-Конга. — Сам же и убил ее. Труп-то убрал, только мы все ее видели.

— Зачем бы я стал ее убивать? — Кинг-Конг хмыкнул. — Она никак не мешала мне — обычная баба, приживалка при богатом родственнике, старший куда пошлют. Я ее и видел-то редко.

— Ну да! — Алекс опасливо отодвинулся от карающего ботинка. — Если я не убивал и никто из собравшихся —

а мы это уже выяснили, то остаешься ты. Ведь, кроме тебя, здесь никого чужого нет.

Кинг-Конг собрался было что-то сказать, но в холле хлопнула дверь, послышались шаги.

Звук шагов замер на какой-то миг — труп Августы значительно разнообразил интерьер, но папа явно не слишком огорчен, потому что замедлился ненадолго, и, когда вошел в зал, Кинг-Конг выстрелил.

Знаете, когда я выстрелила Владу в торс, я стреляла сквозь сумочку, причем из револьвера крохотного, как игрушка. И звук был так себе, едва-едва. А тут громыхнуло изрядно, звук усилила акустика зала, и Городницкий остановился. Думаю, такого поворота он вообще не ожидал — хотя чего можно было ждать, когда тебя вдруг заставляют приехать в отдаленное место под угрозой убийства твоего сына? Непригодного для чего-то серьезного, погрязшего в азартных играх, но — сына? Для Городницкого наличие сына, наследника престола, было обязательным.

Правда, я не знаю, какой там престол мог занять Алекс, но Городницкий, возможно, считал иначе.

А теперь он упал и лежит посреди ковра, как насекомое, которому отдавили половину лапок. Шевелится — но встать не может.

Лиана взвизгнула и закрыла глаза руками. Надо же, какая впечатлительная девушка, словно и не она обсуждала совсем недавно, как убить Августу.

На самом деле она думала, что это сделает кто-то другой.

Они все такие — любители чужими руками каштаны из огня таскать, и Пауль такой же, и Алекс тоже. Они все — просто ничтожества. Тот, кто не умеет на себя заработать, — балласт для планеты.

— Поднимайся, не так сильно я тебя ранил, как ты тут

изображаешь. — Голос у Кинг-Конга снова стал тяжелым, как мешок мирового зла. — Давай вставай.

Городницкий с трудом поднялся — пуля попала ему в левую ногу, и я возьму себе на заметку, что Кинг-Конг отлично стреляет. Разве что он случайно попал Городницкому в мягкие ткани ноги, не задев кость и артерию. Бывает и так, но я предположу худшее.

— Ты сдурел?

Городницкий смотрит на своего бывшего охранника со смесью обиды, удивления и злости. И если он не лучший в мире актер, то он такого вообще не ожидал и понять не может, с чего вдруг так взбесился его верный цепной пес.

И я думаю, что наш спектакль подходит к финалу.

— Я в своем уме, а вот ты, похоже, нет. — Кинг-Конг оскалился. — Ты не мог ее отпустить, не мог оставить в покое. Ты считал, что она твоя собственность, и убил ее.

— Валерию? Я?! — Городницкий, похоже, забыл даже о простреленной ноге. — Я пальцем ее никогда не тронул! Я… что значит — отпустить? Что это значит?

Вот и выбрался из мешка самый забавный кот.

— Хватит притворяться! — Кинг-Конг смотрит на Городницкого, и я понимаю, что живым он его в любом случае не оставит, как и нас всех. — Ты знал, что у нас с Валерией отношения.

Да ни хрена он не знал, я сразу поняла, что не Городницкий тут виновник торжества. Городницкий же полный псих, помешанный на контроле, — да если бы ему сказали, что Валерия завела шашни на стороне, он никогда в жизни не сидел бы в засаде, ожидая, пока кто-то сделает за него то, что он может сделать сам.

Но я должна была раскрутить этот клубок — просто потому, что так правильно.

— Ты и Лера?! — На Городницкого жалко смотреть. — Ты...

Кинг-Конг еще не понял то, что поняли все в этой комнате.

— Да, я и Лера. И давно. А ты думал, что можешь привлечь такую женщину? Она же тебе в дочери годится, неужели ты думал, что можешь чем-то привлечь молодую девчонку — кроме денег, конечно? Только иногда и деньги уже значения не имеют.

Его лицо вдруг исказилось — на миг, но, блин, мне реально стало его жаль. Он ведь любил эту вертихвостку Валерию, любил до самого что ни на есть нутра, она даже понять этого была не в состоянии, а для таких вот парней, как Кинг-Конг, любовь всегда становится самой сильной эмоцией в их жизни, потому что они, в принципе, не эмоциональные, но если уж накрыло, то по-взрослому, до крови.

Но вряд ли она собиралась с ним уходить в закат.

Только Кинг-Конг этого явно не понимал. Наша беда в том, что если мы любим человека, то начинаем его придумывать. Приписывать ему качества, которых у него и близко нет, но которые мы хотим видеть и за которые, как мы думаем, любим этого человека. Но дело в том, что ничего подобного, как правило, нет. А потом вдруг наступает изумление: о, ты так изменилась! Или изменился.

А никто никуда не менялся, вот что.

— Ты заказал ее. — Кинг-Конг пока не понял, что все идет как-то не так. — И я считаю, что ты должен за это заплатить.

— Я этого не делал! И если бы я узнал о вашей связи раньше...

Городницкий сжал кулаки и злобно зыркнул на Кинг-Конга. Ежу понятно, что бы он сделал.

— Так, давайте все остынем.

Янек решил, что может встрять в ситуацию, и я хочу посмотреть, как это у него получится.

— Сядь!

Кинг-Конг поднял пистолет, но Янек сидит не шелохнувшись.

— Мне кажется, проще будет разобраться спокойно, когда все участники событий здесь. — Янек покосился на Лиану и Пауля. — И даже непричастные люди, которые...

— Они — ненепричастные люди. — Кинг-Конг прищурился. — Эти двое шантажировали Леру.

— Чем?!

Это хором спросили мы с Городницким. Надо же.

— Да все просто. — Кинг-Конг в упор смотрит на Янека. — Этим торчкам нужны были деньги, а их папаши слегка перекрыли им кислород, так что эти двое сплетников шантажировали Леру кое-какими вещами... Нет, не фактом нашей связи, но теперь говорить об этом смысла нет.

— Ладно. — Янек успокаивающе поднял ладони. — Ладно, пропустим это. Совершенно очевидно, что Валерию убил наемный убийца. По крайней мере, полиция пришла к однозначному выводу. И если заказчиком является не муж Валерии, то — кто? Давайте рассуждать логично. Вы не знали о романе своей жены?

— Не знал.

Городницкий тяжело опустился в кресло, зажимая руками рану на бедре.

— Думаю, это правда. — Янек кивнул. — Реакцию такого рода сыграть невозможно. Например, вас ведь не расстроил труп вашей дочери в холле?

— Девчонка была явно не в себе. — Городницкий поморщился. — Видит бог, она доставляла массу проблем, и я знал, что, рано или поздно, закончится все скверно, это просто был вопрос времени.

— Так я и думал. — Янек снова понимающе кивнул. — Ваши дети не оправдали ваших надежд, и вы начали все сначала — с новой женой. И, возможно, хотели от нее детей?

— Мы обсуждали это. — Городницкий пожал плечами. — Да, мои дети никаких надежд не оправдали. В них были вложены большие деньги, а что на выходе? Янина просто тупая корова, но она хоть баба, ей простительно. Алексей — игрок и трусливое ничтожество, Августа же... Господи, сколько проблем и неприятностей она доставляла! И вот ваш отец, и условия те же — а разница колоссальная. Ну, взбрыкнула Аделина — да только девчонка давно и прочно стоит на собственных ногах. И ты тоже... А ведь деньги были вложены в вас, возможно, и меньшие.

Он считает, что деньги решают все. Вот вложил их в детей, и не нужны им ни любовь, ни внимание, ни участие в их жизни — и такое недоумение искреннее: а что не так, я ведь дал им денег!

— Итак, об измене жены вы не знали и не платили наемному убийце.

— Нет, боже мой, если бы я знал, я бы...

Он осекся. Вот сейчас он — почти настоящий: он едва не проговорился. Он бы убил ее, и Кинг-Конга тоже. Ему и в хрен не тарахтело нанимать кого-то для этого.

— Отлично. — Янек нахмурился. — Тогда вопрос к вам, господин Дымов. Откуда вы знали, что мы будем в этом доме? Что мы здесь находимся?

— Так вот она... — Кинг-Конг кивнул в сторону Лианы. — В своем Инстаграме выложила фотографии: вся ваша милая компашка, и Аделина тоже — в этой гостиной, все наряжены, как для хорошей вечеринки. А я бывал здесь. Где-то часа полтора назад появились фотографии. Я отслеживал всех, кто был в окружении Леры, — вот и нашел вас здесь.

— Лиана, ты дура? — Я просто не сдержалась. — Зачем ты это сделала?!

— Я... — Лиана нервно сглотнула. — Мне просто показалось забавным выложить эти фотографии, особенно тебя рядом с портретом, но тут никак момента не поймала, и...

Она врет сейчас, и я вижу, что врет, но вряд ли кто-то еще это видит. Но тьма шепчет мне — не верь ей, она врет, и я не верю.

— Ладно, давайте дальше. — Янек пытается погасить конфликт. — Алекс, ты сказал, что твоя сестра донесла отцу о романе Валерии с охранником. Теперь мы знаем, что это не так. Августа ничего отцу не сказала, но почему-то не отрицала, когда ты ее обвинил. Почему?

Тема зашла в тупик, и тишину можно резать ножом. А порой даже и нужно, потому что она невыносима.

— А я знаю. — Мне надоело сидеть, и вообще, что за ограничение моих прав?! — Ты, родственник, если сейчас пристрелишь меня — никогда не узнаешь то, что знаю я, так что я, пожалуй, разомну ноги.

Я поднялась и прошлась мимо сидящих, встав у портрета Линды. Отчего-то этот штрих кажется мне ужасно смешным. Как будто все мертвые вернулись обратно — чтобы уже окончательно свести счеты и даже акт выполненных работ подписать. Я — это Линда, Кинг-Конг — это Дымов, Алекс — это как жена Дымова, как бы ужасно это ни звучало, а Лулу Белл понаблюдает и решит, кто ей годится.

— Тут проблема многослойная, как торт «Наполеон». — Меха меня отлично греют, уж не знаю, что такое с этим домом, так здесь холодно. — С чего все началось? С убийства Валерии, и мы вполне можем сбросить со счетов скорбящего супруга — он бы ее сам убил, если бы узнал об измене. Но наш друг Алекс утверждал обратное: дескать, папа все знал, вот и... А знал, потому что Августа ему якобы наябедничала. Да только все это была ложь от начала до конца. Кто-нибудь раньше видел Августу?

— Ну, я как-то видела... Один раз, когда к Алексу приезжала. — Лиана вскинула подбородок. — Но не говорила с ней, она сразу убежала.

— Именно. — Это как раз то, что надо. — А тут вдруг она пришла сюда, выползла из своей норы, ради чего? Или — ради кого?

— Заткнись!

Это Алекс подал голос из-под стойки. А мне снова смешно, это же лучшая вечеринка в моей жизни!

Со стойки упала кофейная чашка.

21

Долго получается жить не у многих, а уж счастливо — вообще мало у кого.

Но люди упорно ищут то, что считают счастьем, а потом вдруг приходит понимание, что счастье уже было, но как-то буднично, словно это не счастье, а обычный вторник. Все дело в конкретном моменте: вот парню, которого сажают на кол, предшествующие дни в пыточной тоже кажутся просто отдыхом на Мальдивах.

Я вообще не собираюсь жить слишком долго, это както скучно и лишено всякого смысла. Ну, вот посудите сами: приходит время, и тело превращается в развалину, веселиться больше нельзя, вокруг — состарившиеся кальмары, думающие только о жратве, а то и вообще уже не думающие, и молодняк, жадно познающий мир, но поговорить, по сути, не с кем, а вокруг все тот же пейзаж.

Нет, жить — это скучно.

Но если уметь веселиться, то можно скоротать отпущенные деньки вполне сносно, я вам скажу.

— Хватит эмоциональных всплесков и ссор. — Я намерена сыграть эту мелодию до конца, и меня сейчас трубы Страшного суда не остановят, не то что блеянье Алекса. — Я расскажу вам, как вижу ситуацию, а потом решим, кто же из вас редиска. Но в целом все это было отлично придумано, только человек, осуществивший этот план, чисто случайно оказался в плохой компании.

Или не случайно, сейчас выясним.

— Этому человеку во что бы то ни стало нужно было избавиться от Валерии — из-за ее планов родить ребенка. — Меня даже передергивает от отвращения при мысли, что кто-то мог вообще спать с Городницким, не то что детей от него рожать. — И этот человек решил разрулить вопрос по-своему. Деньги у него водились, и он — или она — находит выход на контору, поставляющую услуги наемных убийц. Уверена, что звонили им с одноразового телефона и использовали программу по изменению голоса. Но всегда остаются следы, так или иначе.

Кинг-Конг смотрит на меня набычившись. Мышление дается ему с трудом, но он, по крайней мере, старается, что тоже ценно. Городницкий нянчит простреленную ногу и смотрит на меня тяжелым взглядом психопата, но смотрит оценивающе, и я боюсь думать, какие мысли бродят в его черепушке при виде моих многочисленных внешних достоинств. Но я — не Валерия, мне не нужен мужчина просто ради денег, а если бы и оказался вдруг нужен, Городницкого в этом списке точно не было бы.

Я предпочитаю не связываться с психами.

— Валерию заказал кто-то из домочадцев, и это либо Алекс, либо Людмила. Но я бы не сбрасывала со счетов и Янину. В том, каким образом была убита Валерия, прослеживается что-то личное. Значит, убийце были даны такие инструкции. — Я обвела глазами собравшихся, Янек смотрит на меня не отрываясь, и величие момента постепенно начинает доходить и до меня. — Но оказалось, что есть загвоздка — свидетельница. Убийца хорошо меня рассмотрел, но не знал, кто я, а вот по описанию меня смог идентифицировать только тот, кто знал меня. А в тот вечер, например, Алекс знал точно, что Валерия встречалась со мной в ресторане, обсуждала праздник по случаю дня рождения супруга. Он даже видел нас там. А вот супруг этого чисто теоретически знать не мог — сюрприз же, но остальные домашние были в курсе. С пасынком Валерия этот вопрос точно обсудила. Пока все согласны?

Молчание стало мне красноречивым ответом.

— Но все упиралось в то, что я больше не жила в доме отчима и не появлялась в местах своего прежнего ареала обитания. — Никто из вас не способен вот так соскочить со своей орбиты, я точно знаю. А потому убийца столкнулся с большими трудностями и обратился к заказчику — типа найди во что бы то ни стало. И тут вдруг Людмила меня обнаруживает там, где никто не ожидает, под чужим именем, в месте, где никто бы не нашел меня, если бы не глупая случайность: Людмила подрядилась помочь приятелю своего родственника Городницкого наладить бизнес, а я пришла туда сама, мне нужны были работа и укрытие.

— Я так и не понял, почему ты не вернулась домой. — Янек вздохнул. — Ну, да, мы поссорились — но ты ушла в никуда в чем была, отец беспокоился, мы тебя искали.

— А я не хотела, чтоб нашли, что не ясно? — Меня уже подбрасывает от этого вопроса. — Я не хотела никого из вас больше видеть и сейчас не хочу. Вы меня достали своим лицемерием, вся ваша семейка реально меня достала, и если твой отец, по крайней мере, нормальный чувак, то вы с матерью — два моральных урода, и все ваши семейные ценности — это без меня, Янек, вы сами по себе, а я сама по себе.

— Эй, ну-ка прекратите! — Кинг-Конг повел дулом пистолета в нашу сторону. — Хватит разборок. Значит, ты считаешь, что Валерию заказал кто-то из семейства? А это либо Алекс, либо Людмила, Августа была, в принципе, не способна на какое-то планирование, а Янина была рада, что больше не живет в этом доме.

— Что ты городишь?

Городницкий злобно смотрит на своего бывшего сотрудника, в его башке очень заметно не варится, как вообще соотнести связную речь бывшего охранника с тем, что он мебель. Считался мебелью.

— Ради кого Августа согласилась бы солгать? Ради кого она вышла бы из дома и согласилась бы принять участие в увеселении? И отыграла свою роль как по нотам, пока не была убита?

Взгляды Городницкого и Кинг-Конга сошлись на Алексе.

— Только ты, несмотря на ваши разногласия, был с ней достаточно близок. — Я тоже смотрю на Алекса. — Только ты смог убедить Августу сыграть роль — довольно неприглядную, кстати, — а она была инфантильной и недоразвитой, но затвердила все намертво, за что и поплатилась.

— Как это? — Янек непонимающе смотрит на меня. — Она же погибла там, на лестнице, Алекс не мог убить ее!

— И тем не менее он ее убил. — Картинка сложилась, наконец сложилась. — Это все был спектакль, разыгранный как по нотам для нас. Алекс знал, что Людмила привезет меня сюда — или он, или Августа подслушали разговор о том, что я нашлась. Да, могли подслушать?

Городницкий кивнул.

— Был такой разговор. Я не знал, как поступить, и хотел сначала встретиться с тобой и поговорить, а уже потом звонить твоему отцу.

— И вы знали, что Людмила везет меня сюда?

— Знал. — Городницкий вздохнул. — И мой сын тоже знал, потому что разговор этот был при нем. Когда Люда рассказала, что ты сделала в квартире ее сотрудницы, а тут этот дом... И я подумал — а что, если у тебя получится и здесь убрать всю чертовщину, потому что иначе это мертвый актив, и я велел Люде привезти тебя сюда. Мой сын был при этом разговоре.

Алекс затравленно смотрит на папашу. Да, Бурковский меня бы так не сдал, я думаю.

— И у нашего друга Алекса возникает в голове гениальный план: одним махом избавиться от всех родственников. Он подговаривает Августу сыграть роль — а девчонка всю жизнь лицедействовала, чтобы привлечь к себе папино внимание, так отчего бы она отказалась? Алекс приглашает с собой свидетелей — своих приятелей, показаниям которых полиция поверит полностью. И это он подбивает Лиану отправить фотографию, чтобы привлечь внимание господина Дымова. Да, Лиана?

— Ну... он сказал, что все умрут от зависти, увидев этот дом.

Ну, не от зависти, так еще от чего-нибудь.

— Вот я об этом. Умелый манипулятор, как большинство запойных игроков. А тем временем убийцу тоже оповестили, где буду я. Ну, чтоб одним махом семерых побивахом, я-то теоретически видела убийцу Валерии, а если меня спросят, то могут выйти на убийцу, а потом и на заказчика. А я ничего не видела, но, по сути, картинка сложилась так, словно мотив убить Валерию был только у ее мужа, который знал о ее интрижке, и Августа подтвердила — да, я сказала об этом папе. Конечно, если бы полиция надавила на нее, то Августа раскололась бы и указала на брата, который подбил ее на спектакль, а потому живой она была не нужна. Не знаю, что наплел ей Алекс, чтоб она согласилась сыграть такую роль. Возможно, сказал, что это розыгрыш, не знаю и не хочу знать. Но когда она притворилась трупом и все слышали, что она упала, — на самом деле девчонка тогда была жива, пульс-то щупал только Алекс. Она была еще жива, когда вы уходили в гостиную, но когда Алекс вернулся за якобы упавшей зажигалкой — он убил ее. Проломил череп чем-то тяжелым, этот предмет, я думаю, мы найдем, если поищем. Или ударил головой об пол. Много ли ей было надо? А теперь получается картинка: Августа погибла, но все слышали, что она признала: да, сказала отцу о романе его жены с охранником. А что она погибла, упав с лестницы, куча народу слыхала. Охранник прибывает сюда и в порыве гнева убивает папу, киллер убивает меня, а Алекс...

Выстрел прозвучал приглушенно — блин, у всех, по ходу, есть стрелялки, надо же! Пуля обожгла мне плечо, Алекс стреляет так себе.

— Ты слишком много всегда о себе мнила! — Алекс уткнул пистолет в бок Кинг-Конга, и у того вид обиженный и озадаченный. — Ты всегда была надменной сукой, да, Адель?

— Алекс...

— А ты молчи, братец! — Алекс оскалился. — Я не был для нее достаточно хорош, потому что у меня не было собственности и денег, она всегда говорила: это все не твое, а твоего отца, и она была права! А потом папаша и Лерка начали говорит о ребенке. Но теперь...

— Ты думал, что если убьешь папашу и прочее семейство, то все достанется тебе, и Аделина тоже? — Янек ухмыльнулся. — Алекс, ты не понял ее. Ей интересен тот мужчина, который может заработать на себя сам, а не тратить чужие деньги.

— Я...

Резким движением Кинг-Конг ударил Алекса по шее, и его шея словно сломалась, он осел на пол, но рука, непроизвольно сжавшись, все-таки произвела выстрел, Кинг-Конг свалился вслед за Алексом, и я сомневаюсь, что он жив.

— Так это все было только ради того, чтобы всех убить? — Лиана в ужасе прижимает ладони к лицу. — Значит, он и эту тетку убил?!

— Думаю, нет. — Янек опускается рядом со мной на колени и пытается унять кровь, но зря. — Тело он не смог бы убрать, как и кровь, а значит, был еще кто-то.

— Людмила убита? — Городницкий тяжело поднимается из кресла. — Как?

Смерть Людмилы его, похоже, очень расстроила. Или нет, кто его разберет. Например, гибель Алекса и Августы его вообще никак не зацепила эмоционально, а сейчас он выглядит очень расстроенным и потрясенным.

— Да, убита. — Янек пытается позвонить, но телефон не работает. — Влад, ты не наладил связь?

— Не успел. Погоди, я сейчас.

Он поднимается и выходит, и я знаю, что больше мы этого парня не увидим — и оно к лучшему, я думаю.

— Мы нашли ее с ножом в горле на втором этаже. — Я вздохнула. — Но тело пропало. Возможно, оно отыщется на участке или в потайных ходах...

— Каких ходах?!

— Этот дом — большой лабиринт ходов между стенами. — Голова у меня обрела ясность, тьма отступила. — Линда, прежняя хозяйка дома и моя прабабушка по совместительству, промышляла международным шпионажем, она приглашала в этот дом высокопоставленных чиновников, а потом снимала их утехи, записывала разговоры. Этот дом был построен как гигантская ловушка для похотливых идиотов. А ребенок служил ей идеальным прикрытием — молодая мать, очень трогательно, никто не ждет подвоха, не чует опасности. Так что труп утащил убийца, пока мы тусили тут, он и кровь подтер.

А кто это был, вряд ли мы узнаем.

— Есть связь. — Янек наконец обрадованно тряхнул телефоном. — Продержись еще немного, сестренка, сейчас будет помощь.

— Я тебе не сестра.

Из холла послышался шум, утробный вой, и в зал ввалился Гоша. Кладовщик Гоша, и его помятое лицо искажено такой гримасой, что лучше бы мне этого не видеть.

— Там… там…

Гоша плюхнулся на ковер и заскулил. На его зеленой футболке бурые пятна, как и на руках, — он их затирал, но безуспешно.

— Там… привидение! — Гоша затрясся. — Я скажу, все скажу! Убил, я убил — она грозилась рассказать… Да много ли я взял на том складе, а она говорит: в тюрьму… Я все расскажу, но там эта женщина, она мертвая!

Гоша затрясся и вцепился пальцами в край ковра.

— Кто это?

Лиана заинтересованно смотрит на Гошу.

— Это Гоша, кладовщик. — Из меня вытекла вся кровь. — Он пытается нам сказать, что убил Людмилу, потому что она раскрыла его хищения на складе. Он бы скрылся, но где-то здесь встретил призрака. Да, Гоша?

— Я в машине спрятался… Приехал сюда, вошел, а на кухне ножи, и она ругала парня, потом пошла наверх, я дождался, пока парень уйдет, и за ней, а она стояла там, панель в стене открыла, а я ударил… И туда, между стенок, закрылся там, потому что дверь начала открываться. Потом все ушли, а я подумал — не будет тела, кто вам поверит? И убрал… А потом… Она!

Он тычет пальцем в портрет Линды.

— Я не понял сразу... Думал, это Светка, а она неживая! А лицо такое... У живых не бывает таких лиц...

Гоша затрясся и пополз по ковру в сторону дивана, где сидят Пауль и Линда.

Со стойки упала чашка, а на стульчике у рояля сидит Маринка.

Янек затряс меня — ну, что за манеры?

— Не спи, смотри на меня!

— Маринка...

— Она всегда была. — Янек прижимает к моему плечу полотенце. — Она осталась с тобой, отпусти ее уже.

А разве я держу ее? Она ушла давным-давно, просто я помнила и помнила, и не хотела забывать, потому что она одна была тем, что стоило помнить.

— Как ты нашел информацию об этом деле?

— А тебе обязательно надо расставить все по местам? Нет, Адель, останься со мной! Слышишь? Я работаю на Международное агентство по борьбе с терроризмом, у меня есть доступ ко многим архивам.

— Наш пострел везде поспел.

В дверях стоит Линда, я отлично вижу ее, и Лулу Белл, она берет Маринку за руку. Если сейчас откроется световой столб и они поднимутся наверх, я побрею голову и уйду в Шао-Линь, разве что меня туда не примут.

— С третьего курса университета я подал заявку на работу, и меня взяли. Я сам смогу заработать, если что.

Не знаю, о чем он толкует, сможет и сможет, мне-то что?

Маринка подходит ко мне, она совсем такая, какой я ее запомнила в тот последний наш вечер, когда мы все были живы и счастливы — мы с Маринкой играли, и мать еще была нам матерью. Оно было, это счастье, просто я не знала тогда, что это оно и было.

— Останься со мной, Адель.

Я останусь, только сама с собой. Все ушли, а те, кто остался, — не нужны мне. Во тьме много места, но вот тьма для каждого индивидуальная.

Какие-то люди входят, Янек держит меня за руку, меня куда-то несут, но я смотрю на это будто со стороны.

Вот только Маринка осталась позади, а ветер на улице звучит джазом и смехом.

И рука Янека не отпускает мою руку.

У меня зазвонил телефон, звонит и звонит, и я слышу, чья это мелодия, — звонит Оксанка.

Аркан Таро — Башня.

Старший аркан, основные значения карты в перевернутом положении: процесс перемен уже начался, травма уже произошла, время собрать осколки и начать все заново.

Наверное, я останусь с вами, ребята. Но я все еще отрицательный персонаж и очень плохая компания.

Литературно-художественное издание

ОТ НЕНАВИСТИ ДО ЛЮБВИ

Полянская Алла

КТО НА СВЕТЕ ВСЕХ ТЕМНЕЕ

Ответственный редактор *А. Антонова*
Редактор *И. Першина*
Младший редактор *П. Рукавишникова*
Художественный редактор *А. Сауков*
Технический редактор *Н. Духанина*
Компьютерная верстка *В. Фирстов*
Корректор *Н. Овсяникова*

ООО «Издательство «Э»
123308, Москва, ул. Зорге, д. 1. Тел.: 8 (495) 411-68-86.

Өндіруші: «Э» АҚБ Баспасы, 123308, Мәскеу, Ресей, Зорге көшесі, 1 үй.
Тел.: 8 (495) 411-68-86.
Тауар белгісі: «Э»
Қазақстан Республикасында дистрибьютор және өнім бойынша арыз-талаптарды қабылдаушының өкілі «РДЦ-Алматы» ЖШС, Алматы қ., Домбровский көш., 3«а», литер Б, офис 1.
Тел.: 8 (727) 251-59-90/91/92. **Интернет-магазин:** www.book24.kz

Өнімнің жарамдылық мерзімі шектелмеген.
Сертификация туралы ақпарат сайтта Өндіруші «Э»

Сведения о подтверждении соответствия издания согласно законодательству РФ о техническом регулировании можно получить на сайте Издательства «Э»

Өндірген мемлекет: Ресей
Сертификация қарастырылмаған

Подписано в печать 13.03.2018.
Формат 84×108 $^{1}/_{32}$. Гарнитура «Гарамонд».
Печать офсетная. Усл. печ. л. 16,8.
Тираж 3000 экз. Заказ № 41410.

Отпечатано в соответствии с качеством предоставленных издательством электронных носителей в АО «Саратовский полиграфкомбинат».
410004, г. Саратов, ул. Чернышевского, 59. www.sarpk.ru

ISBN 978-5-04-093409-6